D0064373

Pierre Vennat

LES HÉROS OUBLIÉS

**L'histoire inédite des
militaires canadiens-français
de la Deuxième Guerre mondiale**

Tome 1
De la mobilisation au raid de Dieppe

Méridien

Pierre Vennat

LES HÉROS OUBLIÉS

L'histoire inédite des
militaires canadiens-français
de la Deuxième Guerre mondiale

Tome 1
De la mobilisation au raid de Dieppe

Méridien

Les Éditions du Méridien bénéficient du soutien financier du Conseil des arts du Canada pour son programme de publication.

Illustration de la couverture :
Tous ensemble — Jusqu'au bout !
de J.E. Sampson
Lithographie
Archives nationales du Canada
C-091445
Affiche publiée dans le volume
« Affiches de guerre canadiennes
1914-1918 / 1939-1945», Marc H. Choko,
Éditions du Méridien 1994

Conception graphique :
Via DESIGN inc.

ISBN 2-89415-166-7

Dépôt légal — Bibliothèque nationale du Québec, 1997

Imprimé au Canada

DÉDICACE

À mon petit-fils Mathieu, pour qu'il sache que c'est grâce à des hommes comme son arrière-grand-père André Vennat qu'il pourra grandir en paix dans un climat de liberté.

À ma mère, qui pour m'avoir élevé seule est, elle aussi, une héroïne en son genre.

À Micheline, qui durant de nombreuses semaines a dû endurer, tous les jours, les cliquetis de mon ordinateur, de ma machine à écrire ou de mon imprimante.

À mon fils André, à ma fille Chantal et à mon gendre Jean, pour qu'ils comprennent mieux encore ce que mon père allait faire dans cette galère et qu'ils sachent ce qu'ils doivent aux héros oubliés de la Deuxième Guerre mondiale.

REMERCIEMENTS

À *La Presse*, à son président et éditeur, Roger D. Landry, et à son vice-président à l'information et éditeur adjoint Claude Masson, qui m'ont octroyé la Bourse de l'éditeur et ont mis à ma disposition les ressources du Centre de documentation de La Presse pour la réalisation de cet ouvrage.

À Gérard Monette, directeur du Centre de documentation de La Presse et à ses camarades Roland Bertrand, Réal Beauchamp, Normand Brouillette, Robert Bellerose et Richard Lalonde, sans qui je ne me serais jamais débrouillé seul.

Au ministère des Anciens combattants du Canada qui m'a permis de visiter les champs de bataille et cimetières militaires d'Angleterre, de France, des Pays-Bas, d'Allemagne, de Birmanie, de Singapour, de Hong Kong et du Japon et de mieux comprendre ce qui s'est passé entre 1939 et 1945.

Et enfin, et surtout, à tous les anciens combattants que j'ai rencontrés lors de ces pèlerinages et qui méritent tant qu'on se souvienne d'eux.

Préface

En 1995, les médias canadiens en général, *La Presse* en particulier, ont accordé beaucoup d'importance aux cérémonies marquant le cinquantième anniversaire de la fin de la Deuxième Guerre mondiale.

Le gouvernement canadien avait organisé deux grands pèlerinages en Asie et en Hollande, ce pays libéré par l'armée canadienne et des régiments de chez-nous (le Maisonneuve, la Chaudière, le Royal 22e et les Fusiliers Mont-Royal).

Lors de ces voyages commémoratifs, le journaliste-auteur Pierre Vennat, qui avait participé à des pèlerinages semblables pour rappeler le raid de Dieppe ainsi que le débarquement de juin 1944 en Normandie, a rencontré de nombreux vétérans du Québec en plus de rédiger plusieurs comptes rendus de qualité pour *La Presse*.

De là, également la réalisation de son premier ouvrage, *Dieppe n'aurait pas dû avoir lieu*, pour lequel il s'est vu accorder la Médaille de Rayonnement culturel, par la Renaissance française.

Lors de la soirée de remise de cette décoration, à laquelle participaient son éditeur, Jean Lalonde, du Méridien, et moi-même, la question est venue tout spontanément : Pourquoi ne pas tenter de rédiger une synthèse de la participation des Canadiens français à la Deuxième Guerre mondiale ? Peu de temps auparavant, lors d'un colloque organisé conjointement par l'Université du Québec à Montréal et le Collège militaire royal de Saint-Jean, les historiens avaient été blâmés pour avoir négligé l'exceptionnelle contribution de quelque 90 000 Canadiens français au combat contre le nazisme et le fascisme lors de cette guerre.

Pierre Vennat, journaliste aguerri et dédié à sa tâche, rédacteur prolifique avec plus de 10 000 texte signés depuis 37 ans à *La Presse*, grand amateur d'histoire, fervent admirateur de son père mort au champ d'honneur et respectueux de tous ceux qui ont sacrifié leur vie comme lui, a relevé le défi.

De ses multiples contacts avec les vétérans, Pierre Vennat nourrit son ouvrage de renseignements personnels, de faits inédits, d'anecdotes intéressantes.

Il n'en demeure pas moins que c'est dans *La Presse* de tous les jours, scrutée à la loupe, de la première à la dernière page, durant des mois, que Pierre a recueilli la majeure partie de se informations.

À une époque où la télévision n'existait pas, alors que *La Presse* n'avait aucun concurrent sérieux, *Le plus grand quotidien français d'Amérique* rapportait les exploits des Canadiens français d'alors, Québécois d'aujourd'hui, à Dieppe et à Hong Kong, objet du premier tome de ce qui sera une trilogie.

C'est dans un esprit que le président et éditeur de *La Presse*, Monsieur Roger D. Landry, a accordé sa bourse de l'éditeur à Pierre Vennat, lui permettant de travailler à mi-temps, durant six mois de 1996, à la réalisation de son premier tome. La même bourse lui a été accordée pour 1997 afin de concrétiser le deuxième tome.

Fils d'un véritable héros de guerre mort au champ d'honneur pour que nous puissions vivre librement et qu'un quotidien comme *La Presse* puisse bénéficier de toute la liberté d'expression requise, Pierre Vennat s'est acquis une spécialisation dans l'histoire militaire et son ouvrage, auquel je suis fier de m'associer aussi bien comme éditeur adjoint que comme ami, vient combler une lacune importante.

Désormais, nos historiens universitaires n'auront plus de prétexte pour garder le silence sur ceux que Pierre Vennat appelle *Les Héros oubliés* mais dont nous avons le devoir de nous souvenir. Ces historiens pourront compléter, améliorer, développer davantage plusieurs aspects de la contribution militaire des Canadiens français à la Deuxième Guerre mondiale.

Mais ils ne pourront pas négliger *Les Héros oubliés* qui constitue la première grande synthèse qui ait jamais été publiée sur le rôle des nôtre dans cette grande croisade contre le fascisme que furent les années 1939 et 1945 inclusivement.

Claude MASSON
Vice-président et Éditeur adjoint
LA PRESSE, LTÉE

AVANT-PROPOS

À l'automne 1991, à la veille du 50ᵉ anniversaire du raid meurtrier du 19 août 1942 à Dieppe, je lançais aux Éditions du Méridien un ouvrage intitulé *Dieppe n'aurait pas dû avoir lieu* et qui, aux dires de Jean-Pierre Gagnon, historien du Service historique de la Défense nationale, à Ottawa, constitue le seul ouvrage écrit par un Canadien français ou un Québécois qui porte, ou du moins prétend le faire, sur l'opération de Dieppe.

Pourtant, je ne suis pas historien, je suis journaliste. Et j'écrivais ce livre à l'intention surtout de mes enfants, de mes parents et de tous ceux qui comme moi cherchaient à savoir pourquoi mon père, le lieutenant André Vennat des Fusiliers Mont-Royal, s'était enrôlé comme volontaire et était allé se faire tuer si loin des siens.

Tant mieux si j'ai réussi à faire connaître des faits et des événements oubliés. J'avais en effet cru nécessaire de sortir quelques-uns des héros méconnus de chez nous de l'anonymat dans lequel l'histoire les avait confinés. Or, deux ans plus tard, en octobre 1994, lors d'un colloque de quatre jours tenu sous les auspices de l'Association québécoise d'histoire politique, en collaboration avec le Service historique de la Défense nationale et le Comité Canadien d'histoire de la Deuxième Guerre mondiale, les historiens d'ici ont dû faire leur mea-culpa.

Comme le faisait remarquer Robert Comeau, professeur d'histoire à l'Université du Québec à Montréal et organisateur du colloque dont les actes ont été publiés à l'été 1995 dans un numéro spécial du *Bulletin d'histoire politique*, des milliers de Canadiens français ont participé à ce qu'il est convenu d'appeler une des plus grandes guerres de libération de tous les temps. « Pourtant, écrit Comeau, nos livres d'histoire en parlent très peu et rares sont les études francophones sérieuses sur le sujet. »

D'après le directeur du Service historique de la Défense nationale, Serge Bernier, plus de 84 000 Québécois de langue française, peut-être même plus de 90 000, se sont portés volontaires dans cette guerre et avec leurs compatriotes canadiens-français hors Québec, ils ont formé plus de 20 % des effectifs militaires volontaires du pays.

Pour sa part, l'historien Jean-Pierre Gagnon, jugeant inacceptable le silence de ses collègues sur la question, a affirmé au même colloque que « ces hommes ont tout autant le droit de voir leurs actions et leurs états d'âme étudiés et racontés que d'autres groupes humains. Si les groupes minoritaires de tout genre ont droit à notre attention, il en est certes de même des militaires qui ont servi leur pays ou leur nation sur les champs de bataille qui ont tant marqué le xxe siècle ».

Enfin, une autre étudiante en histoire au doctorat à l'Université du Québec à Montréal, Béatrice Richard, après avoir démontré, constat troublant, que les francophones canadiens ont produit peu d'études sur la participation des Canadiens français aux événements militaires contemporains et à la politique de défense, posait la question cruciale: « Face à tout ceci la question que nous posons est la suivante: allons-nous encore *oublier* longtemps ? »

Quant à moi, je réponds « non » et ce livre en sera la preuve tangible.

Déjà, à *La Presse*, à l'instigation de Claude Masson, j'entreprenais en février 1995 la publication de *Pages d'histoire* pour commémorer certains événements et démontrer en somme que, consciemment ou non, le lecteur d'un quotidien lit l'histoire qui se fait au jour le jour.

C'est ainsi que j'ai signé en 1995 quelques *Pages d'histoire* relatives au 50e anniversaire de la fin de la Deuxième Guerre mondiale et de la libération des Pays-Bas par les Canadiens, ainsi qu'à leur participation à la bataille de Hong Kong et à la guerre du Pacifique, comme je l'avais fait, par le passé, pour commémorer le raid de Dieppe du 19 août 1942 et le débarquement du 6 juin 1944 en Normandie. Chaque fois, j'ai mis l'accent sur la participation des Canadiens français à des opérations militaires d'envergure.

Ces *Pages d'histoire* et ces reportages, rédigés pour *La Presse*, m'ont convaincu qu'il y a matière à une histoire militaire des Canadiens français. C'est ainsi qu'entre 1982 et 1989 j'avais aussi rédigé une centaine de chroniques pour la section francophone du magazine *Légion* sur le plus grand nombre possible de héros militaires du Canada français, dans le but de les tirer de l'oubli dans lequel on les avait injustement plongés. Et de faire connaître les unités dans lesquelles ils ont servi, surtout quand il s'agissait d'unités entièrement formées de francophones.

En rédigeant mes *Pages d'histoire* pour *La Presse*, je me suis rendu compte que la simple relecture au jour le jour des exemplaires du « plus grand quotidien français d'Amérique » d'août 1939 à la fin de la guerre constituait une leçon d'histoire, fondée sur une source de documentation considérable.

En un mot, en l'absence d'une histoire militaire du Canada français, un chercheur obstiné n'a qu'à lire tout ce qui s'est écrit dans un quotidien comme *La Presse* sur les actions des Canadiens français à cette époque pour avoir une bonne idée de leur participation à ce conflit. En faisant la synthèse de toutes ces informations, on trouve les noms de dizaines, sinon d'une centaine de héros oubliés de chez nous.

Bien sûr, on ne peut pas les mentionner tous et le choix semblera arbitraire à beaucoup. Et puis, à plusieurs reprises, on parlera d'une institution, d'un régiment comme les Fusiliers Mont-Royal, le Maisonneuve, le Royal 22e Régiment, le régiment de la Chaudière. Dans ce cas, le récit d'une action accomplie collectivement par toute une unité se veut le récit de dizaines, sinon de centaines d'hommes de chez nous.

Bref, la consultation des archives du Centre de documentation de *La Presse* m'a fait prendre conscience qu'il y avait là, en rassemblant toutes ces informations éparses, des matériaux de base pour l'élaboration d'une histoire de la participation des Canadiens français à la Deuxième Guerre mondiale.

Mon ouvrage est constitué non pas à partir de documents plus ou moins officiels, mais en majeure partie à partir des comptes rendus publiés par *La Presse* tout au long de la Deuxième Guerre mondiale. Il est aussi constitué parfois à partir de témoignages, de lettres, de documents que j'ai pu consulter ou qu'on m'a fait parvenir à la suite de mes nombreux articles et reportages sur le sujet dans *La Presse* et de rencontres avec des anciens combattants canadiens-français.

Mais que les puristes se rassurent. Aucun historien ne s'est encore donné la peine de rédiger une histoire de la participation des militaires canadiens-français ou de dépouiller ce matériel. Il est évident qu'à cause de la censure du temps de guerre on n'a pas tout dit. Personne n'a cependant mis en doute que ce qu'on autorisait à publier sur les exploits des Canadiens-français ne fût pas exact.

Incomplet sans doute, mais exact en ce qui concerne l'héroïsme des nôtres.

Pour ma part, cela suffit. Du moins à ce stade-ci, quitte à ce que d'autres prennent un jour la relève, le terrain ayant été déblayé.

Je vais donc reparler des exploits des régiments canadiens-français et des héros de la Deuxième Guerre mondiale de chez nous. L'ouvrage sera en trois volumes. Le premier volume abordera la période allant de la mobilisation au raid de Dieppe. Le deuxième volume traitera la période allant de l'après-Dieppe au débarquement de juin 1944. Et le troisième volume débutera par le jour J, le 6 juin 1944, pour se terminer par les lendemains de la victoire.

Il est plus que temps de reparler de nos héros oubliés !

L'APPEL AUX ARMES

Peu de gens le savent mais plusieurs dizaines de soldats canadiens-français, membres du régiment de Châteauguay et du régiment de Saint-Hyacinthe, sont entrés de plain-pied dans la Deuxième Guerre mondiale six jours avant qu'elle ne débute officiellement et deux bonnes semaines avant que le Canada ne déclare à son tour la guerre à l'Allemagne.

Le régiment de Châteauguay
Le régiment de Châteauguay, dont il est question ici, a une longue histoire. En fait, il s'agit du premier régiment canadien-français de miliciens réguliers.

Dès 1812, l'unité portait le nom de Voltigeurs Canadiens. Formée d'hommes recrutés dans la région de Châteauguay et de Beauharnois, elle était commandée par le lieutenant-colonel Charles de Salaberry. Lors de la fameuse bataille de Châteauguay, ces miliciens avaient contribué à empêcher le Canada de tomber dans le giron américain.

De Salaberry, qui avait longtemps servi dans l'armée anglaise un peu partout dans le monde, avait lui-même recruté les hommes de son unité. C'est de ces Voltigeurs Canadiens, premier régiment canadien-français de miliciens réguliers, que descendaient les hommes formant, en ces derniers jours d'août 1939, le régiment de Châteauguay, entré en guerre six jours avant son déclenchement officiel.

Régiment d'infanterie à l'origine, le régiment de Châteauguay fut par la suite connu sous le nom de 64e régiment des Carabiniers jusqu'en 1921. Redevenu cette année-là un régiment d'infanterie, il fut rebaptisé régiment de Châteauguay, nom qu'il conserva en 1937, année où il fut reconverti à nouveau en régiment de mitrailleurs.

La crainte d'Hitler

Pour comprendre les événements, il faut savoir que le samedi 26 août 1939, *La Presse* de Montréal, comme la plupart des quotidiens du monde d'ailleurs, titrait d'une photo montrant Hitler vociférant, en grosses manchettes : « L'Europe à deux doigts de la guerre. »

Pressentant le pire, le ministre de la Défense nationale du Canada, Ian Mackenzie, avait décidé d'appeler la milice non permanente du Canada sous les drapeaux, mais les instructions publiées à cet effet précisaient que l'enrôlement devait être strictement volontaire.

Durant la fin de semaine des 26 et 27 août, la mobilisation partielle de l'armée canadienne à Montréal s'est faite rapidement. L'ordre avait été donné le vendredi 25 au soir et, dès le lendemain, plusieurs régiments du district militaire de Montréal avaient été partiellement mobilisés, dont le régiment de Châteauguay et le régiment de Saint-Hyacinthe.

C'est ainsi que même si, officiellement pour les historiens, la Deuxième Guerre mondiale n'a débuté que le 1er septembre 1939 avec l'invasion de la Pologne par l'Allemagne, et qu'Ottawa n'a déclaré la guerre à l'Allemagne que le 9 septembre 1939 — proclamation publiée le lendemain dans une édition spéciale de la *Gazette du Canada* —, l'état de guerre et par conséquent l'enrôlement des premiers soldats québécois en vue de ce conflit avaient débuté, dans les faits, plusieurs jours plus tôt.

D'ailleurs, *La Presse*, qui publiait quotidiennement la photo d'une personnalité dans le cadre d'une chronique intitulée « Sur la scène de l'actualité » consacra celle du 28 août 1939 au major Jean-Y. Brossard, précisant qu'il a été parmi les premiers officiers canadiens-français appelés sous les drapeaux.

Il faut croire que le Canada craignait d'être envahi, ou du moins d'être la cible de saboteurs à la solde d'ennemis étrangers. C'est pourquoi, dès le samedi 26 août, les soldats de divers régiments de Montréal occupèrent tous les points stratégiques de la métropole. La ville et sa banlieue prirent alors un aspect martial tout nouveau : des tentes se dressant un peu partout et des sentinelles étant postées le long du canal de Lachine, à l'entrée des ponts du gouvernement fédéral, aux écluses, aux silos à céréales, aux aéroports et aérodromes et près des industries importantes.

Quatre régiments d'infanterie avaient été mobilisés à cette fin : le 2e bataillon des Black Watch (Royal Highlanders) du Canada, les Victoria Rifles, le régiment de Châteauguay et le régiment de Saint-

Hyacinthe. Des unités auxiliaires de l'armée canadienne avaient également été mobilisées partiellement, y compris des hussards (pour la transmission des messages et pour les communications entre les régiments et les quartiers généraux), des signaleurs, des membres du corps médical, des membres du corps des ingénieurs, des membres du corps d'ordonnance et des préposés au transport.

Tous les autres régiments du district de Montréal avaient été avertis par les quartiers généraux d'assurer la protection de leur caserne et de se tenir prêts à répondre au premier appel. Dans tous les régiments, on a alors organisé ce qu'on appelait une « parade » pour prendre les noms de ceux qui seraient disposés à servir au besoin. Partout, la réponse a été très enthousiaste.

Les Fusiliers Mont-Royal
C'est ainsi que le lieutenant-colonel Paul Grenier, commandant des Fusiliers Mont-Royal, avait convoqué les régiments à cette parade pour le dimanche 27 août au matin à la caserne de l'avenue des Pins en vue de préparer un détachement de 100 soldats et 10 officiers. Exactement 178 soldats et 32 officiers ont répondu à cette convocation.

Les Fusiliers Mont-Royal ont été créés en vertu de la loi de la milice adoptée par le Parlement de la nouvelle Confédération canadienne. En effet, un ordre général de l'armée, daté d'Ottawa et du 18 juin 1869, annonce que « la formation d'un nouveau corps est par la présente autorisée. Il sera désigné sous le nom de Mount Royal Rifles ». Il sera également appelé le 65e régiment.

Le lieutenant-colonel Joseph Beaudry en devenait le premier commandant, mais le nom de l'unité ne devait être traduit en français que le 1er août 1902, les Carabiniers Mont-Royal, avant d'adopter définitivement, le 15 avril 1931, le nom de Fusiliers Mont-Royal.

L'origine des Fusiliers Mont-Royal est plus lointaine. En effet, l'unité remonterait à la Garde de l'Évêque, un corps de volontaires qui portaient des uniformes à la française. Ses membres s'équipaient à leurs frais et jouaient le rôle de garde d'honneur de l'Évêque catholique de Montréal lors de cérémonies comme la grande célébration de la Fête-Dieu dans les rues de Montréal. Ce corps indépendant, composé de tout jeunes gens, était commandé par le capitaine Renaud.

Un certain désenchantement ayant succédé aux succès du début, le capitaine Renaud et son adjoint Goyer tentèrent de mettre sur pied un corps dans la milice active en se servant de la Garde de l'Évêque comme noyau. C'est ainsi que tous deux amenèrent la majorité de leurs hommes avec eux au sein des Mount Royal Rifles dont ils devinrent commandants de compagnie.

Vite connu sous le nom de 65e régiment l'unité devait monter au front pour la première fois dès 1885, lors de la révolte des Métis de l'Ouest canadien. Il est vrai, cependant, que le 65e n'aura pas à combattre Riel et ses Métis, mais il se verra confier la mission de mettre fin aux déprédations et aux violences des Cris dont Grand Ours était le chef et qu'il affronta avec succès à un endroit connu sous le nom de la Butte-aux-Français.

Certes, à l'échelle de nos tueries modernes, l'engagement du 65e à la Butte-aux-Français n'a qu'une importance anecdotique, n'est qu'un simple accrochage qui ne fit que deux blessés parmi les membres du 65e régiment (un sergent devait également mourir des suites d'une maladie lors de l'expédition). Il n'en demeure pas moins que le major-général T. Bland Strange, qui commandait l'expédition, devait écrire en juillet 1885 : « les hardis petits Canadiens français tiraient le canon de neuf, chevaux et tout, droit à travers les marécages. Ce sont de braves petits gars, dont beaucoup marchaient nu-pieds, en chantant leurs vieilles chansons. Aucun, non plus, ne flancha dans la bataille. »

Désignés ensuite sous une appellation francophone, les Carabiniers Mont-Royal ne participèrent pas comme tel à la Première Guerre mondiale, mais furent à l'origine de la création du Royal 22e Régiment.

C'est en effet un groupe composé de la plupart des officiers du 65e régiment, dirigé par le colonel A. Migneault, médecin des Carabiniers Mont-Royal qui, après le début des hostilités, demanda à Ottawa la formation d'une unité de langue française pour aller combattre outre-mer. Son initiative fut couronnée de succès et on lui doit donc la création du 22e Bataillon canadien-français, le Royal 22e Régiment d'aujourd'hui.

Soixante-quinze pour cent de l'effectif initial du 22e bataillon, d'ailleurs, provenaient de membres actuels ou anciens des Carabiniers Mont-Royal, ce qui explique que les Fusiliers Mont-Royal ont obtenu le droit d'arborer sur leur drapeau régimentaire les honneurs obtenus par le 22e lors de la Première Guerre mondiale.

C'est donc de cette ancienne Garde de l'Évêque, puis des pionniers des Mount Royal Rifles et des Carabiniers Mont-Royal que descendaient les Fusiliers Mont-Royal de septembre 1939.

Le régiment de Maisonneuve

Le dimanche 27 août 1939, le lieutenant-colonel Robert Bourassa, commandant du régiment de Maisonneuve, avait pour sa part convoqué ses troupes en soirée à la caserne de la rue Craig. La réponse de ce régiment a également été plus que satisfaisante, bien que l'ordre de convocation ait été donné à une heure plutôt tardive.

C'est dans le contexte de la popularité croissante de la milice au Canada français vers la fin du XIXᵉ siècle que naquit le 85ᵉ bataillon d'infanterie, qui prendra, en 1920, le nom de régiment de Maisonneuve. À l'origine, le 85ᵉ bataillon était un corps rural de six compagnies. L'effectif autorisé était de 26 officiers et de 252 hommes, y compris les musiciens et quatre chevaux pour transporter le matériel.

Le capitaine Jules Brosseau, de la 5ᵉ compagnie de Laprairie du 21ᵉ bataillon d'infanterie légère du Richelieu en fut nommé le premier commandant, avec le grade de lieutenant-colonel. Le lieutenant-colonel Brosseau était alors un homme d'affaires réputé, organisateur et administrateur de la compagnie de navigation de Laprairie, qui fut plus tard intégrée à la Canadian Steamship Lines. Il faisait déjà partie de la milice depuis nombre d'années, comme de nombreux autres civils de l'époque qui consacraient une partie de leur temps à des activités militaires.

Au Maisonneuve, bien souvent, on était militaire de père en fils. Ainsi, deux fils du premier commandant du 85ᵉ bataillon devaient commander l'unité à leur tour. Le premier, le lieutenant-colonel Charles-Auguste Brosseau, décoration d'ancienneté des officiers (VD), Croix de guerre, vétéran de la Première Guerre mondiale et d'ailleurs blessé sur le front français, commanda le régiment de Maisonneuve de 1930 à 1934. Son frère, le lieutenant-colonel Paul Brosseau, officier de l'Ordre de l'Empire britannique (OBE), décoration pour compétence (ED), commanda quant à lui le premier bataillon du Maisonneuve en Angleterre en 1940 et 1941.

Par ailleurs, le lieutenant-colonel Robert Bourassa, qui commandait le régiment lors de la mobilisation de 1939, était le fils d'un autre officier de la première heure, le capitaine Toussaint Bourassa, qui était à l'époque commissaire d'un vapeur reliant Laprairie à Montréal, avant de devenir capitaine du port de Montréal.

Même si le 85ᵉ bataillon d'infanterie, devenu régiment au commencement du XXᵉ siècle, avait pu constituer, dès le début de la Première Guerre mondiale, une unité canadienne-française homogène, apte à aller au front, il en fut décidé autrement en haut lieu. Mais le 85ᵉ recruta pas moins de 1 286 hommes pour le 22ᵉ bataillon canadien-français, dont 524 servirent en France et 122 autres au Royaume-Uni. Cent deux de ces hommes envoyés outre-mer y perdirent la vie.

Le 23 mars 1920, à la suite d'une réorganisation de la milice, l'ancien 85ᵉ régiment devint le régiment de Maisonneuve. C'est de cet ancien 85ᵉ régiment, né dans les environs de Laprairie mais devenu de plus en plus montréalais à compter des débuts du xxᵉ siècle, que descendait le régiment de Maisonneuve, commandé au début de la Deuxième Guerre mondiale, par le lieutenant-colonel Robert Bourassa.

Tous les régiments de la région de Montréal, qu'ils aient été appelés sous les drapeaux ou non, imitèrent l'initiative du régiment de Maisonneuve et des Fusiliers Mont-Royal.

Mais il n'y a pas que les Montréalais qui s'enrôlèrent rapidement et, dès le 29 août, les officiers des diverses unités sous les drapeaux s'en déclarèrent très satisfaits. Partout au Québec, les membres de la milice permanente se sont montrés empressés à répondre à l'appel qui avait été lancé. Plusieurs officiers des unités concernées se déclarèrent agréablement surpris de la promptitude et de la bonne volonté que leurs hommes mettaient à répondre.

Bien plus, tous les régiments de la région de Québec reçurent des demandes d'enrôlement de personnes qui n'avaient jamais appartenu à la milice. Mais, pour le moment, seuls les miliciens en règle furent acceptés. Toutefois, chaque unité enregistra les noms de ces volontaires susceptibles de s'enrôler de façon à pouvoir les appeler si jamais le besoin d'augmenter les effectifs se faisait sentir.

Les unités de la milice non permanentes appelées sous les armes dans le district n° 5 (Québec) étaient les suivantes : la 3ᵉ batterie antiaérienne (artillerie), la 94ᵉ batterie de campagne (artillerie), la 59ᵉ batterie lourde (artillerie), des détachements des Voltigeurs de Québec, du régiment de Lévis, des signaleurs, des Royal Rifles of Canada, des Fusiliers du Saint-Laurent et du régiment de Québec (mitrailleurs), de la 5ᵉ division du corps des ingénieurs et de l'Ambulance no 19 du corps médical de l'armée ainsi qu'une section de ravitaillement du corps d'ordonnance.

Le 29 août, trois jours, donc, avant que la guerre ne débute en Europe, le correspondant de *La Presse* à Québec écrivait ce qui suit: « C'est la 5ᵉ batterie, sous le commandement du major Charles Laflamme, qui a été envoyée à la Martinière. En l'espace de quelques heures, le camp était organisé et la mobilisation était complète. En filant sur la route nationale, on aperçoit les tentes des soldats, alignées en haut du fort. Dimanche matin à Lévis, nous pouvions voir un groupe de militaires assistant à la messe en plein air. L'autel était dressé au pied d'un arbre, dans un décor merveilleux.

« Un camp a été organisé et des canons y ont été transportés. Si nous sommes bien informés, un autre camp a été ouvert à Montmagny. Le régiment de Lévis, sous le commandement du lieutenant-colonel Turgeon, est chargé de la garde des fortifications militaires de la rive sud de Québec et de la cale sèche. Les camions de la milice ont circulé sans interruption sur la route de Lévis-Montmagny, samedi et dimanche. On prétend que plusieurs effectifs étaient en route vers la Gaspésie. Il y avait aussi des voitures de ravitaillement qui se rendaient aux divers camps organisés dans la région. »

Le 30 août, à deux jours du début officiel des hostilités, le Canada avait déjà 20 000 soldats sous les armes, grâce à la mobilisation partielle de la milice non permanente, et le recrutement se poursuivait. Ce nombre comprenait tous les effectifs de l'armée canadienne et de la marine, mais le plus fort contingent était fourni par la milice non permanente qui dépassait sensiblement 10 000 hommes en uniforme.

LE QUÉBEC SE MOBILISE

L e 1er septembre 1939, la Deuxième Guerre mondiale éclata. La
Pologne fut envahie et bombardée de partout. Adolf Hitler était
passé des menaces aux coups. Pourtant, à Montréal, aucun nouvel
ordre de mobilisation n'avait été reçu aux quartiers généraux du
district militaire. Le recrutement se poursuivait cependant partout.
Quant aux régiments qui n'avaient pas encore été appelés sous les
armes, ils se tenaient prêts à répondre au premier appel mais, malgré
le déclenchement des hostilités en Europe, aucun d'entre eux n'avait
encore reçu d'ordre à cet effet, plusieurs heures après le début des
hostilités.

Mais dès le lendemain, le samedi 2 septembre, *La Presse* titrait :
« Appel d'enrôlement à toute la population. » Tous les hommes aptes
au service étaient invités à s'enrôler volontairement immédiatement
et à entrer aussitôt en service actif pour la défense du pays.

Au Canada la mobilisation immédiate mais volontaire des troupes
avait en effet été ordonnée en vertu de l'article 64 de la *Loi de la
milice canadienne*. Cet ordre concernait tous les régiments de la milice
canadienne et l'enrôlement volontaire battait son plein dans tous les
milieux. On ne connaissait pas encore le nombre d'hommes que le
gouvernement avait l'intention de mobiliser sous le régime du
volontariat, mais les effectifs de tous les bataillons avaient été portés
à leur maximum de temps de guerre, c'est-à-dire qu'ils avaient été
plus que doublés. L'appel ne s'adressait pas seulement à ceux qui
faisaient partie de la milice canadienne, mais aussi à toute la
population mâle du Canada considérée comme apte à servir dans les
forces armées.

Cependant, il était entendu qu'on donnerait d'abord la préférence
aux soldats qui étaient déjà membres de divers régiments de milice
et qui avaient par conséquent déjà suivi un certain entraînement

militaire, contrairement aux recrues sans expérience qui ne connaissaient pas le maniement des armes. Ce n'est qu'ensuite qu'on accepterait les célibataires. Les hommes mariés, particulièrement ceux qui avaient des enfants, ne devaient être acceptés qu'en dernier ressort.

Cet ordre de mobilisation touchait principalement les deux régiments canadiens-français de Montréal, c'est-à-dire les Fusiliers Mont-Royal et le régiment de Maisonneuve. Tous les membres de ces deux régiments se sont vus priés de rallier leur caserne le jour même ou le dimanche 3 septembre afin de signer leur engagement. On invitait tous les autres Canadiens français qui désiraient s'enrôler, même s'ils ne connaissaient pas le maniement des armes, à rejoindre la caserne de l'un ou l'autre de ces deux régiments.

L'article 64 de la *Loi de la milice canadienne* permettait d'appeler sous les drapeaux toute la population mâle du pays âgée de 18 à 60 ans pour servir au Canada ou à l'étranger. Sa mise en vigueur nécessitait toutefois la convocation du Parlement dans les 15 jours, ce qui fut fait dès le 1er septembre.

Cependant, la loi n'était pas appliquée dans toute sa rigueur, puisqu'on n'obligeait personne à s'enrôler, pas même les soldats qui avaient fait partie jusque-là des divers régiments. Ceux-ci, tout comme les nouveaux volontaires, devaient signer un autre engagement s'ils voulaient s'enrôler sous les drapeaux.

Les régiments mobilisés la semaine précédente l'avaient été en vertu de l'article 63 de la *Loi de la milice canadienne* qui prévoyait un service strictement volontaire au pays. Dès le 1er septembre, tous les soldats de ces régiments furent notifiés qu'en vertu de l'article 64 de la *Loi de la milice canadienne*, leur engagement devenait obligatoire et qu'ils devaient donner leur consentement de nouveau. On rapportait que partout les soldats ont accepté avec empressement de signer le nouvel engagement.

La même exigence existait pour les soldats qui s'étaient enrôlés dans les régiments non encore mobilisés la semaine précédente. Pour pouvoir entrer en service actif au début de septembre, il leur fallait signer un nouvel engagement.

Dès le début de septembre, les nouvelles sur la guerre commencent donc déjà à se multiplier dans les journaux et à la radio. Et c'est ainsi que *La Presse* pouvait titrer le 5 septembre que 70 nazis étaient internés à l'île Sainte-Hélène, située entre Montréal et

Longueuil dans le fleuve Saint-Laurent, sous le pont Jacques-Cartier. Les vieilles casernes de l'île devaient en effet servir à loger un groupe de propagandistes nazis arrêtés par la police dès le début de la guerre et remis aux autorités militaires.

À Québec, le président de l'Assemblée législative (on disait alors l'« orateur de la Chambre à Québec »), Paul Sauvé, député de l'Union nationale de la circonscription de Deux-Montagnes, alors lieutenant des Fusiliers Mont-Royal, avait rallié son unité. Malgré ses activités politiques, Sauvé, qui termina sa carrière militaire en tant que général de brigade, avant d'être brièvement premier ministre du Québec et de mourir subitement au début de 1960, n'avait pas voulu se soustraire à ce qu'il considérait être son devoir.

Toujours le 5 septembre, on faisait savoir à la population que le district de recrutement des régiments mobilisés à Montréal s'étendait pratiquement à toute la partie ouest de la province de Québec, d'après les ordres donnés par les quartiers généraux du district de Montréal. Le régiment de Maisonneuve et les Fusiliers Mont-Royal poursuivaient donc activement leur recrutement et le commandant des Fusiliers Mont-Royal annonça son intention de lancer un appel public à tous les jeunes Canadiens français des environs de Montréal jusque dans les Laurentides ainsi que sur la Rive-Sud, afin que ceux qui le désiraient puissent s'enrôler.

On notait un enthousiasme spécial parmi les anciens combattants pour s'enrôler. Quelques-uns d'entre eux, rapportait-on, ont même été jusqu'à teindre leurs cheveux pour tenter de se faire réengager, afin de dissimuler leur âge. Cependant, le sévère examen médical en élimina un grand nombre qui avaient subi les outrages du temps.

Comme on le voit, les Canadiens français répondirent nombreux à l'appel de la mobilisation et s'enrôlaient en grand nombre. On avait fait appel à tous les médecins capables de consacrer une partie de leur temps à l'examen des recrues. Tous ceux qui se sont présentés ont été acceptés sans aucune distinction. Aucune liste officielle n'ayant été dressée, il est toutefois impossible de connaître la proportion des médecins canadiens-français qui ont ainsi servi.

Fait remarquable, beaucoup de militaires de la fin des années 30, qui avaient abandonné leur régiment respectif pour des raisons d'ordre personnel, y revinrent lors de la déclaration de guerre et s'informèrent si on avait conservé leur uniforme. D'autres trouvaient qu'ils devaient attendre trop longtemps pour subir l'examen médical. Ils ne voulaient pas que leur solde en soit affectée. À toutes ces

demandes de renseignements, les officiers répondirent avec
courtoisie. Le défilé des recrues à l'ancienne gare Viger présentait
un aspect pittoresque. Il y avait des hommes et des jeunes gens de
toutes tailles auxquels se mêlaient des uniformes kaki.

Par ailleurs, même si les corps-écoles d'officiers canadiens
(COTC) ne faisaient pas partie des « Forces canadiennes en service
actif », on décida de les engager dans un programme d'entraînement
intensif dans les plus brefs délais. C'est ainsi que le Corps-école
d'officiers canadiens de l'Université de Montréal reprit ses activités
le 15 septembre. Les cadets devaient y suivre des cours chaque jour
et abandonner pendant un certain temps leurs études universitaires.
On espérait ainsi former des officiers plus rapidement qu'en temps
de paix.

En attendant que le Parlement prenne une décision sur la
participation du Canada à la guerre en Europe, l'activité militaire se
poursuivait aussi intensément à Montréal. Dans tous les régiments,
dans l'armée de terre comme dans la marine et dans l'aviation, ainsi
que dans les corps auxiliaires féminins, on recevait un grand nombre
d'offres volontaires de service.

Les aspirants se comptaient par milliers, mais on ignorait encore
quelle proportion de ces volontaires passerait avec succès l'examen
médical très sévère qu'ils devaient subir. Le nombre de médecins
examinateurs était toutefois satisfaisant pour répondre à la demande,
du moins en ce qui concernait les deux régiments canadiens-français
de Montréal.

Le recrutement se faisait même dans la rue. Le corps médical,
par exemple, avait posté des hommes sur le trottoir à divers endroits
pour fournir sur place aux aspirants les informations requises.
D'autres régiments utilisaient des unités mobiles ou des camions
qu'on stationnait ici et là le long des rues pour faire du recrutement.

Les femmes elles-mêmes faisaient leur part et se portèrent
volontaires en grand nombre dans les services tels que la Croix-Rouge.
Les quartiers généraux de l'ambulance Saint-Jean furent véritablement
assaillis par des femmes et des jeunes filles désireuses de s'instruire
dans le traitement des blessés. C'est ainsi que le 6 septembre au soir,
quelque 700 à 800 femmes ont répondu à l'appel de cette association
et assisté à une réunion tenue en prévision de cours à donner. La
Croix-Rouge, pour sa part, commença à former, dès le début de septembre,
une vingtaine de jeunes filles comme conductrices de camions et
d'ambulances.

Enfin, rue de la Montagne, au centre de la marine, on procéda là aussi à l'examen des quelque 150 ou 200 hommes qui s'étaient offerts pour servir.

Par ailleurs, dès le début de septembre, le régiment de Maisonneuve rapportait qu'un très grand nombre d'ex-militaires qui avaient quitté le régiment depuis une dizaine d'années s'étaient présentés pour reprendre du service. De plus, le commandant du régiment avait reçu un grand nombre de lettres de gens vivant à l'extérieur de Montréal qui offraient leurs services. Le Maisonneuve devait également accueillir un certain nombre d'anglophones, désireux de servir dans ce régiment francophone, tandis que les Fusiliers Mont-Royal, eux, s'enorgueillissaient d'avoir enrôlé dans leurs rangs quelques jeunes israélites.

Une cinquantaine de médecins militaires travaillaient en permanence à l'hôtel du Château Viger pour examiner les soldats et une dizaine d'autres faisaient de même à l'Université McGill avec les officiers. Même si on n'a pas voulu dévoiler le nombre de recrues qui ont subi l'examen avec succès, le commandant du régiment de Maisonneuve affirmait que quelque 1 500 à 2 000 jeunes gens, anciens combattants comme recrues, avaient signé des formules d'enrôlement et que quelque 300 d'entre eux avaient déjà subi avec succès leur examen médical.

Rosario Lévesque reprend du service
Du côté des Fusiliers Mont-Royal, plus d'une centaine de militaires avaient passé le même examen avec succès, une semaine après le début des hostilités. Parmi ceux qui étaient acceptés, il y avait le sergent-major Rosario Lévesque qui reprenait ainsi du service actif.

Lévesque, qui devait plus tard participer au raid meurtrier du 19 août 1942 à Dieppe et être décoré, comptait déjà, au début des hostilités, 29 années de service dans la milice canadienne, dont quatre passées au front durant la Première Guerre mondiale. Faisant alors partie du 22e bataillon canadien-français, Lévesque avait été blessé deux fois.

Complètement rétabli et en pleine forme en septembre 1939, Lévesque, une fois son examen médical terminé avec succès, avait déclaré : « Les Allemands n'ont pas été assez fins pour m'avoir dans la dernière guerre. Ils ne m'auront pas davantage cette fois-ci. »

Le Canada entre officiellement en guerre
Le 9 septembre 1939, le Canada déclarait enfin la guerre à l'Allemagne, officialisant ainsi une situation qui existait, dans les

faits, depuis le 1er septembre et même, dans le cas des premiers mobilisés, depuis quelques jours avant le déclenchement réel des hostilités en Europe.

La proclamation officielle, publiée dans une édition spéciale de la *Gazette du Canada*, fut autorisée en soirée, immédiatement après l'ajournement de la Chambre des communes.

La Presse du jour titrait en manchette: « Aux côtés de l'Angleterre et de la France contre l'Allemagne », tandis qu'un gros sous-titre promettait : « il n'y aura pas de conscription. »

En gros caractères, on titrait également: « Une grande proportion de Canadiens français chez les volontaires. » Le sous-titre expliquait qu'elle serait de 80 % chez les recrues et soldats montréalais qui se sont présentés à l'examen médical.

Le rédacteur de l'article disait tenir cette information du chef du bureau médical des quartiers généraux médicaux de l'armée, établis dans l'hôtel du Château Viger, le lieutenant-colonel W.W. Roddick. Celui-ci avait ajouté qu'il verrait avec plaisir la désignation d'un médecin canadien-français comme assistant, auquel on adjoindrait des médecins de langue anglaise et française, de façon à accélérer le travail.

Oui au volontariat, mais non à la conscription

Le volontariat donnait toujours d'heureux résultats et, le 11 septembre, on affirmait que plus de la moitié des recrues nécessaires avaient été enrôlées en une semaine. L'entraînement des premiers volontaires était même commencé.

En fait, affirmait même *La Presse* de ce jour-là, « le nombre des offres de service est tellement grand que l'on prétend en certains milieux qu'il serait opportun de hausser de deux pouces le minimum requis des volontaires, afin de constituer des bataillons plus imposants ». Les volontaires — spécialistes exceptés — devaient être célibataires et âgés de 18 à 45 ans.

Incidemment, c'est à un Canadien français, l'abbé J.-A. Sabourin, vicaire de la paroisse Saint-Ambroise, à Montréal, que revient l'honneur d'être devenu le premier aumônier militaire canadien accepté durant la Deuxième Guerre mondiale. L'abbé Sabourin, qui devait s'illustrer lors du raid de Dieppe, fut affecté aux Fusiliers Mont-Royal et prêta serment lors d'une cérémonie qualifiée de « très impressionnante » au manège de l'avenue des Pins, à Montréal.

Par ailleurs, au cours du débat où le Parlement fédéral fut autorisé à déclarer la guerre à l'Allemagne, le ministre de la Justice, Ernest Lapointe, en profita pour promettre qu'il n'y aurait pas de conscription et affirmer que lui-même et ses collègues du Québec n'y consentiraient jamais. Mais par la même occasion, il ajouta qu'il était impossible de demeurer neutre dans ce conflit parce que, selon lui, en restant neutres les Canadiens prendraient bel et bien parti pour Hitler.

Ce n'était pas l'avis du député de Beauharnois, Maxime Raymond, qui devait rompre ultérieurement avec le Parti libéral et devenir le chef du Bloc populaire. Le Canada, affirmait-il, pourrait fournir aux Alliés les matières premières à leur économie, faisant ainsi preuve de « neutralité bienveillante ». Mais il devait demeurer neutre dans le conflit et ne pas y engager de troupes.

Pour sa part, *La Presse* appuya dans son éditorial à la fois la participation active du Canada au conflit et le principe du volontariat quant à l'enrôlement dans les forces armées.

« Le Canada, nation libre dans le Commonwealth britannique, apporte sa coopération de plein gré. Notre effort sera volontaire », écrit-on. Ainsi comprise, explique l'éditorial, la part du Canada peut être considérable.

« Les magnifiques résultats de l'enrôlement volontaire dans les milices actives, les mesures prises jusqu'ici par le gouvernement fédéral, les dispositions qu'il s'apprête à prendre, tout indique que notre pays est fermement résolu à accomplir vraisemblablement tout ce qui dépend de lui pour coopérer à la fin de cette nouvelle guerre imposée au monde par les ambitions démesurées et l'intransigeance de l'Allemagne. Chacun réalise qu'on est en face d'un ennemi qui doit être abattu si l'on veut que la paix universelle ait la chance de renaître et durer. À cette tâche, la province de Québec est prête à accorder son concours le plus entier et le plus généreux en faisant passer d'abord nos intérêts nationaux et en demeurant fidèles aux principes du volontariat. »

Quelques jours plus tard, *La Presse* revenait encore sur la question en publiant un éditorial intitulé « Pas d'intimidation » et condamnant les employeurs qui tentaient de pousser leurs employés à s'enrôler de force en les congédiant. Le journal lançait donc l'avertissement suivant :

« Les autorités militaires se déclarent satisfaites de l'enrôlement volontaire dans le district de Montréal et, d'une manière générale, dans la province. En effet, les recrues se présentent régulièrement et, dans certaines unités, on a juste le temps avant la fin de la journée d'examiner au point de vue médical et aptitudes ceux qui viennent offrir leurs services. C'est ainsi que des régiments voient les trois quarts de leurs cadres déjà remplis, de sorte qu'ils n'auront bientôt plus de places que pour des soldats de réserve.

« Dans de telles conditions, il serait difficile de comprendre pourquoi des patrons décideraient de congédier leurs employés afin de les pousser à s'enrôler. La rumeur que plusieurs particuliers ou firmes, voire des administrations municipales, agiraient ainsi circulait depuis quelques jours et créait du mécontentement dans le public. On l'a opportunément démentie en quelques milieux. Espérons que les établissements sur qui planaient de semblables accusations se hâteront, chaque fois, de mettre les choses au point.

« Pas d'intimidation sous aucune forme, ni directement ni indirectement. Les patrons qui voudraient contraindre les jeunes employés au service militaire sous couleur d'aider la cause des Alliés, nuiraient plutôt à cette cause. Peut-être, en nombre de cas, montreraient-ils moins de zèle s'ils devaient payer à ces employés la différence entre le salaire qu'ils reçoivent actuellement et leur salaire de soldats. Non, gardons-nous de gâter les choses ! Elles vont bien, très bien même, puisque l'enrôlement de 1939 est d'un an au moins en avance sur celui de 1914.

« D'ailleurs, n'oublions pas que le volontariat demeure le principe, la règle de la participation du Canada. Mackenzie King, premier ministre et son collègue, Ernest Lapointe, ministre de la Justice, l'ont affirmé dans des termes qui ne laissent aucun doute. Que tous soumettent donc leur initiative à cette formule claire et simple: leur action ne sera pas moins fructueuse et ils ne risquent pas de semer la désunion à travers le pays.

« Le Canada peut et veut faire beaucoup pour aider les Alliés à triompher rapidement, mais, en même temps, il entend décider jusqu'où porteront ses efforts et quelle forme, ils revêtiront, tout en se guidant sur les informations authentiques qu'il recevra d'outre-mer. »

Pendant que les journaux publiaient à volonté des photos d'unités et d'hommes de troupe à l'entraînement, on apprenait que, le 16 septembre, pas moins de 1 040 hommes des deux régiments canadiens-français de Montréal, 390 des Fusiliers Mont-Royal et 650 du Maisonneuve, avaient reçu leur première solde.

Au régiment de Maisonneuve, entre autres, des familles entières s'enrôlaient et les autorités régimentaires se vantaient — à juste titre — de compter dans leurs rangs les membres de deux familles qui, à elles seules, totalisaient pas moins de 17 militaires dans le régiment. Et tous ces soldats possédaient plusieurs années d'expérience dans la milice canadienne avant même que le conflit n'éclate. Il s'agissait de la famille du quartier-maître Armand Mainville, ancien combattant de la Première Guerre mondiale, enrôlé en compagnie de quatre de ses fils, de son beau-frère et de deux neveux, et du sergent A. Vaillancourt qui, quant à lui, s'enrôla en compagnie de deux de ses fils, trois de ses frères, deux de ses beaux-frères et d'un cousin.

Au tour du Royal 22e Régiment de recruter

Enfin, même si, à Montréal, on parlait surtout des deux régiments montréalais, les Fusiliers Mont-Royal et le Maisonneuve, le Royal 22e Régiment, qui célébrait le 25e anniversaire de sa création en 1914 en tant que « 22e bataillon canadien-français », se manifesta à Montréal lors d'une cérémonie grandiose le 17 septembre.

La création du Royal 22e Régiment remontait en effet à la publication, le 24 septembre 1914, d'une lettre ouverte au premier ministre fédéral, Sir Robert Borden, que lui adressait le médecin des Carabiniers Mont-Royal, le colonel A. Migneault. Dans cette lettre, ce dernier demandait l'autorisation de recruter un régiment entièrement canadien-français pour aller combattre outre-mer.

Cette publication eut un grand retentissement dans tout le pays et le gouvernement y fit bon accueil. *La Presse*, *La Patrie*, *Le Canada* et la plupart des autres journaux, tant anglophones que francophones, lancèrent une campagne de recrutement.

Il fallut d'abord trouver un chef pour la nouvelle unité. On choisit à l'unanimité le colonel Frédéric-Mondelet Gaudet, un Canadien français qui avait fait sa marque comme officier de carrière dans l'armée régulière et qu'on tirait ainsi de sa retraite.

Gaudet naquit à Trois-Rivières le 11 avril 1867. Diplômé et deuxième de sa promotion, du Kingston Royal Military College en 1887 il reçut la même année sa commission de lieutenant d'artillerie. De promotion en promotion, il fut élevé au grade de lieutenant-colonel en 1905 et, lorsqu'il prit sa retraite en 1913, après plus de vingt-cinq années de service dans l'armée active, il avait obtenu le grade de colonel.

Le 15 octobre 1914, un grand ralliement en faveur de la formation du futur régiment eut lieu au parc Sohmer, à Montréal. *La Presse*, quant à elle, fournit des locaux au lieutenant Georges Vanier, le futur gouverneur général du Canada, pour lui permettre d'ouvrir un bureau de recrutement.

Finalement, la *Gazette officielle du Canada* autorisa légalement, le 21 octobre 1914, alors que le nouveau régiment s'installait à Saint-Jean-sur-Richelieu, la création du Royal 22e bataillon canadien-français. Normalement, le titre « Royal » n'était accordé qu'à un régiment ayant subi le feu de l'ennemi, ce qui n'était évidemment pas le cas de l'unité naissante. C'est donc par méprise que le 22e fut désigné « Royal » dès le début. C'est pourquoi, quelque temps plus tard et pour tout le reste de la guerre de 1914-1918, il ne fut connu que sous le nom de « 22e bataillon canadien-français ».

Plus tard, en avril 1920, lorsque le régiment fut incorporé dans l'armée active du Canada, il devint de plein droit le Royal 22e Régiment, nom qu'il a conservé jusqu'à nos jours.

Le régiment commença son entraînement à Amherst, en Nouvelle-Écosse et le poursuivit en Angleterre. Il débarqua en France le 15 septembre 1915 et monta au front deux jours plus tard. À partir de ce jour et jusqu'à l'armistice du 11 novembre 1918, le 22e bataillon ne cessa d'occuper un secteur d'opérations soit en France, soit en Belgique.

Le 22e bataillon prit part à la majorité des engagements les plus importants du conflit: Saint-Éloi en mars et avril 1916, Ypres en juin 1916, la Somme et Courcelette en septembre et octobre 1916, Vimy en avril et juin 1917, Lens en août et septembre 1917, Passchendæle en novembre 1917, Arras en mars, avril et mai 1918, Amiens et Chérisy en août 1918 et, finalement, Cambrai en septembre 1918.

Deux cent trente-six officiers et 5 673 sous-officiers et soldats servirent dans le 22e bataillon durant la Première Guerre mondiale. De ce nombre, 135 officiers et 3 414 sous-officiers et soldats furent tués ou blessés.

Le corps expéditionnaire canadien qui participa à la Première Guerre mondiale s'est bâti, sur les champs de bataille de France et de Belgique, une grande renommée ; le 22e bataillon peut s'enorgueillir, à juste titre, d'y avoir contribué dans une large mesure.

Le 28 septembre, le Royal 22e Régiment passait à l'action à Montréal et ouvrit un bureau de recrutement dans un hôtel de Montréal, sous la direction du capitaine J.-G. Charlebois.

Lenteur et précision

Le 23 septembre, on faisait savoir que « c'est avec lenteur et précision, et d'après un plan conçu à l'avance, que s'effectue, actuellement, la mobilisation partielle des forces armées au Canada ». On ajoutait que la tâche était considérable et les difficultés nombreuses. Mais nulle part ne révélait-on de désordre ou de hâte nuisible. Le premier souci de l'état-major, selon les militaires, était d'éviter tout gaspillage, toute erreur de jugement qu'on aurait ensuite à regretter. Il n'y aurait donc pas de dépenses inutiles — ni d'hommes ni d'argent — tel semblait être le mot d'ordre, précisait-on, qui présidait à la mobilisation.

Dès le 20 septembre, le Maisonneuve avait atteint son objectif de recrutement, soit un total de 837 officiers et volontaires. Quant aux Fusiliers Mont-Royal, son recrutement progressait toujours et, à la même date, ce régiment avait accepté 515 volontaires aptes au service actif sur un effectif à atteindre de 668 hommes de tous grades.

Presque tous les jours de septembre, *La Presse* publia des photos montrant les troupes, et plus particulièrement celles de Montréal, à l'entraînement ainsi que des photos de volontaires.

Le 21 septembre, par exemple, on avait consacré la rubrique « Sur la scène de l'actualité » au dernier officier canadien-français admis dans la milice permanente avant le déclenchement de la guerre, le lieutenant André-Lajoie Brossard, du régiment de Maisonneuve, officiellement enrôlé le 3 août et qui, à la fin de septembre, était maintenant attaché à la force permanente en tant qu'officier d'artillerie, à Kingston, en Ontario.

Le 28, *La Presse* accorda la vedette au caporal Donat Bilodeau, des Fusiliers Mont-Royal, qui s'était joint au régiment à l'âge de 15 ans, en 1915, avait ensuite participé notamment aux batailles de Vimy et de Courcelette sur le front français avec le 22e bataillon canadien-français et qui venait de reprendre du service avec les Fusiliers, dans l'espoir de retourner outre-mer. « Je sais ce qui nous attend, avait-il confié aux journalistes, mais je vous avouerai que la guerre actuelle sera plus terrible que l'autre. Ce sera une autre expérience à mon vécu. »

Enfin, *La Presse* consacra un article à la une au major-abbé C.-E. Chartier, curé de la paroisse Sainte-Thérèse d'Avila, dans le diocèse de Sherbrooke, qui avait obtenu de son évêque la permission de reprendre son poste dans l'armée et qui annonçait son intention de servir dans l'actuel conflit comme il l'avait fait dans le précédent. L'article soulignait que l'abbé Chartier était fort populaire dans toute la région et dans les cercles militaires canadiens-français, avec lesquels il était en contact constant depuis le conflit de 1914-1918.

Ainsi prenait fin le premier mois de guerre. Le 20 septembre, Ottawa avait annoncé son intention de créer un corps expéditionnaire qui serait envoyé outre-mer le plus tôt possible pour combattre aux côtés des Alliés. Un régiment canadien-français, le Royal 22e Régiment, en ferait partie.

Comme on le voit, tout au cours de septembre 1939, alors que l'enrôlement était volontaire et que toute menace de conscription était écartée, c'est par centaines, sinon par milliers, que des Canadiens français se sont précipités dans les bureaux de recrutement, surtout dans ceux des Fusiliers Mont-Royal, du régiment de Maisonneuve et du Royal 22e Régiment, pour s'enrôler. On s'attendait à ce que plusieurs centaines d'entre eux fassent partie du corps expéditionnaire qui devait partir bientôt pour l'Europe. Dès le début, donc, nombreux étaient ceux des nôtres qui étaient dans le coup.

LE MAJOR-GÉNÉRAL LA FLÈCHE : DE SOUS-MINISTRE DE LA DÉFENSE NATIONALE À SOUS-MINISTRE DES SERVICES DE GUERRE

Lors du déclenchement des hostilités, c'est un Canadien français, le major-général Léo-Richer La Flèche, qui occupait le poste de sous-ministre de la Défense nationale. Malheureusement pour lui, son état de santé était à ce moment-là précaire, et il n'était pas présent à son poste lorsque fut ordonnée la mobilisation et que se constitua une véritable armée canadienne en vue du conflit. D'ailleurs, dès le 25 août 1939, quelques jours avant l'ouverture des hostilités, on faisait état publiquement de la nécessité de devoir peut-être le remplacer.

On espérait toujours que le major-général LaFlèche puisse reprendre son poste, mais la possibilité qu'il soit remplacé par le major-général Andrew G.L. McNaughton, un anglophone, alors président du Conseil national des recherches, à titre de sous-ministre, ou par le major-général Sir Eugène Fiset, dont « l'expérience militaire, soulignait *La Presse*, est d'une valeur exceptionnelle » était ouvertement évoquée.

McNaughton devait reprendre du service et gagner bientôt l'Angleterre à la tête du Corps expéditionnaire Canadien.

Quant à Fiset, il devait être nommé, quelque temps plus tard, lieutenant-gouverneur du Québec, poste politique honorifique alors plus important qu'il ne l'est aujourd'hui, mais n'ayant aucune incidence militaire. Cette nomination entra en vigueur le 1er janvier 1940.

L'un des rares Canadiens français à avoir atteint à l'époque le grade de major-général, Sir Eugène Fiset avait pris part à la guerre des Bœrs dans le premier contingent canadien d'Afrique du Sud en

1899 et 1900 et avait été décoré de l'Ordre du Service distingué (DSO). Nommé sous-ministre de la Milice et de la Défense en 1906, il servit pendant la Première Guerre mondiale. Il était baronnet depuis 1917, commandeur de la Légion d'honneur française, de l'Ordre de la Couronne de Belgique et de l'Ordre de Saint-Nava de Serbie ainsi que récipiendaire de la Médaille du Service militaire de la Tchécoslovaquie. Il fut député de Rimouski à la Chambre des communes de 1923 à sa nomination.

Pour en revenir au major-général La Flèche, il obtint, le 9 septembre 1939, un congé prolongé pour cause de maladie. Durant son absence, deux sous-ministres suppléants conjoints furent nommés pour remplir ses fonctions, dont un Montréalais francophone, le lieutenant-colonel Henri Desrosiers.

Vice-président de l'Imperial Tobacco, Desrosiers s'était distingué depuis des années à la fois dans le monde des affaires et dans l'armée. En 1914, alors lieutenant du Royal Montreal Regiment, il se rendit outre-mer, participa à la bataille de d'Ypres et à plusieurs autres engagements. Ramené au Canada en 1916, il se vit confier le commandement du 163e bataillon qu'il emmena en garnison aux Bermudes. En janvier 1917, il retourna d'abord en Angleterre commander le 10e bataillon de réserve, puis en France comme officier du 22e bataillon canadien-français avec lequel il combattit jusqu'à sa démobilisation. Il revint au pays décoré de l'Ordre du Service distingué (DSO) et ayant vu son nom mentionné dans les dépêches officielles des forces armées pour faits d'armes reconnus.

C'est un Montréalais anglophone, le lieutenant-colonel K.S. MacLaughlin, qui fut nommé sous-ministre suppléant conjoint de la Défense nationale en même temps que le lieutenant-colonel Desrosiers.

Quant à La Flèche, il avait succédé à G.-J. Desmarats comme sous-ministre de la Défense nationale. Dès le déclenchement de la guerre et contre l'avis de ses médecins, il revint quand même à son bureau, mais après quelques jours, il dut se rendre à l'évidence que son état de santé ne lui permettait pas, du moins pour l'instant, d'exercer adéquatement ses fonctions.

C'est à l'administration de La Flèche que l'aviation du Canada doit d'avoir connu un essor considérable, notamment par suite de la décision de son ministère de placer l'industrie de la fabrication des avions sur un pied de guerre.

Au début de 1938, La Flèche avait réussi à amener les fabricants d'avions canadiens à se regrouper. En vertu d'une entente, l'Associated

Aircraft Limited fut créée ; cette société serait chargée de passer des contrats avec le gouvernement britannique pour la fabrication au Canada de bombardiers, destinés à l'Angleterre.

La Flèche avait fait ses études au collège Saint-Bernard de Sorel. Entré plus tard au service de la Banque Molson, il démissionna de son poste de directeur de succursale à l'annonce de la Première Guerre mondiale et combattit en France dans le 22e bataillon canadien-français. Il fut grièvement blessé à Mont-Sorrel, en juin 1916. À sa sortie de l'hôpital, il fut déclaré inapte à retourner au combat. Il fut alors rapatrié au Canada où il se vit confier le commandement du dépôt militaire du district no 4, à Montréal.

Démobilisé en 1919, il fut nommé examinateur de la Commission de commerce de Québec, puis membre de la Commission des achats du gouvernement fédéral. En 1930, La Flèche fut nommé membre du Tribunal d'appel des pensions. Deux ans plus tard, il accédait au poste de sous-ministre de la Défense nationale.

Attaché militaire à Paris

Toujours sous-ministre de la Défense nationale, La Flèche demeura en congé de maladie jusqu'au début de 1940. Jugé rétabli, il fut envoyé à Paris en tant qu'attaché militaire à la légation canadienne. Son congé fut prolongé pour lui permettre d'assumer ses nouvelles fonctions.

Cette nomination, disait-on, inaugurait une nouvelle étape dans l'évolution des relations diplomatiques du Canada.

Comme attaché militaire à Paris, La Flèche devait assurer la liaison avec les autorités militaires françaises et, avec la collaboration de celles-ci, renseigner le ministre canadien de la Défense nationale sur les progrès de l'art militaire, tels que les nouvelles armes, l'équipement, les transports motorisés, l'organisation militaire, la stratégie, la tactique et les autres aspects de l'effort de guerre de la France. Au début de 1940, cette dernière était encore considérée par le Canada comme un modèle d'organisation militaire.

La Flèche devait aussi se rendre de temps en temps au front où il avait servi avec bravoure dans les forces canadiennes durant la Première Guerre mondiale.

Quelque temps plus tard, rendant visite, en uniforme, à *La Presse* et à ses journalistes, La Flèche, se disant complètement rétabli, avait alors décrit ainsi ses fonctions : « Faisant partie moi-même du glorieux 22e pendant la dernière guerre, je m'en vais retrouver un camarade de ce même régiment, le lieutenant-colonel Georges Vanier, ambassadeur plénipotentiaire du Canada en France. Ce poste d'attaché militaire est tout nouveau pour le Canada et je ne crois pas qu'il n'ait jamais existé avant aujourd'hui.

« Ma mission là-bas sera de suivre jusque dans ses moindres détails la vie militaire française, de me renseigner sur place et auprès des officiers supérieurs de l'effort de la France, dans la guerre actuelle, par ses armées de terre, de mer et de l'air, afin d'en faire rapport au gouvernement canadien. Ma mission ressemble à celle d'un observateur qui renseigne son gouvernement sur les moyens pris par ses alliés pour mener à bonne fin les hostilités. Mon travail sera en quelque sorte diplomatique. Je n'aurai rien à faire avec le corps expéditionnaire canadien, présentement outre-mer. D'ailleurs, il existe, depuis la déclaration de guerre, un état-major canadien à Londres. Mes fonctions sont absolument différentes de celles du major-général Crerar, puisque mes études, mes recherches, porteront sur l'armée française dans ses différents domaines.

« Il me sera donné de visiter les différents fronts français, la ligne Maginot et de m'enquérir du fonctionnement des unités d'infanterie, d'artillerie, de marine et d'aviation. C'est un travail délicat et qui comportera certaines difficultés, mais on m'a assuré que j'aurai à ma disposition tous les éléments nécessaires, toutes les facilités, pour poursuivre mon enquête.

« Il faut gagner la guerre, et rechercher les meilleurs moyens à prendre pour arriver à la grande victoire. Mes fonctions me renseigneront sur ce qu'on fait dans l'armée française pour triompher. »

La Flèche joua également un rôle de relationniste pour l'armée canadienne en France au moment où l'armée française subissait de plus en plus les assauts allemands, mais que nos troupes n'étaient pas encore jugées aptes à aller combattre sur le front français. C'est ainsi qu'on le vit aux côtés du général français Herbillon, commandant des troupes de la région de Paris, signant le registre de l'Arc de triomphe, après avoir déposé une couronne sur la tombe du Soldat inconnu à Paris.

Trois jours plus tard, accompagné du colonel Georges Vanier, le major-général La Flèche avait participé à une autre cérémonie à l'Arc de triomphe en hommage aux Canadiens tués lors de la bataille de la crête de Vimy, en 1917, durant la Première Guerre mondiale.

En mai, au moment où l'Allemagne resserrait son étau sur la France, *La Presse* publiait un texte de son correspondant à Paris sur une visite de La Flèche en pleine zone de combat et « les réactions d'un valeureux soldat qui souffrit de la première grande guerre ».

Sur les vingt-cinq attachés militaires que l'on comptait alors à Paris, plusieurs étaient encore, début mai, en instance d'autorisation d'aller au front et quelques-uns désespéraient de jamais l'obtenir. Toutefois, notait le journaliste, il en est un devant lequel les obstacles s'aplanissaient.

« Celui devant qui toutes les portes s'ouvrent, toutes les barrières tombent et qui est "personna grata" partout, c'est notre attaché militaire à Paris. C'est que la France, qui est pour le Canada français une mère que son fils retrouve, a compris que le major-général L.-R. La Flèche est pour nous ce qu'est pour elle le général Gouraud, héros de la guerre d'hier, qui seront légendaires demain. »

À Paris depuis à peine un mois, La Flèche put donc se rendre faire une longue et minutieuse inspection du front français, à titre de sous-ministre de la Défense nationale du Canada, en mission spéciale comme attaché militaire, chargé de suivre l'effort de guerre français, sur terre, sur mer et dans les airs.

C'est en cette qualité que La Flèche revenait d'une première tournée d'observation et d'étude du dispositif militaire français appelé la ligne Maginot. À quelques jours de la débandade française, La Flèche disait pourtant en revenir « émerveillé ». Il ajoutait même : « je me demande ce que je dois le plus admirer : des installations, du matériel ou des hommes. J'ai vu une ligne — qui est peut-être un ensemble de lignes — que les Allemands ne franchiront pas.

« Ils ne la franchiront pas à cause de la solidité des travaux, de la puissance du matériel et de la qualité des hommes. Je ne suis pas de ceux qui minimisent les qualités de l'ennemi. Refuser de reconnaître ses qualités, ce ne serait pas grandir celui qui va les vaincre. Mais il est certain que plus dur sera le coup qu'il portera, plus sera grand l'acharnement qu'il y mettra, plus il se fera massacrer.

« Je ne crois pas qu'une armée ait jamais eu des cadres comparables à ceux que compte aujourd'hui l'armée française. Son état-major est composé de techniciens, son artillerie est commandée par des mathématiciens et les officiers de ses formations motorisées sont des mécaniciens. Les sous-officiers sont des sous-officiers de carrière selon la conception d'autrefois, qui ont un ascendant extraordinaire sur leurs hommes et savent s'en faire aimer. Tels sont les hommes qui constituent les cadres de l'armée française.

« Quant au soldat français, sa valeur est faite de sa vive intelligence, de son initiative, de son patriotisme. Elle est faite aussi de son entraînement, qui lui a appris à dompter ses nerfs, à supporter la fatigue, à prendre avantage sur le terrain de chaque repli, de chaque abri naturel. Elle est encore faite de sa capacité de travail qui est grande et de sa bonne volonté, qui est sans limite, de son moral, dont les ressorts sont la bonne humeur et la gaieté. »

À un mois de la déroute de l'armée française, La Flèche, comme bien d'autres, ne se doutait de rien. Par ailleurs, lorsqu'on lui demanda ce qu'il aurait fait s'il s'était trouvé devant un soldat allemand, il déclara : « j'aurais fait de mon mieux pour le tuer. »

La Flèche ne devait quitter la France qu'au dernier moment, face à l'avance nazie. Le 26 juin, quelques jours après la capitulation, il faisait parvenir un câblogramme à sa femme lui annonçant son arrivée en Angleterre. Dans ce câblogramme, La Flèche disait : « Fus le dernier à quitter le haut commandement français au front. Trahison et réfugiés, quelques-unes des raisons de la défaite. Nombreuses aventures. Suis sauf. »

Sous-ministre des Services de guerre
Le 9 juillet, Ottawa annonçait que La Flèche, qui était à cette époque l'un des rares francophones à détenir le grade de major-général, reviendrait au Canada pour assumer d'autres fonctions importantes à titre de l'un des deux sous-ministres du nouveau ministère des Services de guerre, dont le titulaire était J.G. Gardiner. Le choix de La Flèche à ce poste ne surprenait personne à Ottawa.

Quelques semaines plus tard, dans un port de l'Est du Canada, débarquant du navire qui l'avait ramené au pays, La Flèche avait donné à un groupe de journalistes venus l'accueillir ses impressions sur les causes de la défaite en France.

« Les réfugiés qui encombraient les routes de France ont été la cause de l'absolue désintégration de l'armée de terre et de l'armée de l'air françaises et responsables de l'écrasement du pays », déclara-t-il aux journalistes.

Le 3 août, La Flèche, de passage à Montréal, avant d'aller assumer ses nouvelles fonctions, accorda une longue entrevue à *La Presse*, puis en donna une autre à la station radiophonique CKAC, précisant davantage sa pensée à ce sujet.

À titre d'attaché militaire canadien auprès du gouvernement français, La Flèche avait été attaché en tant qu'inspecteur à la 2e et à la 3e armées françaises sans cesse en contact avec l'ennemi. Il raconta que, le 17 juin 1940 le général Maxime Weygand l'avait envoyé à Bordeau se présenter au général Colson, nommé ministre de la Guerre le même jour. Dès son arrivée dans cette ville, notre compatriote s'informa des troupes canadiennes qui venaient de débarquer sur le sol français. On ne put cependant lui indiquer au juste où il pouvait les trouver.

La Flèche apprit finalement que nos soldats se trouvaient dans la région de Rouen, mais qu'ils retraitaient en hâte et réembarquaient pour regagner l'Angleterre. Heureusement, dans cette courte incursion sur le front à la toute fin de la campagne de France, deux ou trois militaires canadiens seulement perdirent la vie au cours de la manœuvre de repli précipitée.

Accompagné de son aide-de-camp, le lieutenant Georges Benoît, du régiment de Hull, le major-général La Flèche ajouta que les réfugiés commencèrent à encombrer les routes lors de l'entrée des Allemands aux Pays-Bas, que ce mouvement de foule s'accéléra par la suite en Belgique et que ce fut un véritable sauve-qui-peut parmi les civils en France lorsque fut déclenchée l'attaque. Jamais l'armée et les autorités françaises ne réussirent à reprendre en main la situation.

Faisant preuve d'une franchise rare en temps de guerre, La Flèche devait ensuite, en réponse aux journalistes qui l'interrogeaient sur les causes de la défaite française, l'imputer au « manque de fermeté d'abord. Au point de vue militaire, et au point de vue politique. Depuis la dernière guerre, la France a manqué de fermeté devant l'Allemagne. Jamais on n'aurait dû permettre l'organisation de "clubs sportifs" qui masquaient sous des dehors inoffensifs de puissantes forces militaires. Manque de fermeté puisque l'Allemagne a militarisé la Rhur, et toute la vallée du Rhin. Si l'on avait plutôt fait respecter à l'Allemagne les clauses du traité de Versailles, et si l'on avait construit la ligne Maginot jusqu'à la mer, la France n'aurait jamais été vaincue par les armes ».

Au point de vue des « armements », La Flèche estimait que la France n'était pas du tout prête à engager la lutte. Ce fut une bataille inégale. Les poitrines contre l'acier. Des classes entières de réservistes auraient pu, selon lui, être utilisées, mais on manquait de canons, on manquait de cartouches, on manquait de tanks.

« Nous pouvons vaincre et nous allons vaincre », déclara-t-il alors, ajoutant aussitôt que c'était « une nécessité dont il faut se pénétrer ». Le nouveau sous-ministre préconisait un effort de guerre de ses compatriotes de langue française qui soit « collectif », en même temps que « dirigé de chez nous et par chez nous car, autrement, pourquoi parler d'un effort national » ?

Selon son expérience, acquise en Europe, La Flèche se dit d'avis que « le peuple qui, en définitive, fait la guerre, a le droit d'être renseigné aussi complètement que possible en ce qui a trait aux événements militaires », la population civile ne pouvant être courageuse si elle est tenue dans l'ignorance, erreur qui aurait été commise, selon lui, en France.

Insistant à nouveau sur la nécessité de se pénétrer de l'idée de gagner la guerre, il répéta : « Tous comprennent aujourd'hui la nécessité de nous défendre. Les Alliés comprennent non moins qu'ils doivent prendre l'offensive, ce qui veut dire, dans les circonstances longue préparation et longue guerre. »

La Flèche se dit également d'avis que toutes les démocraties du monde se trouvaient alors en danger, donc tant le Canada en général que le Canada français. Celui-ci, il n'en doutait pas, connaissant son histoire, ferait sa part s'il entendait demeurer ce qu'il est. Dans le passé, souligna-t-il, les nôtres s'engageaient comme fantassins. Il importait maintenant qu'ils s'intéressent aussi aux autres armes, qu'ils s'imposent et par leur valeur et par leur supériorité.

« L'effort de guerre des Canadiens français, précisa La Flèche, doit être dirigé par des Canadiens français dans une mesure raisonnable, car, répéta-t-il, si un seul côté commande, il n'y aurait pas lieu de parler d'effort national. »

La Flèche ajouta, d'autre part, qu'on parlait beaucoup, et en des termes qui l'avaient ému, en Angleterre comme en France, de l'effort de guerre non seulement du Canada, mais aussi de la province de Québec. Selon lui, la tâche des Canadiens était de servir.

« Il y a bien des façons de servir. Beaucoup d'entre nous s'enrôlent et nous devons nous incliner devant leur patriotisme. Ils obéissent en cela au sentiment du devoir. C'est très bien. Mais ceux qui restent doivent être préparés. Par le service militaire d'abord. Ensuite, par leur travail. N'oublions pas que nous avons toujours été le grenier de l'Europe. La Grande-Bretagne, plus que jamais, a besoin de nos bras. Nos agriculteurs, nos fermiers, nos artisans, nos ouvriers, peuvent servir en travaillant ferme. Nos ressources sont immenses et si nous ne sommes pas dans le service actif, nous servons quand même en fournissant à nos frères qui se battent pour nous là-bas, le blé dont ils ont besoin, les avions qui sont nécessaires, les munitions, etc. »

Selon La Flèche, la France redeviendrait forte, car la victoire anglaise serait aussi la victoire de la France qui pourrait se débarrasser à tout jamais du joug allemand. « C'est plus que jamais notre cause à nous. Nous sommes intéressés au même titre que les Britanniques. C'est une communauté d'efforts. Le temps n'est plus où nous pouvons être mous, à l'ombre protectrice de la grande république américaine. C'est notre guerre à nous. Nous devons tous mettre la main à la pâte. »

La Flèche conclut l'entrevue en affirmant que le Canadien français devait faire comme les autres, mais mieux que les autres. « Nous combattrons les forces du mal de toute notre puissance et nous vaincrons. »

Puis, à la fin août 1940, presque un an jour pour jour après le début des hostilités, La Flèche décrivit le rôle que, selon lui, les circonstances imposaient à tous, dans une causerie prononcée devant les membres du Rotary Club de Montréal.

« C'est surtout aux jeunes que je m'adresse ! Ils sont appelés à défendre leur pays, leur femme, leurs enfants, leur fiancée. Le jeune Canadien est appelé à remplir tout son devoir pour sa propre défense contre certains hommes brutaux et sans scrupules en Europe et même ici qui, secrètement, travaillent contre lui. Je veux qu'il soit heureux de son côté. Je veux qu'il soit glorieux de défendre son pays. Et je veux surtout qu'il soit sûr d'avoir le respect et la confiance de ses père et mère, de ses aviseurs spirituels, de ses amis, de ses parents. Ceux-là les regardent avec respect et admiration. Ils le méritent. »

La Flèche avait conclu son allocution en affirmant que « l'Europe est loin de nous si l'on compte les distances, mais dans l'ordre du danger et de la menace de domination allemande, bien près de nous.

« C'est dire que nous devons nous préparer. Le Canada peut préparer des victuailles et des munitions. C'est là que nous gagnerons la guerre. Mais il faut aussi se préparer à la lutte réelle. Nos volontaires ont été et sont encore très nombreux. Maintenant nous avons la mobilisation pour le service au pays et cela comprend l'entraînement militaire.

« Bientôt, nos jeunes gens seront appelés. Examen médical d'abord puis, le cas échéant, entraînement dans des camps désignés à cet effet. Dans ce dernier domaine j'aurai, pour ma part, un rôle à jouer.

« Eh bien ! Je suis prêt ! Je sais que le bonheur et l'avenir de nos jeunes compatriotes sont en jeu. Ce sont des hommes, ils seront traités comme tels. Je ne perdrai jamais de vue que chacun d'entre eux fait sa part pour notre pays. »

LE RECRUTEMENT VA BON TRAIN

Pendant que la France s'enlisait dans la « drôle de guerre », le Canada consacrait l'automne 1939 à la formation de deux divisions entièrement constituées de volontaires. Chaque division devait comprendre plus de 10 000 combattants, sans compter certains corps auxiliaires, ce qui porterait l'effectif total de chacune à environ 16 000 hommes. Chaque division comprenait trois brigades dont les effectifs étaient recrutés également dans toutes les provinces du Canada, proportionnellement à leur population, afin de bien répartir l'effort.

Il avait également été question de former une brigade canadienne-française. Cette rumeur avait été évoquée pour la première fois par *La Presse* dès le 6 septembre 1939. Cette brigade, aurait compris deux régiments de Montréal déjà mobilisés, le régiment de Maisonneuve et les Fusiliers Mont-Royal. À ces deux unités francophones serait venu s'ajouter un troisième régiment de Québec, qu'on serait allé chercher à la 15ᵉ brigade d'infanterie et un quatrième régiment, anglophone celui-là.

La Presse affirmait même que le commandement de cette brigade serait confié au colonel P.-E. Leclerc.

Leclerc était un ancien commandant du régiment de Joliette, vétéran du 22ᵉ régiment, qui commandait alors la 11ᵉ brigade d'infanterie.

Cette brigade canadienne-française ne vit pas le jour, mais Leclerc n'en fut pas moins promu à des fonctions importantes plus tard.

Les deux divisions pour outre-mer

La première fois qu'on parla de la formation des deux divisions destinées à combattre outre-mer, à la fin de septembre 1939, on précisait que, de façon générale, la 1re division serait ultimement composée de trois brigades fournies par l'Ouest du Canada, c'est-à-dire de la Côte du Pacifique jusqu'à l'Ouest de l'Ontario inclusivement, tandis que la 2e division comprendrait les trois brigades de l'Est du Canada, l'une de l'Ontario, l'autre de la région de Montréal et la dernière de l'Est du Québec (Québec et la Gaspésie) ainsi que des Provinces maritimes.

Cela ne fut pas tout à fait de cette façon qu'Ottawa procéda et il fallut attendre pour qu'une brigade canadienne-française soit formée. Néanmoins, cela fit en sorte que le Royal 22e Régiment soit versé à la 1re division et envoyé par la suite outre-mer en même temps que le premier contingent.

Toutefois, le 30 septembre 1939, *La Presse* affirmait toujours qu'« il est probable que l'une des brigades serait canadienne-française. C'est-à-dire que les quatre bataillons qui la composeront seront de langue française ainsi que l'état-major de la brigade. Cependant il est plus que probable que cette brigade comprendra également un bataillon anglophone bien que l'état-major soit entièrement de langue française. En plus d'avoir l'état-major d'une brigade entière, plusieurs Canadiens français seraient à ce qu'on dit, également nommés à des postes importants dans l'état-major canadien, c'est-à-dire aux plus hauts postes ».

Le journal ajoutait que pour le peuple d'un pays tel que le Canada où l'on n'est pas habitué à voir des hommes sous les armes, il était difficile d'estimer la force des effectifs qu'on était en train de lever, en proportion avec la population du pays. D'après les militaires, lorsque les deux divisions alors en cours de formation auraient été parfaitement entraînées, le Canada posséderait encore une armée proportionnellement inférieure à celle que doivent maintenir les pays les moins belliqueux du monde — les États-Unis par exemple — et les dépenses qu'entraînerait la mobilisation étaient encore inférieures.

De son côté, le Royal 22e Régiment, cantonné à Québec, avait néanmoins, dès le début octobre 1939, enrégimenté une centaine de conscrits de Montréal et des environs à son bureau de recrutement de la rue Saint-Jacques, à Montréal, et prévoyait remplir tous ses cadres plus tôt que prévu.

À la suite du Maisonneuve, les Fusiliers Mont-Royal avaient, quant à eux, complété leurs effectifs à la fin de la première semaine d'octobre. D'ailleurs, le brigadier-général F.L. Armstrong, commandant du district militaire n° 4 à Montréal, déclara que les Fusiliers Mont-Royal avaient fait une forte impression sur lui et que leurs volontaires avaient démontré qu'ils avaient tout ce qu'il fallait pour être d'excellents soldats.

Le Maisonneuve: premier au pays à combler ses effectifs

Par ailleurs, dès que le régiment de Maisonneuve eut, en septembre 1939, complété les cadres de son premier bataillon, devenant ainsi la première unité à atteindre son objectif, le premier ministre du Canada, William Lyon Mackenzie King, signalait cet événement de façon expresse, dans une allocution radiophonique, en déclarant que « le régiment de Maisonneuve, fidèle aux plus nobles traditions des anciens Canadiens, a été l'un des premiers à compléter ses cadres ».

Quant à lui, l'historien américain Mason Wade, auteur de *The French Canadian 1760-1945*, traduit ensuite en français sous le titre de *Les Canadiens français de 1760 à nos jours* et publié par le Cercle du livre de France, écrit que « le rythme des engagements de Canadiens français, dans les premières années de la seconde guerre mondiale, fut bien différent de ce qu'il avait été pendant la première. Une unité canadienne-française, le régiment de Maisonneuve, de Montréal, fut la première à remplir ses rangs de volontaires pour le service armé outre-mer et le général L.-R. La Flèche, ministre adjoint de la défense nationale, estima que 50 000 Canadiens français étaient sous les drapeaux dès le 1er janvier 1941 ».

Tous ces déploiements militaires intéressaient fort les badauds. Environ 12 000 personnes, la plus grosse foule depuis la visite à Montréal du roi George VI et de la princesse Élisabeth, en mai 1939, quatre mois plus tôt, s'étaient rendus le 3 octobre au stade Molson, avenue des Pins, assister au déploiement militaire des neufs bataillons, francophones et anglophones, de la métropole.

Le brigadier-général Archambault

Ces troupes devaient finalement être placées sous le commandement d'un Canadien français. Le 6 octobre 1939, en effet, le brigadier-général Armstrong était nommé adjoint de l'adjudant-général à Ottawa et remplacé à la tête du district militaire de Montréal par le colonel J.-P.-U. Archambault, qui devait être promu général de brigade quelques jours plus tard.

Archambault, officier du Royal 22e Régiment, occupait jusque-là les fonctions de directeur de l'organisation et des services personnels au quartier général de la Défense à Ottawa depuis le 1er février 1935. Officier de la milice canadienne depuis 1910, le colonel Archambault comptait de brillants états de service dans le 22e bataillon canadien-français et le corps expéditionnaire canadien durant la Première Guerre mondiale.

En 1920, il devenait membre de l'armée permanente du Royal 22e Régiment dont il prit le commandement en 1928 avec le grade de lieutenant-colonel. Puis, en tant que membre de l'état-major, il fut successivement quartier-maître général et adjudant-général adjoint du district militaire n° 6 à Halifax, à compter de décembre 1932, avant d'occuper le poste de directeur de l'organisation et des services professionnels de l'armée en 1935. Ses services durant la Première Guerre mondiale lui avaient valu la Croix militaire (MC), l'Ordre du Service distingué (DSO) ainsi que la Légion d'honneur française.

Archambault devait conserver ses fonctions d'officier commandant du district militaire de Montréal pendant près d'un an. En effet, le 26 août 1940, il était nommé commandant de la 8e brigade d'infanterie.

Commentant cette promotion en éditorial, *La Presse* écrivait que « nos autorités fédérales s'occupent évidemment de placer aux postes de grande responsabilité les hommes dont les talents et l'expérience offrent les meilleures garanties que les obligations de ces postes seront remplies avec exactitude. En effet, nous n'avons que faire, dans les présentes circonstances, d'une armée de parade, nous avons besoin de bons soldats, capables de défendre notre territoire si jamais les ennemis décidaient de l'attaquer.

« Le brigadier Archambault est soldat depuis une trentaine d'années. Membre du fameux 22e Régiment au cours de la guerre de 1914-1918, il s'est distingué sur les champs de bataille, obtenant le grade de major et plusieurs distinctions militaires. Il a donc été à rude et bonne école. Rien d'étonnant que, après l'armistice et surtout aujourd'hui, nos autorités aient recouru à ses services. Chef de la 8e brigade de la 3e division, le brigadier Archambault aura à cœur de maintenir les traditions de courage, d'honneur et de service au milieu desquelles il s'est lui-même formé.

« *La Presse* a souvent écrit que les Canadiens français peuvent se tailler un avenir honorable, brillant, dans n'importe quel champ d'activité nationale pourvu qu'ils s'en donnent la peine. La promotion du brigadier Archambault en fournit une preuve de plus. Cet officier a travaillé ferme à se qualifier, sans chercher à aller trop vite. Il a réussi et nous ne serions pas surpris de le voir monter encore plus haut. Que son exemple inspire les jeunes ! Ne perdons pas notre temps à dire que nous n'avons pas notre juste part dans la distribution des hautes fonctions publiques.

« Attachons-nous plutôt à les mériter par une préparation soignée et nous finirons bien par les décrocher. »

Le brigadier-général Thomas-Louis Tremblay

Par ailleurs, autre nomination importante pour les Canadiens français : le brigadier-général Thomas-Louis Tremblay, héros de la Première Guerre mondiale et ancien commandant du 22ᵉ bataillon canadien-français.

Tremblay était un ancien élève du Kingston Royal Military College, en Ontario, dont il avait obtenu un diplôme en juin 1907. Avant la Première Guerre mondiale, il servit dans le 18ᵉ régiment et la 1ʳᵉ batterie de campagne de l'artillerie canadienne. Le 17 mars 1915, il fut promu major dans le 22ᵉ bataillon canadien-français du Corps expéditionnaire Canadien, se rendit en France avec son unité en novembre de la même année et fut promu commandant de son bataillon en janvier 1916. En septembre 1917, il prit le commandement de la 5ᵉ brigade d'infanterie canadienne et, en juillet 1918, il fut confirmé officiellement dans son grade de brigadier-général. Il fut démobilisé au Canada le 31 mai 1919. En reconnaissance de ses services, il fut décoré Compagnon de l'Ordre de Saint-Michel et de Saint-Georges, de l'Ordre du Service distingué (DSO), et de la Légion d'honneur française. Il avait également été cité à l'ordre du jour de l'armée à quatre reprises pendant la Première Guerre mondiale.

En 1922, Tremblay fut nommé gérant général et ingénieur en chef de la Commission du port de Québec. À son retour sous les drapeaux, et âgé de 53 ans, il fut nommé, le 20 octobre 1939, inspecteur de la milice et de l'armée active de l'Est du Canada, à l'exception des troupes devant faire partie de la 1ʳᵉ division. Il devait être promu major-général quelque temps après. Il était aussi membre de la Commission chargée d'étudier le projet de route États-Unis-Alaska.

Colonel honoraire à la fois du Royal 22ᵉ Régiment et des Voltigeurs de Québec, il était bien connu dans les Provinces maritimes. Son bataillon, en effet, avait fait partie, durant la Première Guerre mondiale, de la même brigade à laquelle appartenaient le 25ᵉ bataillon de la Nouvelle-Écosse et le 26ᵉ bataillon du Nouveau-Brunswick. De plus, alors que le brigadier-général Tremblay en était le second en commandement, le 22ᵉ bataillon canadien-français, comme on l'appelait à l'époque, avait fait une partie de son entraînement en Nouvelle-Écosse.

Huit mille volontaires à Montréal seulement

Entre-temps, le 13 octobre 1939, un mois et demi après le début de la guerre, le Canada, ayant atteint les effectifs qu'il recherchait pour constituer ses forces armées, suspendait son recrutement de volontaires dans tout le pays. Par la même occasion, les régiments qui, depuis la fin août, soit avant même l'ouverture des hostilités, avaient été affectés à la défense du Canada exclusivement, tel le régiment de Châteauguay, étaient démobilisés. Les miliciens des régiments en question, y compris ceux du régiment de Châteauguay, furent licenciés avec possibilité de s'inscrire sous les drapeaux au Canada et outre-mer pour la période des hostilités.

Ceux qui acceptaient de s'enrôler furent versés dans un « pool » ou compagnie de dépôt et des officiers virent à les permuter dans les bataillons dont les effectifs étaient encore incomplets. À moins de raisons jugées valables, les volontaires du régiment de Châteauguay n'obtinrent pas de choisir eux-mêmes leur unité et furent affectés aux différentes unités selon les besoins.

Lors d'un dîner régimentaire à l'hôtel Ritz Carlton, le 4 novembre, le régiment de Châteauguay reçut des invités de marque de tous les régiments de Montréal. De nombreux militaires haut gradés s'y rendirent, dont les brigadiers-généraux Tremblay et Archambault.

Le commandant du régiment de Châteauguay, le lieutenant-colonel Marcel Noël, profita de l'occasion pour leur faire savoir que son bataillon ne demandait pas mieux que d'être lui aussi mobilisé sous les drapeaux. Malheureusement, cela ne fut jamais le cas et l'unité dût se contenter d'être une unité de réserve qui alimenta beaucoup de régiments qui, eux, se rendirent au front.

Lorsque, le 20 mai 1940, le premier ministre du Canada William Lyon Mackenzie King annonça que le départ de la 2e division canadienne pour outre-mer serait avancé et qu'on formerait une 3e division, *La Presse* affirma tenir de source sûre que le régiment de Châteauguay, qui n'était toujours pas mobilisé sous les drapeaux, ferait partie de cette nouvelle division.

Cette rumeur devait s'avérer sans fondement, mais cependant Noël vit son souhait de servir outre-mer récompensé, puisqu'il fut nommé, début juin, major de brigade (chef d'état-major) de la brigade dont on venait de confier le commandement au brigadier-général P.-E. Leclerc au sein de la 2e division. Le lieutenant-colonel Noël commandait le régiment de Châteauguay depuis 1937.

Le régiment de Châteauguay passa sous le commandement du major Hector Maurault. Ancien combattant de la Première Guerre mondiale, Maurault avait servi en France et en Angleterre, en plus de l'avoir fait dans les troupes d'occupation en Allemagne après le conflit de 1914-1918. Il était le frère du recteur de l'Université de Montréal.

Bien que non officiellement mobilisé sous les drapeaux, le régiment de Châteauguay, unité de mitrailleuses de réserve, continuait à s'entraîner sérieusement et annonçait même l'ouverture prochaine d'une école de qualification pour les sous-officiers et officiers.

Ottawa permit toutefois au Royal 22e Régiment de poursuivre son recrutement et de maintenir en activité son bureau de recrutement de Montréal. C'est que le Royal 22e Régiment avait été désigné pour faire partie de la 3e brigade de la 1re division d'infanterie et par conséquent comme devant être la première unité francophone destinée à partir outre-mer, à une date qui n'avait pas encore été déterminée mais qui ne devait pas tarder à l'être. Il lui fallait donc combler ses effectifs au plus tôt. À la mi-octobre, le Royal 22e Régiment comptait déjà sur un effectif de 512 hommes.

Entre le 17 et le 28 octobre 1939, le Royal 22e Régiment dirigea vers sa caserne de Québec environ 100 volontaires recrutés à son bureau de Montréal. Le 23 novembre, ses effectifs étant comblés, le Royal 22e Régiment fermait son bureau de recrutement de Montréal.

À son tour, le contingent de l'Université de Montréal du Corps d'école d'entraînement d'officiers canadiens (COTC) fit savoir qu'il avait recruté 500 hommes triés sur le volet, qui avaient déjà commencé leur entraînement. En fait, l'enthousiasme pour l'enrôlement était tel que si elle l'avait désiré, l'unité aurait pu, en peu de temps, doubler ses effectifs. Mais comme il s'agissait d'un corps d'école d'entraînement d'officiers, on préférait mettre l'accent sur le recrutement des étudiants de cours avancés ou plus âgés plutôt que sur des jeunes avec moins de formation universitaire.

À la fin octobre, les futurs officiers canadiens-français, membres du COTC de l'Université de Montréal, étaient déjà passablement avancés dans leur entraînement. C'est le lieutenant-colonel J.-Redmond Roche, qui venait d'être promu sous-adjudant général adjoint qui assumait encore le commandement de l'unité, jusqu'à ce qu'on lui trouve un successeur. Le COTC avait déjà formé bon nombre d'officiers des différents régiments montréalais. Au seul régiment de Maisonneuve, on comptait pas moins d'une quinzaine d'officiers qui y avaient fait leurs débuts dans l'armée. D'autres anciens de l'Université de Montréal servaient dans des unités anglophones alors en entraînement au Kingston Royal Military College, en Ontario.

Le 23 novembre, le COTC de l'Université de Montréal, qui avait maintenant un effectif de 600 hommes sous les drapeaux, affichait lui aussi complet et cessait de recruter ou d'admettre d'autres aspirants officiers dans ses rangs pour l'instant.

Quant à Roche, au moment où, à la mi-décembre, il quittait Montréal pour Ottawa où il devait occuper le poste d'adjudant-général adjoint auprès du ministère de la Défense nationale, on mentionnait déjà qu'il n'y demeurerait pas longtemps.

En effet, au début de 1940, Roche fut nommé chef des statistiques de la 1re division outre-mer avec le grade de major.

Député de l'Union nationale à l'Assemblée législative du Québec au lendemain des hostilités, puis élevé à la magistrature, Roche devait prendre sa retraite de l'armée avec le grade de colonel.

Engagement par patriotisme ou pour des raisons économiques ?

Bien sûr, on ne s'engageait pas dans les forces armées que par patriotisme ou par goût de l'aventure. Au lendemain de la crise économique, pas moins de 689 Montréalais vivant jusque-là d'allocations de chômage s'étaient enrôlés dans l'armée canadienne entre l'ouverture des hostilités et la mi-octobre et, dans 378 cas, il s'agissait de chefs de famille. Deux cent quarante autres jeunes ex-chômeurs demeuraient jusqu'alors chez leurs parents au moment de leur enrôlement, tandis que 71 des chômeurs célibataires vivaient alors seuls en appartement.

Fin octobre, on rapportait qu'un total d'environ 8 000 officiers et hommes de tous grades avaient subi leur examen médical à Montréal depuis l'ordre de mobilisation volontaire. Tous ces aspirants se présentaient pour faire partie du service actif et sur ce nombre, 6 500 avaient en fait été retenus parce qu'ils étaient considérés comme aptes au service. Quelque 500 autres ont été versés dans les compagnies de dépôt. Moins de 300 individus ont été considérés comme inaptes au service militaire pour diverses raisons et renvoyés chez eux. De leur propre chef, les commandants de divers régiments ont également éliminé certains individus dont le mauvais état de santé était évident.

Le brigadier-général Archambault, commandant du district militaire n° 4, avait alors déclaré que bien que ces chiffres ne donnent pas une idée exacte de l'état de santé de la population, ils révélaient cependant le soin que les autorités militaires apportaient au choix des volontaires. De toute façon, la proportion de recrues qui n'ont pas pu satisfaire aux exigences médicales de l'armée était très faible.

À ces 8 000 volontaires désireux de servir dans l'armée active, il faut ajouter ceux qui se sont présentés pour servir dans l'Internal Security Force ou dans l'aviation, soit quelque 2 000 hommes de plus.

Le 11 novembre 1939, le jour du Souvenir, commémorant l'armistice de 1918 qui mettait fin à la Première Guerre mondiale, était de nouveau célébré pour la première fois en temps de guerre. *La Presse* du lundi suivant écrivait que « jamais depuis la signature de l'armistice, n'a-t-on vu, par tout le pays, cérémonies aussi grandioses et importantes ».

« Durant vingt années de paix, on avait célébré un peu partout la fin des hostilités de 1914-1918, mais cette année, c'est en pleine guerre que les peuples ont observé religieusement les deux minutes de silence et d'un silence d'autant plus poignant qu'on pouvait percevoir l'anxiété sur les milliers de figures qui entouraient le cénotaphe. Cette anxiété se manifestait surtout chez ceux et celles qui entouraient de plus près le cénotaphe, car d'un côté on pouvait voir des rangées de vétérans, aveugles, infirmes, amputés, fragments du carnage que fut la dernière guerre et de l'autre ces milliers de jeunes qui à leur tour iront bientôt verser leur sang pour la défense du droit et de nos foyers. »

Un immense cortège, formé de 14 000 militaires et de 6 000 vétérans défila sur la rue Sherbrooke ouest à Montréal. Et *La Presse* écrivit : « Il était tout particulièrement intéressant et impressionnant d'observer nos unités canadiennes-françaises qui, il y a deux mois à peine, ne comptaient que quelques centaines d'hommes, tandis que nous en avons vu défiler près de 2 000. »

Quatre unités canadiennes-françaises participaient au défilé: le régiment de Joliette, sous le commandement du lieutenant-colonel L. Chicoine ; le régiment de Châteauguay, commandé par le lieutenant-colonel Marcel Noël ; les Fusiliers Mont-Royal, que commandait le lieutenant-colonel Paul Grenier ; et le régiment de Maisonneuve, sous le commandement du lieutenant-colonel Robert Bourassa.

Le Royal 22ᴱ Régiment
PART OUTRE-MER

À l'automne 1939, le major-général Andrew G.L. McNaughton, ancien chef de l'état-major et alors président du Conseil national des recherches, fut choisi commandant en chef de la 1ʳᵉ division du Corps expéditionnaire Canadien. Plus tard, lorsque le Canada envoya une deuxième division en Angleterre, MacNaughton fut promu lieutenant-général.

Le choix de McNaughton ne surprenait personne, car son nom avait été mentionné à diverses reprises pour commander le corps expéditionnaire. Sa nomination, faisait-on remarquer, avait le mérite d'être une nomination non partisane, vu que le général avait été dans le passé très proche des têtes dirigeantes des deux principaux partis politiques du Canada.

Le 20 novembre 1939, le ministère de la Défense nationale faisait savoir que les officiers et volontaires de tous grades qui seraient envoyés outre-mer devraient être âgés d'au moins 19 ans. Les volontaires plus jeunes seraient gardés à l'entraînement au pays, tant qu'ils n'auraient pas atteint cet âge. Une quarantaine d'hommes du Maisonneuve et des Fusiliers Mont-Royal étaient donc trop jeunes pour service outre-mer pour le moment.

Ce n'est toutefois qu'en décembre que partait la 1ʳᵉ division de combat canadienne pour l'Angleterre. Cette division, dans laquelle figuraient en bonne et due place les hommes du Royal 22ᵉ Régiment, devait mettre le pied sur le sol britannique le 18 décembre.

Le 10 décembre, la 1ʳᵉ division, premier contingent envoyé outre-mer, s'embarqua à Halifax pour l'Angleterre. Le 19 décembre, le premier contingent canadien arriva à bon port. La traversée s'était effectuée dans le plus grand secret, les neuf provinces canadiennes étaient représentées dans les divers détachements, le voyage s'était déroulé sans incident et l'artillerie, les vivres et les munitions de ces troupes avaient été expédiées en même temps.

C'est le Royal 22e Régiment qui représentait le Canada français au sein de ce contingent. Déjà, le soir du 4 décembre, le commandant du Royal 22e Régiment, le lieutenant-colonel Percy Flynn, son adjudant, le capitaine Guy Roberge et le lieutenant Gilles Turcot, avait quitté Québec à destination de Halifax pour aller préparer l'embarquement de l'unité. L'aumônier du régiment, le capitaine Maurice Roy, qui deviendra plus tard cardinal-archevêque de Québec, faisait partie du contingent qui partait outre-mer.

C'est par un dimanche gris et froid du début décembre que la flotte de paquebots transportant le premier contingent de l'armée active canadienne et son escorte de vaisseaux de guerre prirent la mer à Halifax. Le soleil ne faisait que de courtes et rares apparitions, mais le service météorologique assurait que les bateaux seraient bientôt hors d'atteinte d'une tempête qui s'annonçait.

Ce départ était bien différent de celui du premier contingent canadien en 1914. Celui-ci avait quitté Valcartier avec pompe et s'était embarqué sur des navires qui avaient descendu le Saint-Laurent et s'étaient réunis dans la baie de Gaspé. Le moment venu, la grande flotte s'était engagée dans le golfe du Saint-Laurent et très peu de personnes avaient assisté à son départ. Par contraste, en 1939, le départ s'effectua d'un port populeux et bien qu'il soit impossible d'évaluer le nombre de spectateurs présents pour l'occasion, il devait certainement être important.

Bien entendu, l'heure du départ n'avait pas été révélée, mais vers le milieu de la matinée de ce beau dimanche historique, les volutes de fumée s'échappant des navires dans le port de Halifax avertirent les curieux qu'un événement important se préparait, et chacun s'efforça de jouir du spectacle. Cette sagacité fut récompensée vers midi, quand plusieurs navires de guerre se mirent en marche vers la haute mer, bientôt suivis par les paquebots dont les ponts étaient garnis de soldats chantant éperdument et faisant des gestes d'adieu. Sur l'un de ces navires qui passaient, on remarqua que les soldats étaient alignés sur les ponts pour leur premier exercice avec ceinture de sauvetage. Pour ces hommes, c'était déjà la guerre.

Dans un texte consacré à l'arrivée de nos troupes en Angleterre, un journaliste de *La Presse* écrivait, le 19 décembre 1939, qu'on savait déjà au pays que des hommes avaient été recrutés et s'entraînaient dans diverses parties du Canada. On avait même vu beaucoup de ces soldats revêtus du nouvel uniforme de combat. « Mais nulle part, on n'avait constaté cette excitation et cette hâte qui marquèrent le recrutement du premier contingent canadien en 1914. Pourtant l'enthousiasme y était encore une fois, et ceux qui ont eu la bonne fortune d'assister au départ des régiments de leur ville respective ou à leur embarquement à Halifax peuvent témoigner que les soldats canadiens de 1939 sont alertes, vigoureux, en excellente forme et sont de magnifiques représentants de la jeunesse canadienne. »

C'est le premier ministre britannique Winston Churchill lui-même qui annonça l'arrivée des troupes canadiennes en Angleterre, alors qu'un communiqué officiel faisait savoir: « Troupes canadiennes arrivées saines et sauves en Angleterre. »

Il ne fallut pratiquement qu'une semaine, malgré les embûches de la guerre et la possibilité d'attaque ennemie en mer pour cette traversée de 3 000 milles. « Jamais, pouvait-on lire dans *La Presse* du 19 décembre, un tel mouvement de troupes, de l'opinion des officiers, ne s'était fait avec une telle exactitude. Tout a fonctionné tel que décidé et dans le plus grand secret. »

Tout était prêt pour l'embarquement. On a également expédié en Angleterre des tonnes de munitions pour petites armes. Si le départ des navires pour l'Angleterre avait été aperçu du grand nombre, le public n'a cependant pas beaucoup eu connaissance de l'embarquement des troupes, des ordres inflexibles excluaient tous ceux qui ne possédaient pas les lettres de créance leur donnant accès au départ.

Revêtues de leur uniforme, armées et équipées comme aucun contingent ne l'avait jamais été, les premières troupes canadiennes à traverser l'océan étaient prêtes à entrer en action. Après avoir débarqué en bon ordre, elles furent dirigées immédiatement vers un camp, quelque part en Angleterre.

Dans ce premier contingent de troupes canadiennes, les neuf provinces du Canada étaient représentées, ainsi que les « deux grandes races » comme on disait alors. Les représentants canadiens-français venaient non seulement du Québec, mais de diverses autres provinces canadiennes. Outre le Royal 22ᵉ Régiment, unité canadienne-française, le Québec était représenté par le Royal Montreal Regiment.

En plus des troupes et de leur équipement personnel, on emmena de l'artillerie motorisée, des vivres et du matériel. Cet imposant mouvement de troupes n'est pas passé inaperçu, début décembre, au Canada. Mais les journaux respectèrent fidèlement la consigne du silence, considérée comme nécessaire à la sécurité « de ces jeunes braves qui vont se battre pour une cause juste », écrivait-on et on a attendu le 19 décembre, date où ils débarquaient sains et saufs en Angleterre, pour parler de leur départ du Canada et de leur arrivée en Angleterre.

Dans un style un peu lyrique, *La Presse* du 19 décembre expliqua que c'est une magnifique division que le Canada a envoyée outre-mer. Elle se composait d'hommes triés sur le volet, qui avaient tous subi avec succès tous les examens du corps médical. On n'avait accepté que des hommes capables d'endurer les fatigues de la mer.

Dans un ordre du jour donné le 19 décembre à Londres, le commandant des troupes canadiennes outre-mer, le major-général Andrew G.L. McNaughton, déclara que le peuple du Canada avait confié à ses troupes la tâche de « défendre la cause de la justice et de la liberté contre l'agression et l'oppression ».

Après avoir remercié les escortes navales et aériennes, les compagnies de chemin de fer et la marine marchande qui avaient assuré le bon transport des troupes canadiennes en Angleterre, McNaughton ajouta : « Nous sommes prêts à combattre aux côtés de nos frères d'armes du Commonwealth britannique et de la France et nous nous ferons une obligation d'honneur de suivre les fières traditions établies par le corps canadien. C'est à nous de nous prouver dignes de cet héritage. »

McNaughton rappela ensuite qu'il y avait fort à apprendre avant que la 1ʳᵉ division soit prête à être envoyée au front. Mais avec l'aide des chefs militaires britanniques, il dit espérer que cette division acquerra l'expérience requise et la confiance mutuelle qui est à la base de la discipline militaire.

« Chacun d'entre-nous, dit-il, est le représentant du Canada. De notre conduite dépendra l'opinion que nos cousins de l'Empire et de France se feront du Canada et des soldats canadiens. Par conséquent, chaque homme portant l'uniforme canadien a une responsabilité — maintenir en tout temps par ses actions et son courage, le renom du Canada et la réputation de son régiment. Je demande à chaque membre de l'armée de faire sienne cette grande tâche. »

Selon *La Presse* du 4 janvier 1940, l'arrivée du deuxième contingent de la 1ʳᵉ division canadienne d'outre-mer avait été le grand événement de la vie britannique des derniers jours. « Le peuple anglais en a quasiment oublié les fêtes du Premier de l'An pour reporter sa joie et son enthousiasme sur nos troupes. Dans les rues de Londres, à Piccadilly Circus, dans les clubs les plus huppés, les bras s'ouvraient. Les conducteurs de taxis refusaient de faire payer les soldats canadiens ; dans un autobus, l'arrivée d'un gaillard du Royal 22ᵉ bouleversait toute consigne, on criait, on poussait des vivats. Les ovations furent émouvantes. "Comme ils ressemblent à leurs pères...", disaient les vieux Londoniens. On peut dire que nos soldats ont gagné leur première "grande bataille", ayant pris Londres d'assaut.

« Les Canadiens français n'ont pas été les moins choyés ! Au moindre mot français entendu, la jolie "miss" anglaise répondait par un refrain très doux à la manière de Maurice Chevalier... »

Le 24 février, le secrétaire britannique à la Guerre, Oliver Stanley, rendit visite aux troupes canadiennes à l'entraînement à Aldershot et causa en français avec les troupes du Royal 22ᵉ Régiment à qui il déclara : «Vous atteindrez finalement la France et je sais que vous saurez soutenir la belle réputation que vos prédécesseurs ont inscrite dans l'histoire, il y a 25 ans.»

Un mois plus tard, non seulement les Canadiens étaient-ils encore en Angleterre, mais c'est au contraire le généralissime de l'armée française, le général Maurice Gamelin, qui leur rendit visite à Aldershot, en compagnie du chef de l'état-major impérial britannique, le général Sir Edmund Ironside.

Gamelin s'adressa lui aussi en français aux soldats du Royal 22ᵉ Régiment et leur laissa un message pour toute la division: « Quand vous quitterez la France pour retourner dans vos foyers, vous partirez en hommes qui ont assuré la liberté et la paix du monde entier », leur dit-il le 29 mars.

C'est avant le défilé des troupes que Gamelin s'adressa en français à ses « camarades de l'armée canadienne »: « Canadiens parlant français, dit-il, ce n'est pas sans émotion que nous vous entendons parler notre langue, dont vous avez si bien conservé les traditions. Nous n'avons pas oublié ceux qui vous ont précédés et qui ont combattu en France. Nous sommes heureux de voir comme vous vous entraînez pour suivre leurs traces.

« Quand vous débarquerez sur le sol français, vous découvrirez que, derrière les pactes politiques qui nous lient, le cœur de la France bat à l'unisson du vôtre. Vous trouverez des hommes qui, tout comme vous, ne veulent pas seulement défendre leur patrie, mais aussi assurer à tous les peuples le droit de demeurer libres. »

Un détachement du Royal 22ᵉ sur le sol de la France

À défaut de combattre, le Royal 22ᵉ Régiment fit parler de lui en montant la garde à Buckingham. C'était la première fois que des soldats de langue française étaient choisis pour monter la garde devant le palais de souverains britanniques. C'était également la première fois dans l'histoire de l'Empire britannique qu'on confiait cet honneur à des militaires dont la langue maternelle était autre que la langue anglaise. C'est le capitaine J.-G.-G. Charlebois qui eut l'honneur de commander le détachement du Royal 22ᵉ Régiment affecté pendant quelques jours à la garde du palais de Buckingham.

On sait peu de choses de la participation du Royal 22ᵉ Régiment à la campagne de France de juin 1940. Dans l'*Histoire du Royal 22ᵉ Régiment*, publiée en 1964 par un comité d'officiers du régiment d'après les recherches de Charles-Marie Boissonnault, on mentionne qu'entre le 10 et le 15 juin, « un détachement du régiment partit pour le continent. Le lendemain, il est rappelé ».

Plus loin, on peut lire que « l'année 1940 se termina sans que le Royal 22ᵉ Régiment ait encore franchi la Manche. À plusieurs reprises, cependant, il en avait été question. Le 23 mai, quatre officiers, accompagnés de leurs ordonnances, avaient quitté l'Angleterre avec le quartier général de la 1ʳᵉ division canadienne. C'étaient le capitaine Jean Lafontaine, Croix militaire (MC), ancien combattant de la Première Guerre et les lieutenants J.-A.-G. Vallée, M.-K. Saint-Pierre et G. Payette. Ils avaient pour mission de pousser une reconnaissance en France, en compagnie du major-général McNaughton. À ce moment, le régiment tout entier se préparait à traverser sur le continent. Un groupe d'avant-garde, commandé par le capitaine Edgar Doiron, assisté du sergent H. Nadeau, se rendit au port d'embarquement à Plymouth. Toutes les voitures de transport, chargées à pleine capacité, partirent sous les ordres des lieutenants Gilles Turcot et Paul Hart. En cours de route, toutefois, ils reçurent l'ordre de rebrousser chemin et de rentrer. »

L'histoire régimentaire concluait en disant que « ce premier combat que tous entrevoyaient enfin ne sera donc pas pour maintenant ; après ces longs mois d'aguerrissement, ce nouveau délai n'est pas sans créer un certain désappointement chez les officiers tout comme chez la troupe ».

LA « DRÔLE DE GUERRE »

Les militaires canadiens qui mettaient les pieds sur le sol britannique à la fin de 1939 et au début de 1940 savaient qu'ils n'étaient pas encore complètement prêts à être dépêchés sur les champs de bataille. Mais ils s'attendaient tous à aller combattre en France le plus tôt possible. Surtout les Québécois, que cela soit ceux du Royal 22ᵉ Régiment, déjà arrivés en Angleterre, ou ceux qui, encore au Canada, attendaient avec impatience d'aller les rejoindre.

Pour tous les Canadiens français, en effet, c'était la France qui représentait la mère patrie en danger et non pas l'Angleterre, comme c'était le cas pour leurs camarades de langue anglaise. Si beaucoup commençaient à se douter que la « drôle de guerre » ne serait pas éternelle et que le conflit risquait d'être plus long et plus difficile que prévu, personne ne semblait envisager, au début de 1940, la possibilité d'une défaite des armées françaises ni leur capitulation avant la fin de juin.

Malheureusement, même si plusieurs officiers canadiens et, au cours des derniers jours de la campagne de France, une avant-garde mirent les pieds sur le sol français avant la capitulation de juin 1940, les Canadiens ne débarquèrent jamais en force sur ce front et encore moins dès janvier 1940, comme la rumeur circula alors.

En effet, une dépêche de Paris datée du 10 janvier 1940 prétendait, en citant des sources officielles, que des détachements de régiments de Québec et de Montréal étaient arrivés en France. La dépêche de l'agence française Havas disait même qu'« après leur débarquement, les détachements se sont rendus rapidement au front pour y prendre les positions qu'on leur a désignées. Ils relèvent des quartiers généraux du major-général McNaughton, commandant de la 1ʳᵉ division du Corps expéditionnaire canadien ».

Cette nouvelle, pour le moins exagérée, avait amené *La Presse* du 10 janvier à faire sa manchette en titrant : « Soldats de Montréal et Québec en France. » Le sous-titre ajoutait même : « Et d'ores et déjà au front. »

Mais cette dépêche de Paris fut démentie à la fois à Londres et à Ottawa presque aussitôt après. Pendant qu'Ottawa disait qu'il n'y avait rien de vrai dans les rumeurs venant de Paris selon lesquelles plusieurs détachements de troupes canadiennes avaient débarqué en France, Londres était plus explicite ; le major-général McNaughton et les commandants de brigade de la 1re division canadienne se trouvaient effectivement en France à ce moment-là en tournée d'inspection, mais aucun détachement de soldats n'avait encore quitté l'Angleterre.

Une photo de McNaughton, chef du Corps expéditionnaire canadien, discutant de stratégie « quelque part en France » avec Lord Gort, commandant en chef de l'armée britannique sur le sol français, fut d'ailleurs publiée à la une de *La Presse* le 1er février.

Un peu plus tard, c'était au tour de l'ambassadeur plénipotentiaire du Canada en France, le lieutenant-colonel Georges Vanier, d'offrir à Paris un dîner à la Légion canadienne. Celui-ci affirma alors que les résultats obtenus jusque-là de la solidarité franco-britannique auguraient bien à ses yeux pour l'avenir.

Par la même occasion, Vanier déclara qu'il était allé visiter l'armée française au front, en compagnie de sa femme. « Tout ce que l'on peut décrire et entendre sur l'armée française est au-dessous de la réalité. Je doute qu'à aucun moment de l'histoire, il a été possible de contempler tant de puissance matérielle, associée à une telle sérénité, tant de cœur à une telle intelligence. »

Enfin, à l'intention de la Légion canadienne, Vanier ajouta que « dans le cas où notre armée canadienne viendrait en France », elle aurait pour mission d'accueillir la jeune génération de militaires.

Quelques semaines plus tard, au moment de la déroute de l'armée française, le lieutenant-colonel Vanier n'échappa à la capture par les nazis qu'en réussissant à s'enfuir sur un petit sardinier en compagnie de l'ambassadeur de Grande-Bretagne à Paris, Sir Ronald Campbell. Vanier, qui était accompagné des membres de son personnel, a ensuite été transféré sur un navire de guerre qui l'a finalement emmené en Angleterre.

Le voyage sur le sardinier se fit sur une mer houleuse et fut loin d'être agréable. Avant de quitter Paris, Vanier avait confié à l'ambassade américaine les biens nationaux canadiens et ordonné la destruction de tout document qui aurait pu être utile à l'ennemi. À ce moment-là, rappelons-le, les États-Unis étaient encore un pays neutre dans le conflit en cours.

Vanier ne s'était décidé à fuir Bordeaux, capitale provisoire de la France, que lorsque le danger de la progression d'une colonne motorisée allemande devint apparent, ne pouvant envisager l'emprisonnement dans un camp de concentration nazi.

Une fois arrivé à Londres, Vanier remit la déclaration suivante à l'agence Presse Canadienne:

« Je reviens le cœur triste, comme vous pouvez l'imaginer, en cette heure de martyre et d'humiliation pour la France. Les desseins de la Providence sont obscurs à nous mortels, mais je suis convaincu qu'avec la permission de Dieu la France ressuscitera encore comme elle l'a fait si souvent dans le cours du millier d'années de sa glorieuse histoire.

« Une fois de plus, la France a présenté sa poitrine aux coups cruels de l'envahisseur. Une fois de plus, elle a versé son meilleur sang dans la lutte du monde pour la liberté.

« Lorsque j'ai fait mes adieux au général Weygand, je lui ai exprimé mon admiration et mon affection pour son pays et lui ai dit que j'étais fier d'avoir du sang français dans les veines. »

La Croix-Rouge
De son côté, le commissaire national de la Croix-Rouge canadienne, Fred-W. Routley, s'était lui-même rendu à Paris visiter la zone des armées jusqu'à la ligne Maginot et avait déclaré, le 27 janvier, qu'il était littéralement émerveillé et enthousiasmé par l'admirable tenue spirituelle de la France.

Tout en gardant son entière autonomie, la Croix-Rouge canadienne élaborait un programme commun avec la Croix-Rouge britannique, sans oublier, bien entendu, la liaison avec la Croix-Rouge française.

Pour l'ensemble des troupes canadiennes, on prévoyait 600 bases hospitalières, dont les plans de certaines, à la fin de janvier 1940, étaient déjà arrêtés dans tous les détails en ce qui concerne les locaux, l'approvisionnement et le personnel. Une centaine de ces bases devaient être aménagées en France même, à commencer par la région du Nord.

Comme ces chiffres pouvaient laisser songeurs, Routley affirma : « On fait quelque chose à fond ou pas du tout ! Le Canada sait où il envoie ses soldats et quelle formidable lutte est engagée. Nous n'avons rien voulu négliger et c'est pourquoi je suis venu ici. Rien ne manquera, tout sera en place à " l'heure dite ". » Routley, pas plus que quiconque, ne pouvait toutefois la préciser.

Le dirigeant de la Croix-Rouge canadienne avait également eu des entretiens avec deux officiers canadiens-français occupant de hautes fonctions en France à ce moment-là : le lieutenant colonel Vanier, ambassadeur plénipotentiaire du Canada en France et le colonel Barré, haut-commissaire du Canada au Royaume-Uni.

Il s'agissait de planifier différentes questions touchant le séjour des troupes canadiennes à Paris : logement, divertissement, spectacles. C'était un point assez délicat, de dire Routley. Et celui-ci ajouta : « Nous sommes comblés : les troupes canadiennes en France seront reçues comme les membres d'une grande famille. Je suis heureux de le dire puisqu'elles viennent se battre pour le même idéal et que Paris pour nous est toujours une éternelle merveille. »

Parlant de la Croix-Rouge canadienne, le 30 avril, *La Presse* faisait largement écho à l'inspection à Montréal d'un détachement d'aides bénévoles de la Croix-Rouge canadienne composé de 120 jeunes filles, dont plus de 40 Canadiennes françaises, toutes qualifiées comme conductrices d'ambulances. Une trentaine d'entre elles étaient également infirmières auxiliaires. Les quartiers généraux militaires à Ottawa devaient décider quand elles seraient attachées à des unités de l'armée « ou attachées à des hôpitaux militaires en France ».

On ajoutait que « les jeunes Canadiennes françaises qui font partie du détachement appartiennent à nos meilleures familles et c'est de grand cœur qu'elles contribuent volontairement et sans rémunération à l'effort de guerre de notre pays ».

Un hôpital militaire pour la France
Au début de janvier, le lieutenant-colonel Anatole Plante, médecin, venait d'être nommé commandant, « quelque part en France » du Dépôt nº 1 des convalescents. La nouvelle annonçant sa nomination précisait qu'il serait accompagné d'une dizaine de médecins de langue française et de langue anglaise, d'infirmières, d'infirmiers, de commis, etc., formant un personnel d'environ 250 hommes et femmes.

Ce dépôt de convalescents devait comprendre 1 000 lits et veiller au rétablissement des soldats blessés ou malades, dirigés vers le dépôt afin d'y reprendre leurs forces.

À la mi-janvier, le brigadier-général T.-L. Tremblay, inspecteur général de l'armée active et de la milice de l'Est du Canada, rendit visite à l'unité avant son départ outre-mer. On notait alors que la proportion de Canadiens français parmi les officiers était de l'ordre de 80 % et parmi les hommes de 75 %.

Le 13 janvier, on affirmait que Plante et son unité quitteraient Montréal au cours du même mois « pour une destination en France qui n'a pas été révélée ». On ajoutait qu'en plus des médecins et du personnel médical, on retrouvait des instructeurs militaires et de culture physique avertis et qualifiés.

Enfin, quelques jours plus tard, on précisait qu'« ils doivent quitter la métropole prochainement pour un endroit en France qui n'est pas désigné ».

L'unité, commandée par Plante, avait été mobilisée en une dizaine de jours seulement. Utilisant le style du temps, où on ne s'embarrassait pas du langage « politiquement correct » d'aujourd'hui, *La Presse* du 17 janvier écrivait : « On y rencontre outre des Canadiens français, des Polonais, des Algonquins et même des Nègres. Les volontaires s'amusent en disant que leur unité est une Société des nations en miniature, bien que la proportion canadienne-française soit de 80 %. »

La « drôle de guerre » tire à sa fin

Le 6 avril, en publiant une photo des Canadiens à l'entraînement en Angleterre, on parlait « d'une période finale d'entraînement avant d'être envoyés en France ».

Toutefois, à compter du 9 avril, les yeux se portèrent sur la Norvège, partiellement occupée par les nazis, tandis que le Danemark était complètement subjugué par les forces allemandes.

Instinctivement, les troupes canadiennes sentaient que la « drôle de guerre » tirait à sa fin et qu'on entrait dans la guerre totale. Mais on continuait à faire confiance à l'armée française et à la supposée invincibilité de la ligne Maginot, personne n'imaginant que, deux mois plus tard, il ne resterait pratiquement plus d'armée française digne de ce nom.

Le 12 avril, appréhendant une attaque allemande contre la ligne Maginot, le haut commandement allié affirmait encore qu'il s'agirait d'une manœuvre désespérée « contre la muraille d'acier ».

Plusieurs rumeurs circulaient au sujet de l'envoi de la 1re division canadienne, parmi laquelle figurait en bonne et due place le Royal 22e Régiment.

La Presse du 16 avril affirma même en manchette : « Soldats canadiens rendus en Norvège », un sous-titre ajoutant même : « de nombreuses troupes y combattraient déjà. » Mais ces rumeurs devaient toutes s'avérer sans fondement et, le 24 avril, le ministre intérimaire de la Défense nationale, C.G. Power, publia une déclaration précisant qu'en dépit des rapports qui avaient circulé dans les journaux d'outre-mer, il n'y avait pas de troupes canadiennes sur le théâtre des opérations en Norvège.

À Paris, la situation semblait normale lorsque, le 29 avril, le ministre de la Défense nationale du Canada, Norman Rogers, s'y présenta et conféra longuement avec son homologue français, Édouard Daladier, et avec le général Gamelin, généralissime de l'armée française. La situation semblait tellement normale que l'ambassadeur plénipotentiaire du Canada en France, le lieutenant-colonel Vanier, donna un dîner en l'honneur de Norman Rogers.

Celui-ci était accompagné du haut-commissaire canadien à Londres, Vincent Massey, qui devait devenir, le premier Canadien à être nommé gouverneur général du Canada une dizaine d'années plus tard. Le brigadier-général H.G.D. Crerar, alors chef de l'état-major canadien en Angleterre, faisait également partie de la délégation qui était venue rencontrer les chefs politiques et militaires français.

Rogers avait passé deux jours en France avant de retourner à Londres. Il s'était déclaré satisfait des progrès de l'entraînement des troupes canadiennes en Angleterre.

Le 10 juin, revenu au Canada depuis un certain temps, le ministre de la Défense nationale devait trouver tragiquement la mort dans un accident d'avion dans l'exercice de ses fonctions. Le ministre de la Justice, Ernest Lapointe, avait alors déclaré à la Chambre des communes que « la population canadienne-française perd en l'honorable Rogers un de ses meilleurs amis ».

Le vendredi 10 mai, la « drôle de guerre » avait définitivement pris fin. Ce jour-là, les hordes nazies s'étaient portées à l'assaut du front ouest et avaient envahi les Pays-Bas et la Belgique qui se défendaient. « La proclamation d'Hitler annonce que l'heure du combat décisif est arrivée », titrait alors *La Presse*.

À noter que c'est un Canadien français, Jean Désy, qui était ministre canadien aux légations conjointes de la Belgique et des Pays-Bas à ce moment-là. Le diplomate francophone était encore à son poste à Bruxelles au moment où les Allemands déclenchèrent leur attaque. Un autre francophone, Yves Lamontagne, attaché commercial à la légation de Bruxelles, agissait comme commissaire du commerce canadien en Belgique.

Si la capitulation de la Belgique puis de la France survinrent avant que l'armée canadienne ne puisse être envoyée au front, certains militaires y allèrent en mission spéciale dont quelques officiers canadiens-français. Ce fut notamment le cas de deux officiers du Royal 22ᵉ Régiment, le capitaine Jean La Fontaine et le lieutenant Gérard Payette, dont la photo fut publiée dans *La Presse* du 6 juin avec la mention qu'ils avaient tous deux accompagné le major-général McNaughton en mission secrète, qualifiée « d'importante », sur la ligne de feu en Belgique.

Le 14 mai, les Allemands avaient réalisé une triple invasion du territoire français en contournant la ligne Maginot et en concentrant leurs attaques contre Sedan. Le lendemain, *La Presse* titrait en manchette : « Les Allemands sur la ligne Maginot. » Pour la France, c'était le commencement de la fin.

Le 10 juin, c'était au tour de Mussolini et de l'Italie de déclarer la guerre aux Alliés. Quelques heures plus tard, le Parlement du Canada répliquait en approuvant l'entrée en guerre du pays contre l'Italie. Tous les chefs de parti appuyèrent à la Chambre des communes la résolution de Mackenzie King à cet effet et le Sénat remplit cette formalité en seulement trois minutes.

Le 15 juin, la Grande-Bretagne cessera d'envoyer des renforts sur le front français. Les Canadiens ont alors compris que leurs troupes ne seraient pas envoyées se battre en France pour y rejoindre une avant-garde qui y avait mis les pieds durant les derniers moments des combats. Pour les Canadiens français, le message était clair : leur mère-patrie, écrasée sous le nombre et par un armement supérieur, était sur le point de capituler devant les Allemands.

Deux jours plus tard, en effet le 17 juin, la triste nouvelle tombait comme un coup de massue : la France demandait un armistice. L'heure était au deuil chez les Canadiens français.

On se rend compte alors que pour les soldats canadien-français le rêve de gagner le sol de la France pour y défendre la mère patrie ne se réalisera pas de si tôt. La mère patrie est vaincue, humiliée, envahie.

La « drôle de guerre » est terminée. On se lance maintenant dans une guerre totale qui, tout le monde en prend conscience, sera longue et coûteuse. D'autant plus que si la France capitule, l'Angleterre, elle, ne cède pas.

Or, pour le meilleur et pour le pire, le Canada français, même s'il considérait la France comme sa mère patrie, faisait partie intégrante du Canada, d'abord, et de l'Empire britannique, ensuite. Celui-ci décidant de poursuivre la lutte jusqu'à la victoire finale, les Canadiens français se trouvaient eux aussi, bon gré malgré, plongés dans la tourmente et devaient boire le calice jusqu'à la lie.

Cela dit, la 1re division canadienne avait néanmoins envoyé une avant-garde sur le sol français, dans l'éventualité d'un débarquement éventuel. Cette avant-garde, faisait-on savoir le 20 juin, avait même réussi à se rendre jusqu'à un point situé à moins de 25 kilomètres de Paris, avant de recevoir l'ordre de se replier le plus rapidement possible vers son port de débarquement et revenir le 19 juin en Angleterre, au camp d'où elle était partie pour le front.

Les soldats canadiens sont revenus apparemment sans qu'un seul homme n'ait été tué ni blessé. Ils ont toutefois dû détruire une petite quantité de matériel qu'il ne purent rapatrier sur le trajet de quelque 560 kilomètres qu'ils durent faire à l'intérieur des terres françaises, réussissant à se rendre jusqu'à la côte d'où ils se réembarquèrent pour l'Angleterre.

Pendant douze jours, l'avant-garde canadienne avait ainsi marché sur les routes de France, ses membres ne se reposant qu'au minimum, ne se nourrissant que de leurs rations et des quelques vivres qu'ils purent acheter des paysans des villages qu'ils traversaient, sans pouvoir changer d'uniformes une seule fois en près de deux semaines.

En revenant vers la mer, la colonne fut souvent survolée par les avions allemands, mais elle ne fut pas attaquée. Toutefois, dans certains villages français, les soldats canadiens, rapporte-t-on, eurent la surprise de leur vie. Certains habitants, les prenant pour des Allemands, leur firent le salut nazi !

Le 22 juin, on annonçait que la 1re division canadienne « qui fut privée de l'action qu'elle se promettait en France », était revenue pratiquement intacte en Angleterre et qu'elle avait été réorganisée.

À part quelques retardataires, les cadres de la division étaient intacts, disait-on. Des navires continuaient cependant à arriver en Angleterre avec des membres isolés de la Première division qui avaient été séparés du gros des troupes pour une quelconque raison.

Réorganisée, la 1re division canadienne était maintenant prête à défendre la mère patrie.

Mais cette « mère patrie » n'était plus pour les Canadiens français la France, terre de leurs ancêtres, mais bien l'Angleterre comme pour tous les autres Canadiens !

LES VOLONTAIRES SE FONT NOMBREUX

L a conscription a beau avoir fait peur aux Canadiens français, c'est tout de même par milliers que les nôtres se sont engagés dans les divers régiments francophones du Québec comme volontaires. Là-dessus, les statistiques ne mentent pas.

On s'engageait souvent par familles entières. Comme les quatre frères Thibault, Georges, Paul, Roger et Lucien, les trois premiers sergents et le plus jeune simple soldat ; quatre Montréalais qui s'étaient enrôlés ensemble au régiment de Maisonneuve et dont *La Presse* avait publié la photo le 31 octobre 1939. Ou comme les quatre fils d'Alfred Brunet de Montréal. Alors que Roland Brunet était déjà à l'entraînement avec la 1re division à Alderstot, en Angleterre, ses trois frères, Georges, Aurèle et Noël, étaient, quant à eux, sous les drapeaux avec Les Fusiliers Mont-Royal, en attendant d'être envoyés outre-mer avec la 2e division.

Ces militaires canadiens-français étaient l'objet d'un vaste culte. Il s'agit de regarder les films d'actualité du temps ou les photos que les médias publiaient à chacun des défilés ou encore de prendre connaissance de l'émotion qui a marqué le départ des membres de régiments comme les Fusiliers Mont-Royal ou le régiment de Maisonneuve lorsqu'ils ont quitté Montréal pour le camp d'entraînement de Valcartier, première étape vers un départ éventuel outre-mer pour s'en rendre compte.

Le 19 mai 1940, une foule énorme s'était massée, rue Sherbrooke, pour admirer la belle tenue de nos militaires et les applaudir.

Voici d'ailleurs comment le reporter de *La Presse* résumait cette importante manifestation :

« Montréal est allée au devant de ses soldats. Pour eux, la parade d'hier constituait un exercice ; pour la foule, c'était l'occasion impatiemment désirée d'applaudir et de rendre hommage au courage et à la crânerie. Ceux qui en ont été les témoins n'oublieront pas de sitôt cette manifestation. Le mot parade n'est pas tout à fait exact, car devant les événements, la "marche" de nos troupes prend un sens national.

« Une fois de plus, la rue Sherbrooke, témoin de nos fêtes populaires, a servi d'avenue triomphale.

« Ce n'est pas par simple coïncidence que fut fait le choix de la rue Calixa-Lavallée pour servir de poste à l'état-major. L'auteur des paroles de l'hymne national méritait d'être à l'honneur puisque c'est pour le Canada que ces hommes ont préféré tous les sacrifices aux joies de leur condition d'hier.

« La foule qui a applaudi les troupes ne ressemblait pas à celle qui, dans le passé, a manifesté sa joie et son enthousiasme à l'occasion de réjouissances communes. Le ton était plus grave: l'émotion dominait.

« Cette foule avait mille attaches. Pour cette famille, c'était un frère ; pour ce père, un fils ; pour cette fiancée, le compagnon ; pour cette épouse, le chef de famille.

« Après le défilé, il fallait passer dans la foule, saisir les commentaires. Nous avons vu des vétérans de " l'autre guerre " se redresser avec une fierté nouvelle ; nous avons vu des officiers aujourd'hui à la retraite, parer leur maison des drapeaux glorieux de 1914 et, partout, de de Lorimier à Saint-Denis, des milliers de voix s'unissaient pour dire une confiance à toute épreuve...

« Nous avons vu un petit infirme se lever de sa chaise roulante pour acclamer de ses mains de malade les fiers gaillards qui martelaient l'asphalte ! L'observateur aura relevé, comme nous, autant de petits incidents significatifs. Pourquoi cette fillette agitait-elle un drapeau français? Pourquoi ce petit bonhomme était-il vêtu à la militaire ? Pourquoi oubliait-on de se rafraîchir ? Parce que tous avaient compris qu'il s'agissait moins d'une fête que d'un hommage sérieux...

« La foule n'a pas eu de préférence. Les marins, les aviateurs et l'infanterie ont été acclamés par elle avec le même enthousiasme, le même sentiment d'admiration. Et tout cela ne sentait pas la commande ou le geste à faire.

« Ce sont des soldats qui ont défilé et nos régiments n'ont pas cherché à éblouir. Au contraire — et la foule l'a bien compris — ils ont voulu simplement prouver qu'ils avaient des traditions, qu'ils avaient des chefs et que leur consigne n'emprunte rien à la fantaisie.

« Montréal a saisi, dimanche, toute la capitale signification de la parade militaire et c'est avec un peu plus d'espoir, un peu plus de confiance que les citadins ont regagné leurs foyers. À la question : " Sommes-nous bien défendus ? ", la réponse venait d'être donnée. »

L'heure du départ

Le 20 mai 1940, alors que les combats faisaient rage en France qui luttait encore courageusement contre l'invasion allemande et que le Royal 22ᵉ Régiment était déjà à l'entraînement depuis cinq mois en Angleterre avec la 1ʳᵉ division britannique, les autorités militaires annonçaient que le régiment de Trois-Rivières et la Compagnie de pétrole, cantonnés à Montréal, quitteraient le Québec le 24 mai, à destination du Camp Borden, en Ontario.

Le lendemain, 25 mai, cela serait au tour des Fusiliers Mont-Royal de quitter Montréal, à destination du camp de Valcartier, en banlieue de Québec. Quant au régiment de Maisonneuve, il partirait le 26 mai pour le même endroit. Incidemment, le père Guy Laramée, jésuite, avait été attaché au régiment de Maisonneuve comme aumônier avec le grade de capitaine honoraire.

Pour ces militaires canadiens-français, membres de la 2ᵉ division, il s'agissait de la première étape vers un départ éventuel pour outre-mer.

C'est par milliers que les citoyens de Montréal s'étaient rendus les 25 et 26 mai sur le quai de la gare Bonaventure pour souhaiter « bon voyage et bonne chance » aux militaires des Fusiliers Mont-Royal et du régiment de Maisonneuve.

Malgré la tristesse qui se traduisait sur de nombreuses figures, soit d'une mère, d'un père, d'une femme, des enfants, d'une fiancée, des parents ou des amis en général, la gaieté semblait dominer dans le cœur de nos vaillants soldats, qui défilaient interminablement sur le long quai de la gare pour prendre place dans les deux trains qui les ont conduits à Valcartier.

Le 27 mai, les militaires des Fusiliers Mont-Royal et du régiment de Maisonneuve se trouvaient installés au camp de Valcartier. Ils devaient y poursuivre un entraînement plus sévère, chose qui était presque impossible à Montréal, étant donné le manque d'espace permettant de se livrer à des manœuvres de grande envergures.

Le régiment de Trois-Rivières, qui devait quitter Montréal en même temps pour se rendre au camp Borden, en Ontario, avait reçu un ordre à la dernière minute contremandant son départ. Une rumeur voulait alors qu'il aille lui aussi à Valcartier et soit incorporé au régiment de la Chaudière pour devenir une unité de mitrailleurs au sein de la même brigade que les Fusiliers Mont-Royal et le Maisonneuve, mais elle ne se matérialisa pas.

Certains officiers des Fusiliers Mont-Royal devaient se rendre outre-mer avant les autres. Ce fut le cas du capitaine Jean Vézina et des lieutenants Robert-H. Lajoie et Erskine Eaton qui gagnèrent l'Angleterre pour y suivre des cours spéciaux.

Pour sa part, dès le 19 février, le Royal 22e Régiment avait commencé à enrôler environ 400 hommes pour ses renforts. Commencé à Québec, ce recrutement ne progressant pas assez rapidement, on avait cru bon d'engager à Montréal qui avait fourni plus de la moitié de l'effectif régulier du Royal 22e Régiment, alors en garnison quelque part en Angleterre avec la 1re division du Corps expéditionnaire canadien.

Entre-temps, début décembre 1939, la 2e division, en voie de se constituer, était considérée comme une réserve de la 1re division, et devait s'entraîner pour le moment au Canada. Le ministère de la Défense nationale avait déjà fait connaître ses unités constituantes, parmi lesquelles figuraient trois régiments canadiens-français du Québec, les Fusiliers Mont-Royal, le régiment de Maisonneuve et le régiment de la Chaudière, qui devaient former la 5e brigade. Une batterie d'artillerie de Sherbrooke et la 18e ambulance de campagne de Québec devaient également faire partie de cette division.

Quant aux autres unités, elles s'organisaient également et plusieurs officiers canadiens-français obtenaient des promotions importantes.

C'est ainsi, par exemple qu'au cours des derniers jours de décembre 1939, le major R. Hamel était promu commandant du régiment de Saint-Hyacinthe avec le grade de lieutenant-colonel. Son prédécesseur, le lieutenant-colonel L.-P. Payan, avait accepté de servir comme major dans le Royal 22e Régiment et d'accompagner cette unité en Angleterre.

Le régiment de Trois-Rivières

Pour sa part, le lieutenant-colonel Georges-Alexandre Dupuis était nommé commandant du régiment de chars d'assaut de Trois-Rivières ; ce régiment faisait partie de la 1re division du Corps expéditionnaire canadien, mais elle se trouvait encore en terre canadienne parce que son effectif n'était pas encore complet. Ancien combattant de la Première Guerre mondiale, Dupuis avait déjà commandé le Royal 22e Régiment.

Le 12 avril, *La Presse* présentait justement un grand reportage sur le régiment de Trois-Rivières, la seule unité de chars d'assaut de tout le Canada, d'ailleurs, à l'époque. Au lieu du képi que portaient les autres militaires, ses hommes portaient un béret noir, caractéristique de cette unité.

« Un fait extraordinaire relativement à cette unité, écrivait alors le journaliste, est que si le régiment devait s'aligner sur la chaussée, il s'étendrait sur une longueur de plus de cinq milles, étant donné les nombreux tanks, camions, motocyclettes et autres véhicules. Un autre fait intéressant à noter, c'est que les soldats faisant partie de ce régiment ne portent pas de fusil, le régiment est complètement motorisé et tous les soldats sont munis de revolvers de calibre spécial et on ne voit aucune carabine. »

Dans ce reportage, le lieutenant-colonel Dupuis était photographié au milieu de ses officiers, parmi lesquels on pouvait apercevoir le major Jean-Victor Allard. C'était la première fois, mais non la dernière évidemment, que la photo de celui-ci, apparaissait dans *La Presse*. Le major Allard devait devenir, quelque vingt-cinq ans plus tard, le premier Canadien français à diriger l'état major des Forces armées du Canada comme général d'armée.

Le 25 juin, le ministre de la Défense nationale autorisa la création des régiments territoriaux et le régiment de Trois-Rivières, malgré la présence en son sein d'un fort groupe d'officiers francophones, était placé dans le « Quebec Regiment » avec les anglophones. Le régiment fut déménagé sur le terrain de la Montreal Athletic Association à Westmount.

À peine arrivé à Westmount, le lieutenant-colonel Dupuis fut muté et le commandement du régiment de Trois-Rivières passa à titre temporaire au major Trépanier. Après de longues discussions, les autorités firent appel au lieutenant-colonel J.G. Vining, ancien commandant du régiment, alors à la retraite, pour en prendre le commandement et Trépanier devint son adjoint.

Allard, qui au début de la guerre était capitaine dans le régiment de Trois-Rivières, écrit dans ses *Mémoires* publiées en 1985 qu'une unité spécialisée comme son régiment avait besoin de techniciens, tels des mécaniciens, des radio électriciens, etc. Les recrues devaient donc au moins posséder une base solide à partir de laquelle on pourrait rapidement les amener au niveau requis pour l'exécution de chacune des tâches. Cela signifiait, en fait, qu'elles devaient avoir un certain bagage de connaissances générales et de mathématiques.

« Ces exigences nous rendent le travail difficile et font du recrutement une tâche frustrante. La situation devient vite alarmante et nous devons accepter des volontaires qui nous arrivent de régiments du Québec non encore mobilisés. Or, ceux qui répondent à cet appel sont surtout anglophones.

« Pour les quelques-uns d'entre nous s'étant dévoués depuis des années pour garder notre régiment de milice bien vivant, la situation est tragique. Car nous percevons clairement que notre unité, qui aurait dû être de langue française, deviendra peu à peu largement anglophone. Il n'y a cependant rien que nous puissions faire à ce stade. Le manque de préparation, en vue d'encadrer éventuellement les francophones dans des armes autres que l'infanterie, se fait sentir. »

Même avec l'arrivée de Vining, les Trifluviens se retrouvent à peine dans leur régiment. Les liens avec leur ville d'origine sont pratiquement coupés. Leur unité contient déjà plus de 50 % d'anglophones et cette proportion croîtra encore après un autre déménagement vers Borden. Et jusqu'à la fin de la guerre, époque où le lieutenant-colonel Fernand Caron sera à sa tête, le régiment de Trois-Rivières gardera ce caractère très anglophone.

« Là-dessus cependant, précise Allard dans ses Mémoires, il n'y avait pas que le gouvernement fédéral à blâmer. Le Québec n'avait pas toujours été des plus ouverts à une certaine coordination en ce qui concerne la formation de techniciens. Sans parler du genre d'instruction plutôt humaniste qui était fournie chez nous ; et de l'atmosphère anti-militaire qui existait. »

Des nominations importantes

Par ailleurs, une nomination importante intéressa particulièrement les cercles militaires canadiens-français du district de Montréal, celle du major Robert Roy comme officier chargé du recrutement dans le district, sur un pied d'égalité avec un homologue anglophone. Roy avait pour mission de s'occuper tout particulièrement des Canadiens français à ses bureaux de Montréal.

Ancien combattant de la Première Guerre et major depuis 1920, le major Roy faisait partie de la réserve des Fusiliers Mont-Royal et son père, le colonel Alexandre Roy, avait lui-même commandé le district militaire montréalais en 1911.

Pour sa part, le major-abbé Chartier, de Sherbrooke, avait vu ses vœux exaucés et avait été nommé, en novembre, aumônier.du district militaire de Montréal. Quant à l'abbé J.-G. Côté, ex-aumônier militaire du 22ᵉ bataillon canadien-français en France durant la Première Guerre mondiale, titulaire de la Médaille d'efficacité en tant que milicien ; était nommé, aumônier du district militaire de Québec.

À l'île Sainte-Hélène, pour la première fois depuis une centaine d'années, un office religieux avait été célébré le 14 janvier 1940. Chartier y avait alors dit la messe pour les quelque 125 volontaires catholiques de la Compagnie du pétrole de la Royal Canadian Army Service Corps. Forte de quelque 300 hommes, cette compagnie était commandée par un officier francophone, le major R.-J. Dufresne, autrefois des Grenadier Guards.

De son côté, le lieutenant-colonel Louis Chicoine quitta le commandement du régiment de Joliette pour devenir instructeur en chef des cadets de la province de Québec et officier d'état-major du district militaire de Montréal. Le major Gustave de Bellefeuille lui succéda comme commandant du régiment qui comptait quatre compagnies, une à Joliette, une à Saint-Jérôme et deux à Shawinigan Falls.

Une garde territoriale

Début juin, le brigadier-général J.-P. Archambault annonçait la formation dans le district militaire de Montréal d'un détachement comprenant 250 anciens combattants et huit officiers qui, en tant que membres de la Garde des anciens combattants, feraient partie de l'armée canadienne sous les drapeaux.

Quelques jours plus tard, une grande activité régnait aux quartiers généraux de la Garde où on procéda à l'examen médical des recrues, tous des anciens de la guerre 1914-1918. Les candidats acceptés, étaient traités sur le même pied que les militaires sous les drapeaux, c'est-à-dire qu'ils étaient équipés, vêtus, habillés, logés et nourris par le ministère de la Défense nationale et recevaient le même traitement que les militaires de grade comparable.

Une deuxième catégorie des membres de cette garde, placée également sous la direction juridiction du ministère de la Défense nationale, était chargée d'accomplir du service actif anti sabotage en protégeant les canaux, les ponts, le port, etc., et relevait en pratique de la Gendarmerie royale du Canada, qui veillait à son entretien et versait la solde à ses membres.

Enfin, une troisième catégorie de réservistes, organisée par la Légion canadienne, visait à recruter des volontaires qui offriraient leurs services gratuitement en cas d'urgence.

La Garde des anciens combattants était commandée par un Canadien anglais, le lieutenant-colonel George MacLum, décoré de l'ordre du

Service distingué (DSO), de la Croix militaire (MC). Celui-ci était assisté de certains officiers canadiens-français dont le lieutenant Jules Thibaudeau, ancien combattant de la Première Guerre mondiale, qui avait alors servi dans le Royal Flying Corps puis dans la Royal Air Force, et le lieutenant C.-P. Lavigne.

Quelques jours plus tard, le lieutenant-colonel John-H. Roy, Croix militaire (MC), ancien membre du 22e bataillon canadien-français et décoré de la Croix de guerre française lors de la Première Guerre mondiale, devenait le commandant en second et l'adjoint du lieutenant-colonel MacLum au commandement de la compagnie montréalaise de la garde territoriale.

Pas de conscription
Si les Canadiens français s'enrôlaient donc nombreux, on craignait toujours la conscription dans certains milieux. C'est pourquoi, en pleine campagne électorale fédérale, les Canadiens français accordèrent beaucoup d'importance à la déclaration du principal ministre fédéral du Québec, le ministre de la Justice Ernest Lapointe, qui déclara que « le recrutement va demeurer volontaire ».

Une fois de plus, le 12 mars 1940, le ministre Lapointe avait été catégorique au sujet de la conscription : « Le recrutement a été volontaire. Il est volontaire. Le recrutement va rester volontaire. »

Quelques jours plus tard, *La Presse* faisait écho à une autre déclaration du ministre des Postes C.G. Power, en titrant : « Iront à la guerre ceux qui voudront y aller. » Celui-ci avait alors déclaré que « le gouvernement King assure le public canadien que dans cette guerre, personne ne sera enrôlé pour le plaisir de la chose. Iront à la guerre ceux qui veulent y aller et ceux qui sont aptes à y aller ».

Power avait rappelé que, lors de la Première Guerre mondiale, « les conservateurs qui nous reprochent de ne pas aller assez vite dans l'enrôlement ont enrôlé 80 000 hommes qui ne sont jamais allés au feu, qui étaient inaptes au service militaire ».

Le 27 mars 1940, précisons que le gouvernement de Mackenzie King était réélu haut la main les libéraux en obtenant 175 sièges (sans compter trois autres sièges allant à des députés qui se disaient libéraux-progressistes et trois autres à des libéraux indépendants) contre seulement 38 pour les conservateurs, 7 députés CCF et 7 créditistes.

Pour la défense du sol canadien

« **J**e ne dis pas que des attaques sur Halifax, Saint-Jean, Gaspé au Québec sont imminentes, mais dans cette guerre étrange, épouvantable, terrifiante, déconcertante, voire inconcevable, il n'y a rien d'impossible », déclara à la radio le 10 juillet 1940 le nouveau ministre de l'Air C.G. Power.

« Ce n'est plus seulement une aide volontaire que le Canada est appelé à donner à ses alliés dans la guerre actuelle ; c'est la patrie canadienne elle-même qui, en raison des circonstances critiques, lance un appel à tous ses fils d'une manière générale et leur demande d'assurer l'intégrité du territoire, la conservation des libertés nationales, la survie de l'idéal démocratique. »

Ainsi s'exprimait pour sa part l'éditorialiste de *La Presse*, le 19 juin 1940, dans un texte ayant pour titre « Pour la défense du sol canadien ». La France ayant capitulé, le Canada se sentait lui-même menacé. Le journal faisait d'ailleurs sa manchette le jour même avec ces mots lourds de sens : « Le pays est mobilisé pour sa défense. » Trois importants sous-titres expliquaient la démarche entreprise par le gouvernement de Mackenzie King : « Conscription pour service au Canada » ; « les Canadiens mobilisés ne le seront que pour assurer la défense du Canada sur notre sol et dans les eaux territoriales » ; et « le service outre-mer demeure volontaire ».

La veille, l'éditorialiste, sous le titre de « Il faut assurer la défense du Canada menacé », avait préparé le terrain.

« En face de la gravité des événements, en face des dangers grandissants qui menacent nos foyers, nos familles, notre peuple, il est absolument nécessaire que le gouvernement prenne des mesures urgentes pour assurer avec toute la promptitude et avec toute l'efficacité possibles la défense du Canada. »

Et l'éditorialiste de conclure: « Il faut voir à la défense du territoire canadien. »

À la Chambre des communes, Mackenzie King devait faire remarquer que la défaite de la France rapprochait beaucoup le Canada de la guerre. Les îles Britanniques étant menacées d'invasion, le Canada, en tant que partie de l'Empire, devait assumer de nouvelles responsabilités. C'est pourquoi le gouvernement demanda et obtint du Parlement l'autorisation de mobiliser toutes les ressources en hommes et en matériel pour la défense du Canada.

Il était clairement établi que la mobilisation en hommes était destinée uniquement et exclusivement à la défense du Canada sur son propre sol et dans ses eaux territoriales. Le gouvernement mobilisait en même temps les biens, les richesses naturelles, les entreprises industrielles, tandis que l'enrôlement pour service outre-mer demeurait volontaire. Le premier ministre avait d'ailleurs donné de nouveau l'assurance qu'aucune mesure visant à conscrire des hommes pour service outre-mer ne serait présentée par le gouvernement actuel.

Le ministre intérimaire de la Défense nationale, C.G. Power, affirma que tout homme valide du Canada aurait, en temps et lieu, l'occasion de faire des exercices militaires, afin d'être prêt à défendre son pays, s'il y avait lieu de le faire.

Le Canada, ajouta-t-il, accueillerait bientôt 183 000 hommes sous les armes. En plus de l'enrôlement déjà autorisé de 30 000 hommes, on en recruterait immédiatement 40 000 autres. Au 19 juin 1940, on évaluait à 113 593 le nombre de Canadiens sous les armes et en uniforme. De façon générale, ils étaient répartis ainsi : 26 087 à l'extérieur du Canada et en Grande-Bretagne, 64 656 au Canada, 7 256 dans la marine et 15 594 dans la force aérienne.

Power rappelait que depuis le début de la guerre, nos unités de milice avaient servi de base pour l'organisation de la défense du Canada et que les unités des première, deuxième, troisième et quatrième divisions avaient toutes été mobilisées en utilisant les unités de la milice active non permanente comme point de départ. Le gouvernement avait l'intention de poursuivre cette ligne de conduite, se félicitant de la réponse et de l'appui qu'il avait reçus des officiers et des autres membres de ces unités de la milice.

Le 5 juillet, le colonel James L. Ralston était assermenté ministre de la Défense nationale, en remplacement du ministre Rogers, mort quelque temps auparavant dans un accident d'avion. Il reprenait le portefeuille qui lui avait été confié pour la première fois en 1926.

Quelques jours plus tard, Rolston déclarait qu'il y avait de la place dans l'armée canadienne pour 40 000 autres hommes et annonçait que la mobilisation des soldats de première classe se ferait environ six semaines plus tard.

Ralston ajouta qu'on enverrait tous les soldats disponibles mais qu'il ne faudrait pas négliger non plus la défense du Canada outre-mer. Il affirma que l'organisation d'une garde civile nationale n'était plus justifiée, maintenant que le gouvernement avait décidé de mobiliser complètement la milice active non permanente. Il demandait au peuple canadien d'accepter le recrutement de la milice active non permanente comme solution de remplacement à la formation d'une garde civile nationale.

Comités de protection civile

Si le Canada n'avait pas besoin d'une garde civile nationale, il n'en formait pas moins des Comités de protection civile.

C'est ainsi que, le 30 août 1940, on annonçait la création d'un commandement provincial des forces mobiles du Comité de protection civile de la province de Québec.

Le lieutenant-colonel J.-E. Thériault, Ordre du Service distingué (DSO), Croix militaire (MC), en était nommé chef du groupe canadien-français du comité de protection civile de Montréal. C'était un ancien membre du British Intelligence Service et son groupe, affirmait-il, serait entièrement constitué le lundi suivant.

Les forces mobiles du Comité de protection civile de la province de Québec devaient comprendre environ 1 000 volontaires au Québec, dont environ 500 à Montréal. Elles en compteraient également à Trois-Rivières, Hull, Québec et Sherbrooke. Considérés comme agents spéciaux, ces volontaires avaient des permis de port d'armes et devaient pouvoir venir en aide à la police. On recherchait « des hommes honnêtes et consciencieux qui, sans revêtir l'uniforme, peuvent être de bons soldats ».

La majorité des dirigeants de ce Comité était des anglophones, mais on avait confié le commandement du groupe de Trois-Rivières à un francophone, le lieutenant-colonel Raoul Pellevin.

Cette formation, expliquait-on, avait pour but d'apporter de l'aide en cas d'incendies allumés par suite d'actes de sabotage ou de raids aériens. Ses membres étaient répartis en plusieurs groupes de façon à couvrir toute la ville.

En Angleterre des forces semblables avaient été mises sur pied et avaient rendu de précieux services. *La Presse* expliquait qu'« elles s'imposent également au Canada et principalement dans les grandes villes comme Montréal et Toronto, où il y a tant d'usines et d'entrepôts, ainsi que les services d'utilité publique qu'il faut à tout prix protéger ».

Enregistrement national et conscription

Le 22 août, le ministre Ralston annonçait que le pays avait maintenant 214 000 hommes sous les armes, soit 114 000 dans l'armée de combat et 100 000 dans la milice active non permanente.

Trois jours plus tôt, le ministre de l'Air, C.G. Power, déclarait pour sa part, que l'ennemi venait de faire sa première victime dans les rangs des escadrilles canadiennes outre-mer. Par ailleurs, si nos unités aériennes outre-mer n'avaient perdu jusque-là qu'un homme, l'armée canadienne, au 18 août, avait, depuis le début des hostilités, perdu 52 hommes, soit 48 morts et 4 disparus. Sur la dernière liste publiée se trouvait notamment le nom du soldat Louis Lavoie, de Bic, dans la région de Rimouski.

Par ailleurs, même si le gouvernement de Mackenzie King continuait d'affirmer qu'il ne recourrait pas à la conscription, le Parlement fédéral décréta que les citoyens de 16 ans révolus devaient : en août 1940, se présenter aux « bureaux de l'inscription nationale » ouverts dans tout le pays. Ce recensement avait pour but de déterminer exactement les ressources humaines de la nation canadienne en temps de guerre. L'enregistrement était obligatoire et des sanctions étaient prévues pour les personnes qui refuseraient de se conformer.

Le premier ministre du Québec, Adélard Godbout, s'était, pour sa part, publiquement engagé dès le début à apporter au ministre des Services de guerre, J.G. Gardiner, l'aide du Québec, incitant députés et fonctionnaires québécois à collaborer activement à l'enregistrement national tel que décrété.

L'internement de Camillien Houde

Le vendredi 2 août 1940, une bombe devait toutefois éclater dans le ciel de Montréal jusqu'ici serein depuis le début de la guerre. Dans une déclaration signée remise à *La Presse* sur l'enregistrement national, le populaire maire de Montréal Camillien Houde a ouvertement défié la loi canadienne en affirmant : « Je me déclare péremptoirement contre l'enregistrement national qui est, sans aucune équivoque, une mesure de conscription. Et le gouvernement fraîchement élu en mars dernier avait déclaré par la bouche de ses chefs, de Monsieur King à Monsieur Godbout, en passant par Messieurs Lapointe et Cardin, qu'il n'y aurait pas conscription sous quelque forme que ce soit. »

Ottawa ne fut pas long à réagir. Dès le lundi 5 août, le premier ministre Mackenzie King déclarait aux Communes que les journaux auraient dû se dispenser de publier la déclaration de Camillien Houde, que les censeurs ont été bien avisés d'en bannir la publication et que, de toute façon, les journaux, qui en avaient fait état, ne lui avait donné pour ainsi dire aucune publicité.

Au chef de l'Opposition, R.B. Hanson, qui lui demandait quelle mesure on prendrait « Pour soutenir la majesté de nos lois contre la déclaration du maire de Montréal », Mackenzie King répondit cependant que le ministère de la Justice était justement, le jour même, en train d'étudier la déclaration du maire de Montréal et prendrait les mesures appropriées.

Le couperet ne tarda pas à tomber

La Presse du 6 août, qui s'était pourtant contentée de publier la déclaration controversée du maire Houde sur un seul paragraphe inséré dans un texte, annonçait en manchette que Camillien Houde avait été arrêté et interné. Le journal ajoutait que « d'autres arrestations seront faites ». Enfin, le Conseil municipal de Montréal devait biffer de l'ordre du jour de sa prochaine séance le point « enregistrement et conscription » que le maire Houde avait fait inscrire dans l'espoir de provoquer un débat sur la question.

Si on fait abstraction de cette manchette, l'internement du maire de Montréal ne souleva guère de remous et il n'en fut à peu près plus question au cours des jours suivants. *La Presse* affirmait d'ailleurs que pas un mot ne fut mentionné aux Communes, le ministre de la Justice, Ernest Lapointe, se contentant de dire aux journalistes : « Je ne peux pas discuter de ces choses. »

Le correspondant de *La Presse* à Ottawa écrivait pour sa part que « la question que l'on se pose est la durée de l'internement du maire. On ne croit pas que cela soit pour toute la durée de la guerre, mais cela dépendra probablement de sa conduite ».

Dans la capitale fédérale, ajoutait le journaliste, on était d'avis de façon générale que le gouvernement ne pouvait agir autrement au sujet de l'internement du maire Houde de Montréal. Toute autre décision aurait eu un effet désastreux dans le pays. Le gouvernement avait d'ailleurs décidé de l'internement du maire Houde dès le samedi 3 août, bref dès le lendemain de sa déclaration controversée mais, à cause de l'importance de l'affaire, il fut jugé nécessaire que le ministre de la Justice Ernest Lapointe signe lui-même l'ordre d'internement, ce qu'il fit immédiatement à son retour à Ottawa, deux jours plus tard.

« Quant au dossier préparé dans le cas Houde, il restera probablement confidentiel pour toujours, ajoutait *La Presse*, car les documents de ce genre ne sont jamais rendus publics. Le maire de Montréal a enfreint les règlements de la défense du Canada par sa déclaration contre l'enregistrement national, cette déclaration était en contravention avec l'article 21 de ce règlement, et c'est en vertu de cet article que l'internement a été ordonné. »

Sans doute à cause de la censure, aucun mouvement de sympathie en faveur de Camillien Houde ne fut relevé. Bien que la majorité des conseillers de Montréal, interrogés par *La Presse*, n'aient pas voulu desserrer les dents, prétendant que la question était trop grave pour la commenter, deux échevins publièrent des déclarations pour condamner la conduite du maire.

La Presse, citait en effet l'échevin du quartier Préfontaine Armand Taillon, qui déclara : « Je déplore amèrement l'attitude provocante prise par le maire de Montréal concernant l'enregistrement national et j'ajoute que celle-ci cause un tort considérable à l'élément canadien-français. »

L'échevin du quartier de Saint-Joseph, Healy, déplora lui aussi la conduite de Houde. Selon lui, le maire aurait dû prendre des moyens moins radicaux pour faire valoir ses revendications concernant l'enregistrement national. « Ce n'est pas en temps de guerre, dit-il, que les préjugés racistes doivent être soulevés. Anglais, Français, Irlandais, Écossais, Israélites, sont tous des Canadiens. »

Quant à l'éditorialiste de *La Presse*, il affirmait, le même jour, que le seul choix concret à faire pour les Canadiens français dans cette affaire était le respect des lois :

« L'enregistrement national qui doit avoir lieu au Canada au cours du mois d'août a été décrété par une loi votée par le Parlement fédéral dans l'exercice légitime de ses fonctions. C'est un acte législatif posé par l'autorité compétente et qui, comme tel, doit être respecté par toute la population canadienne.

« Il n'y a par la suite qu'une attitude que l'on puisse prendre. Et c'est de se soumettre entièrement, loyalement, à cette loi, comme l'on se soumet déjà, de bon gré, à tant d'autres qu'ont adoptées nos assemblées délibérantes et dont plusieurs imposent des devoirs plus onéreux que celui que les Canadiens sont invités à remplir dans le courant du présent mois.

« Il est à peine utile de rappeler que le respect des pouvoirs constitués et l'adhésion aux règlements qu'ils édictent sont des conditions essentielles à l'existence des sociétés, quelles qu'elles soient, et au maintien de l'ordre dans leur sein. Cela est l'évidence même. Il faut à tout groupement, famille, association privée, nation, une certaine discipline pour qu'ils puissent vivre et durer.

« On ne peut douter, par conséquent, que les Canadiens français, profondément imbus de ces principes sur l'autorité, ont été en grande partie froissés par l'attitude du maire de Montréal en regard de l'enregistrement national. Il y a là une loi à laquelle tout le monde doit se soumettre. Il est inadmissible que quelqu'un, le premier magistrat de la métropole du Dominion, surtout, manifeste l'intention de la violer et pousse ses concitoyens à suivre cet exemple.

« Il s'agit d'une mesure d'ordre général, d'intérêt public. La question a été présentée à l'étude des Chambres, examinée avec tout le soin voulu et votée de façon régulière. Les représentants du peuple ont jugé qu'elle était opportune, nécessaire même dans les circonstances que traverse notre pays. On ne risque pas de se tromper en affirmant que les Canadiens se sentent en raison obligés de se conformer aux prescriptions qui leur sont données.

« Le gouvernement fédéral vient de prendre, d'ailleurs, l'initiative que lui imposaient les circonstances. Il importe plus que jamais, en temps de guerre, que l'ordre soit respecté et que rien n'entrave l'effort consenti par la nation en vue de la victoire. M. Camillien Houde a été mis en état d'arrestation et dirigé vers un camp de concentration. L'affaire est ainsi réglée, et la population oubliera vite ce malheureux et regrettable incident.

« Nous attirons l'attention, en terminant, sur les instructions que son Éminence le cardinal Villeneuve, archevêque de Québec, a adressées à son clergé la semaine dernière. Les pasteurs des paroisses ont été invités à bien vouloir faciliter dans la mesure du possible l'enregistrement national, en donnant à leur peuple les renseignements nécessaires de façon que ceux qui dépendent d'eux accomplissent avec exactitude et soumission ce qui est demandé légitimement par les pouvoirs publics. Que l'on note en particulier les derniers mots. Nous sommes certains que c'est cette attitude, et non pas l'autre, qui triomphera dans la population canadienne-française comme dans le reste du Canada. »

Tout en procédant à l'arrestation du maire Houde, la Gendarmerie Royale du Canada, aidée par les agents de la Police provinciale du Québec, faisait plusieurs perquisitions, tant à Montréal que dans les Laurentides, pour enrayer la campagne de propagande séditieuse menée par le Parti de l'Unité nationale du chef fasciste québécois Adrien Arcand. Plusieurs arrestations dont celle d'Arcand, furent également effectuées.

On s'inscrit nombreux dès le début
Le 19 août, *La Presse* publiait trois photos, visant à démontrer que la foule était immense dès l'ouverture des bureaux d'inscription. Le journal sous-titrait que l'inscription nationale avait débuté à Montréal avec enthousiasme et qu'un personnel nombreux faisait en sorte qu'il n'y ait pas d'encombrement ni d'attente inutile. « Le public s'est déjà rendu compte dès l'ouverture des bureaux de l'inscription nationale, expliquait-on, que la chose en soi était toute simple. » L'inscription pouvait prendre en moyenne de 10 à 15 minutes. On notait également la présence de plusieurs femmes et de jeunes filles.

Quelques jours plus tard, on apprenait, que le 9 octobre les 30 000 premiers jeunes gens de 21 ans seraient mobilisés pour un entraînement de 30 jours dans des camps militaires spécialement aménagés à cette fin. Ces 30 000 hommes devaient être recrutés parmi les célibataires appelés sous les drapeaux par le ministre des Services de guerre.

Dans un communiqué, le ministre J.G. Gardiner révélait qu'on recensait alors 118 181 mobilisables de 19 à 45 ans dans la province de Québec contre 147 057 dans la province d'Ontario.

En même temps, le ministre de la Défense nationale, le colonel J.L. Ralston, annonçait qu'au 15 décembre, quatre divisions complètes du Corps expéditionnaire de l'armée canadienne seraient mises sur pied et entièrement équipées pour toute éventualité.

À la même époque, le gouvernement faisait savoir qu'on avait décidé d'établir trois grandes classes de mobilisables : les célibataires de 21 à 24 ans, les célibataires de 25 à 29 ans et les célibataires de 30 à 45 ans. Aux fins de la mobilisation, les veufs étaient considérés comme célibataires, de même que les gens s'étant mariés après le 15 juillet 1940.

C'est un Canadien français, Jules Castonguay, qui agissait comme directeur de l'enregistrement national. Tout en publiant les résultats de la mobilisation, le gouvernement annonçait la formation de trois commissions de mobilisation, dont deux dans la province de Québec. Toutes ces commissions devaient être présidées par des juges de la Cour supérieure, tandis que les commissaires étaient choisis indifféremment parmi des gens de professions diverses.

Les deux commissions du Québec, celle de Montréal et celle de Québec, étaient présidées respectivement par le juge Trahan et le juge Alfred Savard, tous deux de la Cour supérieure.

Certains centres militaires du Canada devaient être commandés par des officiers canadiens-français. Les hommes de langue française appelés à subir leur entraînement devaient dans la mesure du possible être envoyés dans ces camps.

Sur deux photos publiées par *La Presse* du 10 septembre, on constate que la plupart des commandants et capitaines-adjudants des centres d'entraînement du Québec étaient des francophones. On reconnaissait en effet le capitaine F.-J. Fleury, du centre de Farnham; le lieutenant-colonel G.-V. De Bellefeuille et le capitaine R.-B. Boulay, de Joliette; le lieutenant-colonel J.-S. Bourque et le capitaine W. Routhier, de Sherbrooke; le capitaine Germain Bock, de Saint-Jérôme; le major J.-U. Francœur et le capitaine Charles Gernæy, de Sorel; le capitaine J. Bousquet, de Saint-Hyacinthe; le capitaine D.-H. Vermette, de Valleyfield; le lieutenant-colonel E.-J. Nantel, de Saint-Jérôme; le lieutenant-colonel R. Pothier, de Saint-Hyacinthe; le lieutenant-colonel J. Duhault, de Valleyfield; le colonel J. Chaloult et le capitaine J.-L. Mackay, de Chicoutimi; le lieutenant-colonel L.-P. Cliche, de Mégantic; le capitaine T. Thériault, de Lévis; le lieutenant-colonel J.-P.-J. Godreau et le capitaine L. Campin, de Montmagny; le major P.-Y. L'Heureux et le capitaine L. Lamontagne, de Rimouski et le lieutenant-colonel J.E. Turgeon, de Lévis.

Dans les règlements de la mobilisation, publiés le 28 août, il est prévu que « le ministre des Services de guerre renseigne le registraire de chaque division sur le nombre d'hommes de langue française devant se rapporter à un endroit indiqué et à un temps donné pour entraînement militaire ».

Le sous-ministre adjoint des Services de guerre, le major-général La Flèche, ajouta qu'« afin d'obtenir les meilleurs résultats possibles pour les jeunes gens qui subissent leur entraînement, un certain nombre des centres militaires seront commandés par des officiers canadiens-français qui y amèneront leurs propres hommes. Les Canadiens français iront à ces camps d'entraînement afin d'éviter les difficultés qui pourraient surgir par suite de la diversité des langues parlées et pour servir les meilleurs de tous ceux concernés.

« Pour permettre aux registraires des divisions de mobilisation de diriger les hommes vers les centres d'entraînement militaires, le ministère des Services de guerre, sachant combien de Canadiens français sont requis à un centre d'entraînement quelconque en informera les registraires en question. »

AU TOUR DES FUSILIERS MONT-ROYAL ET DU MAISONNEUVE DE PARTIR

Au début de l'été 1940, le premier ministre du Canada William Lyon Mackenzie King annonça que, faute de pouvoir dorénavant combattre sur le sol français, prévu comme à l'origine, des troupes canadiennes avaient été dépêchées à Terre-Neuve, qui ne faisait pas encore partie à l'époque de la Confédération canadienne, de façon à défendre quelques endroits stratégiques de l'île.

Ottawa faisait savoir qu'au point de vue de la défense du Canada, Terre-Neuve (qui ne devait se joindre à la Confédération canadienne qu'en 1949, bien après la fin des hostilités), à cause de sa position stratégique, faisait en fait partie de notre pays, et que pour cette raison, les bases terrestres et navales de Gander Lake et Batwood seraient gardées dorénavant par des troupes canadiennes. Aux dires du ministre de l'Air, C.G. Power, le gouvernement fédéral avait l'intention de dépenser un million de dollars pour augmenter la protection de Terre-Neuve.

Le 16 août, Power, accompagné d'officiers supérieurs de l'armée canadienne, arrivait à Terre-Neuve. Cette visite, la première du genre dans l'histoire de Terre-Neuve, était considérée, écrivait-on, comme une mesure préliminaire à l'organisation de la défense de ce territoire, « ancienne colonie maintenant sous la protection du Canada » qu'on considérait comme un endroit stratégique pour l'invasion de l'hémisphère nord de l'Amérique par voie de l'océan Atlantique.

On envoya également des troupes aux Antilles pour remplacer les troupes britanniques qui s'y trouvaient en garnison, de façon à permettre aux troupes britanniques d'être affectées à d'autres tâches.

Les Fusiliers Mont-Royal en Islande
Enfin, le gouvernement canadien avait décidé d'accéder à la demande du Royaume-Uni d'envoyer des troupes canadiennes en

Islande pour aider à la défense de cette île, alors sous protectorat danois. Le 19 juin, le premier contingent de la force expéditionnaire canadienne était déjà rendu en Islande. D'autres troupes, parmi lesquelles le régiment canadien-français des Fusiliers Mont-Royal, avaient été désignées pour la même mission et devaient bientôt aller rejoindre les premiers arrivés.

« Je n'ai guère besoin de signaler l'importance stratégique que revêt la maîtrise de l'Islande, non seulement pour la sécurité de l'Atlantique septentrionale mais pour la défense de notre continent », expliqua alors le premier ministre canadien.

Le samedi 29 juin, les Fusiliers Mont-Royal sont donc montés à bord de deux trains qui les ont conduits de Valcartier jusqu'à Halifax où les attendaient l'*Empress of Australia*. Ce bateau qui ne les transporta toutefois pas en Angleterre mais bien en Islande où ils devaient faire partie de la Force Z destinée à renforcer les troupes britanniques qui occupaient le nord de l'île depuis le 10 mai.

Début juillet, les Fusiliers Mont-Royal débarquent donc à Reykjavik. Mais ils quitteront l'île avant de l'avoir vraiment connue. Sans compter que le régiment eut à faire face à des difficultés linguistiques. Les Islandais commençaient à peine à pouvoir communiquer avec des soldats de langue anglaise qu'on leur en envoyait de langue française. On a résolu le problème en interdisant aux insulaires de parler aux soldats, ce qui, bien sûr, ne favorisa pas la fraternisation entre soldats canadiens-français et citoyens islandais.

Finalement, le 31 octobre, exactement quatre mois après le départ de Halifax pour l'Islande, les Fusiliers Mont-Royal s'embarquèrent sur le *SS Antonia* à destination de l'Angleterre. Le régiment quitta l'Islande sans trop de regret, ses soldats y ayant manié le pic et la pelle plus souvent que le fusil ou la mitrailleuse.

Les Fusiliers Mont-Royal devaient arriver le 4 novembre en rade de Gourock, un des avant-ports de Glascow, en Écosse.

L'unité canadienne-française devait s'entraîner en Angleterre jusqu'en août 1942, époque où elle participa au raid meurtrier de Dieppe qui devait décimer ses rangs.

Le Maisonneuve part à son tour
Quant au régiment de Maisonneuve, son 1er Bataillon s'entraîna d'abord dans la région de Montréal mais, à compter du 26 mai 1940, il continua son perfectionnement à Valcartier, avant de s'embarquer

à son tour pour l'Angleterre fin août. Ce 1er bataillon du régiment de Maisonneuve parvenait le 5 septembre en Écosse d'où on le dirigea lui aussi vers Aldershot.

Dès le lendemain de son arrivée à Aldershot, le bataillon fut privé de son commandant, le lieutenant-colonel Robert Bourassa, qui devait être hospitalisé d'urgence. On le retourna au Canada en novembre et le major Paul Brosseau, promu lieutenant-colonel, devint le nouveau commandant du 1er bataillon du régiment de Maisonneuve.

Pendant près de quatre ans, soit de septembre 1940 à juin 1944, le Maisonneuve vécut et s'entraîna en Grande-Bretagne.

Le Royal 22e à la défense de l'Angleterre

Maintenant que la France avait été sortie de la guerre et que les conditions avaient été terriblement modifiées, on se demandait jusqu'à quel point le recrutement de l'infanterie serait maintenu, étant entendu que le Canada enverrait à l'Angleterre ce dont elle avait le plus besoin pour se défendre. En l'occurrence, des avions et des aviateurs.

Quant à la 1re division canadienne, déjà en Angleterre, après une brève incursion en sol de France au cours des derniers jours de la campagne de France, son avant-garde fut ramenée en Angleterre.

On ne chômait pas pour autant en Angleterre où une invasion allemande paraissait imminente. Le Royal 22e Régiment fut donc, avec d'autres bataillons, employé à fortifier les côtes de la Manche, à semer des mines sur les plages et dans les champs qui les prolongent, à dresser des barbelés, à construire des routes et à creuser des fossés antichars.

On craignait de plus en plus une invasion de l'Angleterre et, depuis Dunkerque, où les troupes britanniques avaient dû abandonner armes et munitions sur le continent, la 1re division canadienne était la seule à être complètement équipée et en état de faire face à l'ennemi dans l'éventualité où celui-ci aurait tenté d'envahir les Îles Britanniques.

Par ailleurs, à Ottawa, commentant le fait que des troupes de la 2e division canadienne avaient commencé ses préparations de surveillance et de protection en Islande et à Terre-Neuve, de même qu'aux Antilles, émettait l'opinion que des assignations de ce genre pourraient survenir plus souvent. C'est pourquoi on continuait le recrutement dans l'infanterie comme dans les autres corps de l'armée active du Canada. Le pays comptait avoir, en octobre 1940, quelque 125 000 sous les armes, sans compter la milice non permanente.

L'enrôlement allait bon train pour les différents corps de l'armée et de l'aviation. En plus de dépêcher des troupes à Terre-Neuve, Ottawa considérait que Saint-Pierre et Miquelon constituaient alors un problème. Il était entendu que les États-Unis ne laisseraient pas l'Allemagne s'installer dans ces Îles et au cas où les Forces françaises libres du général de Gaulle n'auraient pas été capables de s'y imposer, le Canada aurait dû y dépêcher également des troupes au besoin.

En décembre 1941, peu de temps après l'attaque de Pearl Harbor par les Japonais qui provoqua l'entrée des États-Unis dans la guerre, le gouvernement canadien, en accord avec les États-Unis, sinon à leur instigation, avait décidé de débarquer, de gré ou de force, à Saint-Pierre et Miquelon les troupes nécessaires pour s'emparer du poste de radio alors contrôlé par des Français fidèles au gouvernement de Vichy.

Le vice-amiral français Muselier, qui se trouvait alors à Halifax, gagna Saint-Pierre et Miquelon à la veille de Noël 1941 et, en y assurant le pouvoir de la France libre, dégagea le Canada de son obligation d'envahir les îles.

Des Allemands sur le sol québécois

Si le Québec ne fut l'objet d'aucune invasion durant la Deuxième Guerre mondiale, bien que des sous-marins allemands se soient rendus jusque dans le golfe du Saint-Laurent, il n'en demeure pas moins que des militaires allemands furent emprisonnés au Canada dont plusieurs au Québec. Par ailleurs, comme un certain nombre réussit à s'évader, il y eut donc des militaires, marins ou aviateurs allemands qui ont erré sur le sol québécois.

Dès le 2 juillet, *La Presse* titrait : « Les prisonniers arrivés au pays sont internés » et ajoutait en sous-titre : « La plupart des camps sont tellement loin de la civilisation et tous si bien gardés que la population n'a pas raison de s'énerver. »

Le correspondant du journal à Ottawa soulignait que le fait d'avoir des prisonniers allemands dans notre pays ne devait d'aucune manière causer de l'inquiétude aux Canadiens. Le nombre exact des internés allemands n'était pas connu, mais on faisait savoir que tous étaient déjà, au début juillet 1940, enfermés dans des camps d'internement sous bonne garde. Des camps avaient été spécialement aménagés pour les recevoir.

Le même jour, *La Presse* à Québec faisait savoir que le premier contingent de prisonniers de guerre, jusqu'ici internés en Angleterre, venait d'arriver dans la vieille capitale après un voyage de plusieurs jours et de plusieurs nuits sur l'océan, et que, durant le trajet, un prisonnier s'était jeté à la mer par un hublot et était porté disparu.

Aucun incident ne marqua le débarquement de ces prisonniers, premiers militaires allemands à mettre les pieds sur le sol québécois durant la Deuxième Guerre mondiale. Le groupe comprenait des marins, des aviateurs et des membres de la Wehrmacht. Il y avait quelques officiers au nombre des prisonniers et certains portaient au cou leurs décorations, dont la célèbre Croix de fer.

Ces militaires allemands emprisonnés donnèrent beaucoup de mal à leurs geôliers. C'est ainsi que, le 31 août, un gros titre de *La Presse* signalait que « deux autres prisonniers allemands se sont évadés », tandis qu'en sous-titre on expliquait que c'était la sixième évasion du genre en deux semaines. Bien qu'évadés de camps ontariens, certains de ces militaires allemands se promenèrent sur le sol québécois, puisque l'un des évadés fut même capturé sous le pont Victoria, à Montréal.

En fait, d'après Yves Bernard et Caroline Bergeron, auteurs de *Trop loin de Berlin*, ouvrage publié aux Éditions du Septentrion en 1995 et consacré aux prisonniers allemands au Canada entre 1939 et 1945, plus de 35 000 officiers et soldats allemands, dont des pilotes, des commandants de sous-marins et quelques généraux parmi les plus importants de l'armée allemande ont été détenus au Canada.

Pourquoi le Canada ? Parce qu'en 1940, au moment où les bombardements allemands s'amplifiaient sur Londres et que la menace d'une invasion allemande se faisait plus pressante sur l'Angleterre après la capitulation de la France, on craignait que les prisonniers se révoltent si les Allemands envahissaient l'île. D'où l'idée de les exiler au loin, en Amérique du Nord, plus précisément au Canada.

Pas moins de 600 d'entre eux se seraient évadés durant leur séjour.

Huit camps de prisonniers ont été aménagés au Québec :

— camp de Farnham : ouvert en octobre 1940 à la station expérimentale Dominion. Près de 500 réfugiés allemands y furent internés d'octobre 1940 à janvier 1942. Puis des marins et officiers. Le camp a fermé en mai 1946.

— camp de Grande-Ligne près de Saint-Jean-sur-Richelieu : plus de 700 officiers allemands y furent internés de juin 1943 à mai 1946.

— la prison de Val-Tétreau, près de Hull: dans un premier temps, on y interna des sympathisants communistes. Puis des officiers ou soldats allemands antinazis et certains réfugiés. Le camp fut fermé en mars 1947.

— le fort Lennox, sur l'île-aux-Noix, au bord du Richelieu: près de 300 internés et réfugiés juifs y furent détenus jusqu'en décembre 1943.

— l'île Sainte-Hélène, sous le pont Jacques-Cartier, en face de Montréal: ouvert le 3 juillet 1940; 350 détenus et 50 marins marchands d'origine italienne y furent détenus jusqu'en novembre 1943.

— Newington, près de Sherbrooke : ouvert en octobre 1940 ; quelque 700 internés y furent gardés jusqu'en 1941. Puis de 1942 à 1946, 700 marins et officiers allemands y furent détenus. Il fut fermé en juin 1946.

— l'exposition de Trois-Rivières : camp ouvert en juin 1940; ferma ses portes au début septembre de la même année. Il avait accueilli 717 prisonniers.

LES EFFORTS DE L'AVIATION

Si les Canadiens français s'enrôlaient nombreux dans l'armée de terre, l'aviation fit par ailleurs des efforts notables pour en recruter le plus grand nombre possible. C'est d'ailleurs dans ce but que, dès le 9 septembre 1939, *La Presse* publia un reportage, illustré de pas moins de cinq photos, dont celle du chef d'escadrille Marcel Dubuc, mettant en valeur la 118ᵉ escadrille, unité canadienne-française, cantonnée à Montréal et qui recherchait des volontaires.

L'aviation était en effet, quelques jours à peine après le début de la Deuxième Guerre mondiale, le corps militaire dont l'effectif était le moindre, mais c'était pourtant celle qui recevait, proportionnellement à sa taille, le plus grand nombre d'offres de service.

La 118ᵉ escadrille, composée entièrement de Canadiens français, ne pouvait toutefois absorber qu'une faible proportion des jeunes candidats, car elle ne pouvait enrôler que des techniciens. Au 9 septembre, son effectif était de 114 hommes, mais on comptait porter ce chiffre à un maximum de 250 hommes. C'est Adélard Raymond, qui devait devenir le seul Canadien français à être promu vice-maréchal de l'air durant la Deuxième Guerre mondiale, qui commandait l'unité. Le chef d'escadrille Dubuc avait été muté dans la vieille capitale pour y organiser le recrutement, avant de revenir quelques semaines plus tard à Montréal pour y prendre la direction du recrutement de volontaires pour la force aérienne du Canada dans la région, avec le titre de directeur du personnel aérien du district militaire de Montréal.

La formation de la 118ᵉ escadrille, qui comptait 12 officiers en son sein, remontait à 1934 et Wilfrid Gagnon en était le commandant d'escadre honoraire. Il s'agissait d'une unité d'élite, puisqu'elle s'est signalée en 1938 et 1939 en remportant le trophée Sulby, décerné annuellement à l'escadrille jugée la meilleure du Canada au camp d'entraînement d'été.

Toujours à la recherche d'aviateurs canadiens-français, la Royal Canadian Air Force (RCAF), dont on avait annoncé qu'elle serait la première à voir certains de ses effectifs, soit environ 500 hommes dont 400 pilotes, être dirigés outre-mer et affronter l'ennemi sur une base quasi quotidienne, avait également ouvert un bureau de recrutement dans la région de Trois-Rivières, sous la direction du lieutenant de section J.-R. Landry.

Bref, un certain nombre de Canadiens français s'enrôlaient dans l'aviation. Ainsi le 27 novembre 1939, *La Presse* avait publié en page cahier, sous la légende « Nouveaux aviateurs canadiens-français », la photo de trois cadets qui venaient de passer leur cours de pilote à l'aérodrome de Trenton, en Ontario. Il s'agissait des officiers-pilotes Jean Lalonde, A.-W.-P. Richer et J.-E.-R.-P. Buissière. Deux jours plus tard, le journal publiait la photo d'un autre officier aviateur canadien-français, Henri Auger, ancien boxeur professionnel de Montréal, qui venait d'être blessé en Angleterre. Par ailleurs, le 24 février 1940, *La Presse* titrait à la une : « Un Canadien décrit une randonnée. » Cet aviateur, pilote en second et navigateur, participa à une randonnée de reconnaissance britannique au-dessus de l'Autriche et de la Bohême. Ces exemples prouvaient que, dès le début de la guerre, certains aviateurs canadiens-français seraient déjà au sein de la Royal Air Force (RAF) britannique en Angleterre.

Nos aviateurs outre-mer

Même si c'est surtout dans l'armée, notamment dans les régiments francophones de l'infanterie, que s'engageaient massivement les Canadiens français, on en retrouvait dans les autres corps de l'armée comme le corps médical, le corps dentaire, les chars, l'artillerie, etc., mais aussi dans l'aviation et la marine, encore que, les renseignements disponibles soient beaucoup plus parcimonieux pour ces deux corps militaires.

Dès le 6 janvier 1940, le ministre de la Défense nationale, Norman Rogers, annonçait l'établissement des quartiers-généraux de l'aviation canadienne en Angleterre. Le groupe principal du personnel de ce nouvel organisme venait d'arriver sain et sauf en Angleterre, rejoignant le groupe qui s'était rendu outre-mer, afin d'entreprendre les préparatifs voulus pour recevoir, loger et équiper une escadrille de Toronto, la première à se rendre là-bas. À première vue, aucun Canadien français cependant ne faisait partie de cet état-major.

De toute façon, le 23 janvier 1940, on révélait que, depuis septembre 1939, 25 000 jeunes Canadiens avaient voulu s'engager dans l'aviation qui estimait ses besoins à 40 000 hommes. Chaque province, dont bien sûr le Québec, aurait son ou ses écoles d'aviation, mais on ne mentionnait pas dans quelle proportion les francophones figuraient parmi les 25 000 aspirants aviateurs canadiens qui s'étaient présentés dans les quatre premiers mois de la guerre.

Par contre le lendemain, *La Presse* titrait : « Canadien français instructeur à Trenton, Ontario » pour ajouter en sous-titre : « Il faisait partie du groupe des officiers de la RAF arrivés ici récemment. »

Le texte expliquait : « Au nombre des instructeurs arrivés récemment de Grande-Bretagne pour venir s'occuper de l'entraînement des futurs pilotes, d'après le plan impérial d'entraînement des aviateurs, on trouve les noms de plusieurs Canadiens qui ont obtenu leurs brevets de la Royal Air Force et qui nous reviennent pour faire bénéficier leurs compatriotes de l'entraînement reçu.

« Ce matin, un officier supérieur de l'aviation, à Montréal, recevait un message téléphonique en anglais s'informant si l'on pouvait communiquer avec l'instructeur G. L. Raphæls, venant d'Angleterre et nommé à l'aérodrome de Trenton, Ontario. Sur la réponse affirmative, M. X., qui était au téléphone, abandonna la langue anglaise pour continuer en français. Il apprit ainsi à l'officier que G. L. Raphæls était Canadien français et originaire de la ville de Québec. Raphæls subit un entraînement au sein de la RAF et décrocha ses diplômes qui lui permirent de devenir instructeur. On nous a informé qu'il n'était pas le seul parmi ceux arrivés de Halifax à Montréal, ces jours derniers, d'origine canadienne », concluait le journaliste.

Le 1er février, Mackenzie King allait passer en revue la première unité complète de l'aviation canadienne à servir outre-mer. Quatre jours plus tard, annonçant la nomination d'un directeur des services du personnel pour l'aviation, Ottawa faisait savoir que le Canada formerait 1 000 aviateurs par mois et que de 600 à 700 demandes par jour de Canadiens désireux de s'enrôler dans l'aviation. La proportion de francophones n'était toutefois pas dévoilée.

Donc, le 26 février, la 110e escadrille de l'aviation canadienne arrivait en Angleterre pour se joindre à la 1re division canadienne de l'armée déjà installée depuis deux mois sur le sol britannique. On précisait alors que 20 % d'entre eux étaient Canadiens français. « Inutile de dire, pouvait-on lire alors dans *La Presse*, qu'ils sont impatients de mettre pied sur le sol français. »

Jusqu'à l'arrivée de cette première escadrille canadienne, les aviateurs canadiens outre-mer n'avaient pas d'unité propre et étaient versés dans la Royal Air Force britannique.

Pendant ce temps, à Montréal, le 22 février, la Royal Canadian Air Force avait officiellement pris possession de l'ancien Institut Nazareth, chemin Queen Mary, non loin de l'Oratoire Saint-Joseph, à Montréal pour en faire une école de TSF et de radio. Vingt-quatre officiers et 240 élèves, venant de toutes les parties du Canada, s'y installaient dès le lendemain matin, sous la direction d'un francophone, le chef d'escadrille Marcel Dubuc, qui occupait ainsi un quatrième poste de commande en quelques mois.

Promu commandant d'escadre, Dubuc ne devait que demeurer quelques mois à la tête de l'école de TSF de la RCAF, avant d'être transféré à l'été 1940 à Trenton, en Ontario, et d'être remplacé par un anglophone à Montréal.

Les aviateurs canadiens avaient affronté l'ennemi bien avant leurs confrères de l'armée de terre. Déjà, le 9 mai 1940, *La Presse* titrait : « Trois de nos aviateurs ont été tués ; un a été décoré. » Il ne s'agissait toutefois pas de francophones, mais ceux-ci purent bientôt prendre part aux combats.

Entre-temps, l'abbé F.-G. Hamel, ancien curé de Saint Catharines, en Ontario, était nommé aumônier catholique du groupe d'entraînement de la RCAF n° 2 dont les quartiers généraux étaient à Montréal, son territoire s'étendant de l'Est de l'Ontario jusqu'aux Maritimes y compris le Québec. Il devenait ainsi le premier francophone à être nommé aumônier catholique dans l'aviation canadienne durant la Deuxième Guerre mondiale.

En Europe, les aviateurs canadiens étaient déjà à l'œuvre contre l'ennemi et, le 31 mai, on publiait la liste des premiers as canadiens de cette guerre et on signalait les exploits de jeunes aviateurs canadiens au-dessus des plaines de Flandres, en France et en Allemagne. Toutefois, parmi les 54 officiers et sous-officiers aviateurs qui avaient été décorés soit de l'Ordre du Service distingué (DSO), de la Croix du Service distingué dans l'Aviation (DFC), ou de la Médaille du Service distingué dans l'Aviation (DFM), on ne remarquait aucun francophone, ce qui semble indiquer que si les Canadiens français formaient le cinquième des effectifs, on les employait surtout alors comme mécaniciens ou comme membres du personnel technique au sol.

Le 1ᵉʳ juin, le sous-ministre intérimaire de la Défense nationale, J.S. Duncan, faisait savoir qu'Ottawa dressait des plans pour appeler immédiatement en service dans la RCAF quelques milliers de jeunes gens de plus. Ils commenceraient le plus tôt possible afin d'avoir l'occasion qu'ils cherchaient de servir leur pays.

Le 10 juillet, Ottawa annonça qu'on comptait accélérer l'entraînement des aviateurs. Le Canada, d'ailleurs, entraînait alors non seulement des aviateurs canadiens mais aussi des aviateurs de tous les pays du Commonwealth. Le pays avait alors 1 196 officiers d'aviation et 10 200 aviateurs à l'entraînement, soit une augmentation de 3 000 par rapport au mois précédent.

Certaines des séances d'entraînement étaient marquées par des tragédies. C'est ainsi que, le 15 juillet, un jeune officier d'aviation francophone, Jean Lalonde, d'Outremont, âgé de 22 ans et diplômé du Mont-Saint-Louis et de l'École Polytechnique de Montréal, trouva la mort dans l'écrasement de son bombardier dans le port de Halifax au cours de manœuvres de routine.

Dès l'été, certains pilotes canadiens-français étaient déjà à l'œuvre contre l'ennemi durant la bataille d'Angleterre. C'est ainsi que, le 19 août, une dépêche de la Presse Canadienne, reçue de Londres, mentionnait que l'officier-pilote montréalais Jean-Charles Carrière, fils du maître de poste J.-E.Carrière, du quartier Saint-Henri, à Montréal, qui s'était enrôlé dans l'aviation britannique dès janvier 1938, avait été « blessé au combat ». La dépêche ne faisait cependant pas état de la gravité des blessures, de sorte que la famille ne pouvait fournir d'autres détails, sauf préciser que dans ses dernières lettres à ses parents, le jeune pilote disait se plaire en Angleterre.

Pendant ce temps, la garnison de Montréal de la RCAF, forte de 1 500 hommes, défilait, rue Sherbrooke, le 16 août, « devant une population enthousiaste qui n'a pas ménagé ses applaudissements et ses vivats. L'allure martiale, la jeunesse des recrues, le bleu horizon des uniformes et le vrombissement d'une escadrille qui évoluait en formation diverse au-dessus de l'artère, tout cela constituait un spectacle nouveau », pouvait-on lire dans *La Presse*. Le journal ajoutait que c'était la première fois que les aviateurs défilaient à Montréal et que le public avait ainsi la chance de voir ces hommes sur lesquels on comptait tant dans cette guerre moderne de l'époque.

Malheureusement, parmi les officiers supérieurs qui ont reçu le salut, rue Sherbrooke, on ne comptait aucun officier d'aviation francophone.

Certains des nôtres réussirent quand même à gravir les échelons supérieurs de l'aviation, même s'ils constituaient l'exception. C'est ainsi que, le 28 août, on annonça la nomination du chef d'escadrille Adélard Raymond à la tête d'une école militaire du corps d'aviation royal canadien.

Ancien combattant de la guerre 1914-1918, Raymond devait gravir les échelons pour parvenir au grade de vice-maréchal de l'air. Il était le frère du sénateur Donat Raymond, qui fut président de la Canadian Arena et du Club de hockey Les Canadiens de Montréal. À la fin de la guerre, Raymond siégea lui-même au conseil d'administration du Forum et du Club de hockey Les Canadiens.

Après un an de guerre, c'était toutefois le capitaine de groupe (grade équivalent à celui de colonel dans l'armée de terre) J.-E.-A. de Niverville, directeur du service de l'effectif, qui était alors le plus haut gradé des Canadiens français de l'aviation canadienne.

Les historiens de la Défense nationale ont pu établir que 24 768 des 222 501 officiers et aviateurs qui se sont enrôlés dans la RCAF au cours de la Deuxième Guerre mondiale, venaient du Québec. Ce pourcentage ne reflète cependant pas nécessairement la contribution des Canadiens français. Mais nulle part trouve-t-on des sources complètes qui permettraient d'évaluer cet apport.

Une marine unilingue anglaise

L es Canadiens français semblent avoir été beaucoup moins nombreux dans la marine et ceux qui y étaient auraient moins fait parler d'eux que les militaires ou les aviateurs. Et il ne semble y en avoir eu que très peu aux échelons supérieurs.

Malgré tout, la marine a bien tenté d'intéresser la population francophone à ses activités par le biais des médias. C'est ainsi que, le 29 janvier 1940, paraissait dans *La Presse*, sous la plume de Jean Lemont, envoyé spécial, un compte rendu d'une visite que celui-ci avait faite, en compagnie d'autres journalistes du Québec, de l'Ontario et des États-Unis, dans un port canadien pour y examiner les travaux de la défense côtière.

« Après avoir passé trois jours à visiter ces travaux, ils [les journalistes] sont convaincus que le comité de réception organisé pour recevoir les envoyés éventuels de M. Hitler, a parfaitement mis au point nos instruments de défense, sur terre, dans les airs et sur mer », écrit Lemont.

Lemont a rencontré, tel que son long récit en fait foi, quelques aviateurs et marins canadiens-français. Mais ceux-ci constituaient nettement l'exception. C'est ainsi qu'il écrivait sous le sous-titre de « Nous rencontrons des aviateurs canadiens français », ce qui suit :

« Comme nous nous préparions à monter en auto pour aller luncher, nous apercevons des aviateurs venant d'un peu partout, eux aussi se rendant aux cantines. Nous nous informons s'il n'y a pas dans leur groupe quelques Canadiens français. À notre grand plaisir, on nous présente un jeune homme de Québec. Un peu plus tard dans l'après-midi, au cours d'une réception donnée par les autorités aériennes, nous avons rencontré un autre Canadien français, celui-ci d'Ottawa, et marié depuis trois semaines seulement. Les deux jeunes hommes nous ont dit leur impatience d'aller outre-mer. »

Un peu plus tard, visitant un dortoir de matelots et apercevant des sacs contenant les effets personnels de marins, Lemont écrit : « Ces sacs portant le nom de chaque propriétaire, là encore nous avons le plaisir de remarquer la présence de plusieurs Canadiens français, comme Lefebvre, Gagnon, Poirier, etc. »

Mais il est évident qu'il s'agit de gouttes dans un océan anglophone. Et Lemont conclut dans son reportage : « C'est à juste titre que nous disons la marine trop méconnue, car il faut voir de ses propres yeux l'aide précieuse qu'elle apporte à la protection des convois. »

Rôle utile et nécessaire, sans aucun doute, mais que les Canadiens français ont méconnu, préférant entrer massivement dans l'armée de terre, puis dans l'aviation.

Pas de place pour le bilinguisme
Les historiens Jean Pariseau et Serge Bernier, auteurs d'une étude intitulée *Les Canadiens français et le bilinguisme dans les forces armées canadiennes*, publiée par le Service historique de la Défense nationale en 1987, écrivent : « Nous avons tenté, dans nos recherches, de relever le nombre de francophones qui ont servi dans la Marine royale canadienne fédérale pendant la guerre. Mal nous en prit car ces statistiques n'existent pas au ministère de la Défense nationale ni au ministère des Anciens combattants. L'histoire officielle de la Marine ne signale le recrutement que selon les provinces. »

Des 99 688 hommes qui ont servi dans la marine canadienne durant la Deuxième Guerre mondiale, 13 429 venaient du Québec, soit 1 294 officiers et 11 135 matelots. Les Québécois formaient donc 19,5 % du total des officiers et 11,96 % du tableau des marins.

Ce nombre ne tenait cependant pas compte des 6 781 femmes qui ont servi dans les Women's Reserve Canadian Navy Service (WRCNS) qui ne sont pas identifiées selon les provinces, la langue ou l'ethnie dans les études produites par le Service historique de la Défense nationale, faute de données disponibles.

Une étude réalisée par J.M. Hilsman en 1954 pour le Service historique de la Défense nationale conclut qu'une connaissance approfondie de l'anglais était essentielle pour servir dans la marine. « Puisqu'il n'était pas possible d'avoir une marine bilingue, on ne pourrait pas recourir aux recrues de langue française, à moins qu'elles possèdent une connaissance suffisante de l'anglais. »

D'ailleurs, notent pour leur part Pariseau et Bernier, il est intéressant de voir combien le pourcentage des officiers québécois est beaucoup plus élevé que celui des marins. « Même si on ne saurait identifier ce pourcentage à la proportion de Canadiens français qui ont servi (dans la marine), on peut néanmoins conclure que le niveau d'instruction, y compris la connaissance de l'anglais, y était pour quelque chose. »

À partir de 1940, on avait donné dans les unités de réserve de Montréal et de Québec de la marine des cours d'anglais d'une durée de 8 à 12 semaines aux recrues francophones, avant de les acheminer vers Cornwallis, en Nouvelle-Écosse, où tout l'entraînement se faisait en anglais. Mais ces cours avaient été donnés par des instructeurs sans formation adéquate.

Le francophone qui voulait servir dans la marine canadienne devait donc apprendre l'anglais avant de servir sa patrie sur un pied d'égalité avec son compatriote anglophone. Inutile de dire que cela n'aidait pas au recrutement.

Le colonel C.P. Stacey, auteur de l'*Histoire officielle de l'armée canadienne*, publiée en 1954, explique qu'« on ne chercha même pas à doter un seul navire d'un équipage exclusivement francophone ; du point de vue administratif, on considérait que c'eût été non seulement difficile mais presque impossible ».

Le commodore Victor-G. Brodeur

Le 5 février 1940, on faisait état de la promotion du capitaine Victor-G. Brodeur, commandant de la marine canadienne sur la côte du Pacifique et capitaine chargé des établissements navals d'Esquimalt, en Colombie-Britannique, un francophone, au poste de commodore grade équivalent dans la marine à celui de général de brigade dans l'armée.

Ultérieurement, Brodeur devait être promu contre-amiral (grade équivalent dans la marine à celui de major-général dans l'armée), le seul Canadien français à obtenir ce grade au cours de la Deuxième Guerre mondiale.

Quelques mois plus tard, le 19 août plus précisément, le premier ministre du Canada William Lyon Mackenzie King annonçait que le commodore Brodeur quittait son commandement pour devenir attaché naval du Canada à Washington. Accompagné d'un attaché militaire et d'un attaché de l'air, le commodore Brodeur devenait ainsi le premier attaché naval qu'ait jamais eu le Canada aux États-Unis.

Brodeur est né à Saint-Hilaire-sur-Richelieu, au Québec, en 1892. Il est le fils de L.-P. Brodeur, qui fut successivement ministre de la

Marine, ministre des Pêcheries, juge de la Cour suprême du Canada, puis lieutenant-gouverneur du Québec.

Brodeur entra dans la marine canadienne comme cadet en 1909. Il prit part à la guerre de 1914-1918 sur divers navires de la flotte britannique. Puis il devint officier de marine supérieur des bases navales de Halifax et d'Esquimalt dans la marine canadienne. Il fut nommé ensuite directeur des questions navales et de l'entraînement de la marine aux quartiers généraux d'Ottawa. Enfin, il fut élevé au poste de commandant de la côte du Pacifique, poste qu'il occupa jusqu'à sa nomination à Washington.

Un autre Canadien français faisait également sa marque dans la marine. Il s'agit du capitaine (grade équivalent dans la marine à celui de colonel dans l'armée) J.-Oscar Cossette, qui devenait en août 1940 le premier Canadien français à être nommé au poste de secrétaire naval de la Marine canadienne.

Entre temps, le ministre de la Défense nationale avait annoncé, le 10 avril, la nomination du commandant C.J. Stuart, officier de l'Ordre de l'Empire britannique (OBE), au poste d'officier naval chargé du district de Montréal, avec responsabilités semblables dans la marine à celles du brigadier-général Archambault dans l'armée.

Bien que le journaliste de *La Presse* qui l'avait alors rencontré ait fait remarquer qu'« il parle assez bien français », on ne jugea pas bon en haut lieu de lui adjoindre un assistant francophone.

La perte du Fraser
Le 29 juin, la marine royale canadienne subissait sa première perte navale de la présente guerre. Le contre-torpilleur *HMS Fraser* a été coulé « au cours d'une mission dangereuse par l'ennemi » . La tragédie a fait 45 morts parmi les marins canadiens.

Certains de ces marins venaient du Québec et au moins l'un d'eux était francophone. Sous un sous-titre « Un héros du Québec », *La Presse* de ce jour-là rendait hommage à Ernest Fecteau, de Québec, chef des maîtres d'équipage à bord du *Fraser* et qui avait trouvé la mort lors du naufrage du navire au large de Bordeaux, en France. Il était âgé de 37 ans. Le journal l'honorait de la façon suivante :

« Parmi les 45 morts du *Fraser*, on mentionne le nom de Ernest Fecteau, fils du major J.-A. Fecteau et de Mme Fecteau de la rue Crémazie, à Québec. Le défunt était canonnier. Il laisse dans le deuil, outre son épouse, née Tancrède Alice, ses enfants : Jean-Paul, Raymond-Marie et Colette. Lui survivent, outre son père et sa mère, ses sœurs : Mme

Alexandre Dion (Yvonne) et Mme Henri Jobin (Marie-Berthe) ; ses
frères : MM. Adrien, Paul-Henri, Fernando et Raymond Fecteau ; ses
belles-sœurs : Mmes Paul-Henri, Bernando et Raymond Fecteau.

« Le disparu vint à Québec pour la dernière fois l'automne dernier
et sa femme l'avait vu pour la dernière fois en avril dernier, avant son
départ de Halifax. »

Héros de la mer
Comme on le voit, les marins canadiens-français faisaient
beaucoup moins parler d'eux que les militaires ou les aviateurs. Sans
doute parce qu'ils étaient moins nombreux, dispersés ici et là au sein
de bâtiments ou d'établissements à majorité anglophone et rares
étaient ceux qui détenaient des postes de commande.

Malgré tout, le 1ᵉʳ juillet, *La Presse* titrait : « Laurent Boileau, héros
de la mer » et publiait la photo de ce jeune marin du contre-torpilleur
canadien *Fraser* dont la mère demeurait à Montréal. Le journal publiait
une deuxième photo, celle d'Ernest Fecteau.

Le journaliste de *La Presse* écrivait au sujet de Boileau : « C'est
un petit brave, mais quel dormeur, a déclaré Mme Florida Boileau,
mère du tout jeune héros canadien-français Laurent Boileau, membre
de l'équipage du *"Fraser"*, navire de guerre canadien qui a coulé ces
jours derniers au large des côtes de France à la suite d'une collision.

« Quand on a appris à Mme Boileau qu'au moment de l'accident, son
fils était à prendre quelques moments de repos et qu'il a fallu le
secouer violemment pour l'éveiller, elle a dit ; c'est bien lui, il a
toujours eu bon sommeil.

« Elle a aussi ajouté qu'il avait une bonne voix et qu'elle n'était pas
surprise d'apprendre que c'est en chantant qu'il avait contribué à
maintenir le moral de ses compagnons, alors qu'ils se cramponnaient à
la coque renversée du destroyer, attendant les secours.

« "Frenchy", comme on l'appelle à bord du navire, est le cadet de
la famille et aura 18 ans le mois prochain. Il s'est enrôlé dans la marine
canadienne il y a 11 mois, après avoir été refusé deux fois en 1938
parce qu'il était trop jeune.

« Mme Boileau a ajouté que la marine était bien la carrière de son
fils et que toujours elle avait remarqué que l'appel de la mer était évident
chez lui.

« Mme Boileau a déclaré aussi que Laurent était même trop jeune
pour avoir une amie : C'est un caractère jovial qui a quitté sa situation

aux Postes avant même d'avoir 17 ans révolus et cela afin de réaliser le rêve de sa vie : La marine.

« Elle ne savait même pas qu'il était en Europe et ce n'est que la semaine dernière qu'elle reçut une lettre de lui à cet effet et dans laquelle il disait à sa mère : "Nous devons être braves et courageux". »

« Peu après, Mme Boileau apprenait la nouvelle du désastre du *Fraser*. Elle devait communiquer avec les autorités navales à Ottawa quand on lui apprit la bonne nouvelle de la part héroïque qu'avait prise son fils au cours de l'émouvant sauvetage de ses compagnons. »

La tragédie du Margaree

Quelques mois plus tard, la marine canadienne connaissait un deuxième désastre maritime.

Le contre-torpilleur *HMCS Margaree*, un des rares bateaux de guerre canadien à être commandé par un Canadien français, coula par suite d'une collision avec un navire marchand dans la nuit du 22 octobre.

Le contre-torpilleur canadien transportait un équipage de 171 officiers et matelots et on ne comptait que 31 survivants. Les autres, soit 140 hommes, étaient portés morts ou disparus. Depuis le début des hostilités, la marine canadienne avait donc perdu 213 hommes en un peu plus d'un an.

Outre le commandant J.-W.-R. Roy, quatre Canadiens français figuraient parmi les dix marins du Québec ayant perdu la vie dans cette tragédie. Il s'agissait du premier chauffeur Jean-Marie Martin, 25 ans, de Montréal du chauffeur Marcel Legeault, 22 ans, de Montréal de l'assistant Alexandre Venne, de L'Assomption, et du mousse Laurent Boileau, âgé de 17 ans seulement, de Montréal.

Le commandant Roy était né à Ottawa en avril 1901. Après des études au collège Loyola de Montréal et au collège naval du Canada, à Halifax, il avait terminé ses études au collège naval en Angleterre. En juillet 1940, il avait été promu commandant du contre-torpilleur canadien *HMCS Margaree*. Il avait été auparavant directeur des opérations divisionnaires du service naval aux quartiers généraux d'Ottawa.

Si la tragédie avait fait des victimes, elle avait aussi vu un chanceux parmi les marins canadiens-français. En effet, le marin Paul Dubois, de Montréal, qui avait déjà été rescapé de la tragédie du *HMCS Fraser* quelques mois auparavant, s'est également sorti indemne du naufrage du *HMCS Margaree*. Apparemment, il s'agit du seul marin canadien qui a réussi à se tirer des deux naufrages en mer.

Pas d'école navale au pays pour les officiers

Le fait qu'il n'y avait pas, un an après le début des hostilités, d'école navale au Canada et que les aspirants officiers devaient aller étudier à une école navale en Angleterre ne favorisait évidemment pas le recrutement d'officiers de marine canadiens-français.

Le 30 août 1940, le ministre de la Marine, Angus L. Macdonald, révélait qu'il y avait alors près de 8 000 recrues de la marine canadienne à l'entraînement sur la côte de l'Atlantique et plusieurs centaines d'officiers qui étudiaient dans une école navale anglaise.

« Bien qu'on ait considéré la chose il y a quelque temps, il n'est plus question pour le moment d'établir une école navale pour le Canada », avait alors déclaré le ministre.

BILAN D'UNE ANNÉE DE GUERRE

L e 1er septembre 1940, la guerre entre dans sa deuxième année et tout le monde au Québec comprend maintenant qu'elle sera longue.

Après une année de guerre, Hitler étend son emprise sur l'Europe, à la suite d'une série de victoires remportées sur des pays plus faibles. Devant lui, dotés de la plus grande puissance militaire de leur histoire, se dressent la Grande-Bretagne et son Empire. Le Canada, l'Australie, la Nouvelle-Zélande et les autres États de l'Empire appuient la Grande-Bretagne en fournissant des hommes et du matériel. Comme elle, ils ne font que commencer à produire en série les armes qui barreront la route à Hitler.

Le Canada, terre de paix en temps normal, s'est transformé rapidement, en moins d'un an, en un belligérant plein de détermination, dépensant plus de deux millions de dollars par jour dans son effort pour se défendre contre les ambitions illégitimes de l'Allemagne et de l'Italie. De jour en jour, l'effort de guerre augmente et de jour en jour aussi, son prix s'accroît.

En septembre 1939, lorsque l'Allemagne s'était sauvagement ruée sur la Pologne et que le Canada était entré en guerre à la suite de la Grande-Bretagne et de la France, les forces canadiennes n'étaient pas grandes. Ottawa ne comptait que sur une toute petite armée, une force aérienne réduite et une flotte de plaisance. Le pays avait cependant tout ce qu'il fallait pour approvisionner les pays belligérants en armes et munitions.

Au 1er septembre 1940, 153 842 hommes étaient sous les drapeaux dans l'armée canadienne, dont 38 839, tous volontaires, se trouvaient en Angleterre, gardant les forteresses des îles britanniques.

Le déploiement de l'aviation canadienne, la Royal Canadian Air Force (RCAF) a été particulièrement spectaculaire. Au début des hostilités, la RCAF ne comptait que 4 061 hommes. Or, au 24 juillet 1940, la liste officielle des membres de la RCAF dénombrait 19 453 hommes. Compte tenu du fait qu'on recrutait une moyenne de 400 hommes par semaine, on peut affirmer sans crainte de se tromper qu'elle comptait quelque 21 000 hommes au 1er septembre 1940.

La flotte canadienne, quant à elle, a également connu une expansion rapide et extraordinaire. Au début de la guerre, la Royal Canadian Navy ne comptait que 1 700 hommes. Un an plus tard, les effectifs avaient atteint 10 000 hommes. En même temps, la marine canadienne s'était équipée de nombreux nouveaux vaisseaux, portant leur nombre de 15 à 121 en moins d'un an. Pour la première fois de son histoire, d'ailleurs, le Canada avait envoyé des navires de guerre canadiens combattre aux côtés de la flotte britannique.

Tout l'effort de guerre était dirigé d'Ottawa

Point névralgique de toute l'organisation et de l'administration de cet effort du pays, la capitale fédérale a subi de nombreuses transformations en un an. C'est à Ottawa que s'élaborait les projets de travaux d'infrastructure confiés par la suite à tout le pays : arsenaux à camps de concentration, navires de guerre, armements, etc.

C'est également à Ottawa que furent organisées les forces conjointes de soldats, marins et aviateurs que le Canada mit à la disposition de la Grande-Bretagne. Il s'agissait d'un travail d'administration et d'organisation immense, exécuté par un personnel quatre fois plus nombreux en septembre 1940 qu'en septembre 1939.

Cet effort de guerre valu à Ottawa une augmentation du nombre d'ouvriers, de techniciens, d'opérateurs et d'experts de tous les milieux qui sont venus aider les dirigeants du pays dans un moment critique. Tous les édifices publics ont été mis à la disposition du gouvernement.

Tout l'accent a ensuite été mis sur le besoin d'armement. Il a fallu armer le Canada jusqu'aux dents. Nul effort ne fut jugé trop grand, nulle bonne volonté laissée de côté. On a tout mobilisé, talents, argent, capacité physique et intellectuelle, pour mener à bonne fin l'effort de guerre. De nouveaux ministères, comme celui des Services de guerre, par exemple, furent créés par le gouvernement pour lui permettre d'assumer ses responsabilités.

Après une année de guerre, le Canada avait réussi non seulement à envoyer deux divisions en Angleterre, mais aussi à installer d'imposantes garnisons aux Antilles, en Islande, à Terre-Neuve et dans différentes places fortes des côtes du Pacifique et de l'Atlantique. Les unités de la RCAF et de la marine canadienne patrouillaient sans cesse les côtes canadiennes, considérées comme bien défendues.

Au 1er septembre 1940, des six officiers supérieurs commandant les forces armées canadiennes, aucun n'était francophone. Le lieutenant général McNaughton commandait le corps d'armée britannique dans lequel étaient regroupées les première et deuxième divisions canadiennes. Ces deux divisions étaient commandées respectivement par les majors généraux G.R. Pearkes et Victor M. Odlum. Au pays, le major général H.D.C. Crerar agissait comme chef de l'état-major-général. Le vice-amiral P.W. Nelles agissait pour sa part comme chef d'état-major naval, tandis que le vice-maréchal de l'air L.S. Breadner agissait comme chef d'état-major de la RCAF.

Dans un texte préparé spécialement à l'occasion du premier anniversaire du début de la guerre, le major-général Crerar considérait que « le succès de la guerre, réduit à sa plus simple expression, dépend entièrement des problèmes que préside la science des forces. De façon générale, il s'agit de savoir mettre en œuvre le volume de forces nécessaires au moment propice, dans la bonne direction et au bon endroit. Si un seul de ces trois facteurs n'est pas immédiatement étudié, il en résultera inévitablement un surcroît d'efforts ou un effet totalement inutile. C'est pourquoi, si le succès doit couronner nos efforts, nous ne devons pas nous borner à apprécier les intentions de l'ennemi et les moyens dont il a l'intention de se servir pour arriver à ses fins, mais nous devons aussi connaître exactement les ressources militaires mises à notre disposition et le meilleur moyen de s'en servir pour repousser l'ennemi d'abord et finalement le vaincre.

« À l'époque où nous sommes rendus, il ne nous sert à rien de déplorer les lacunes militaires des Alliés étalées au grand jour par les conquêtes de Hitler en Europe. Maintenant que tous ces faits pénibles nous sautent aux yeux, il faut plutôt ériger une force armée adéquate, afin de le détruire lui-même et tout ce qu'il représente dans le plus court délai possible.

« On peut déduire des propos prononcés en Chambre par le ministre de la Défense que le Canada a passé le stade des préparations et qu'il aura bientôt atteint le sommet de la production dans son effort de guerre. Ce qui est essentiel dans cet effort, c'est la coordination et l'équilibre qui en permettront la réalisation immédiate.

« Je ne révèle rien à l'ennemi en déclarant que notre grande faille actuelle est l'armement. Il ne manque pas d'hommes au Canada pour demander l'accélération de la marche vers la victoire. Notre armée active dans le Royaume-Uni ne connaît pas de meilleure.

« Mais ce qui manque le plus au Canada en particulier et à l'Empire en général, ce sont ces armes modernes qui permettent de détruire l'ennemi sans sacrifier inutilement des vies.

« Il peut paraître parfois à certaines personnes, qui ne peuvent pas comprendre les problèmes militaires pour des raisons bien naturelles, que le ministère de la Défense nationale agit trop lentement, que l'état-major est insouciant des dangers qui nous menacent de toutes parts ou que l'on ne procède pas assez activement à l'enrôlement du capital humain.

« Croyez-moi, l'état-major ne néglige rien qui pourrait aider le Canada au plus haut degré dans cette guerre. Il est un point qu'il ne faudrait cependant pas oublier : c'est qu'à cause de la censure, imposée par la guerre, l'état-major ne peut pas dévoiler au public par l'intermédiaire du ministre les raisons du refus ou de l'acceptation de tel ou tel principe. La censure existe et elle est indubitablement nécessaire.

« Il faut évidemment procéder logiquement. Le ministre de la Défense nationale, dans un récent discours, a souligné l'ordre de priorité dans le développement de nos ressources militaires. Nous suivons présentement un plan qui nous aidera à faire face à toutes les éventualités. Si les circonstances commandent des changements dans ce plan, afin de permettre de triompher de l'ennemi en Europe et d'assurer la sécurité du Canada et du continent, ils seront immédiatement faits.

« Mon expérience personnelle me permet d'ajouter que le ministre ne sera pas lent à approuver les recommandations que pourra lui faire l'état-major à mesure que les circonstances l'exigeront. »

Canadiens français et effort de guerre

Le 20 juin 1940, la Chambre des communes et le Sénat adoptèrent la Loi sur la mobilisation des ressources nationales. La Presse titrait le lendemain : « Nul partisan de la conscription outre-mer dans le cabinet fédéral. »

Lors des débats aux Communes il fut beaucoup question de la participation des Canadiens français à l'effort de guerre.

Le député de Beauharnois-Laprairie, Maxime Raymond, futur chef du Bloc populaire, déclara que « les Canadiens d'origine française sont Canadiens d'abord ; ils sont attachés à leur patrie le Canada qu'ils veulent développer dans l'harmonie et la paix, à l'abri des océans et du grand peuple américain. Ils n'aiment pas la guerre mais ne la craignent pas quand il s'agit de défendre leur territoire : l'histoire est là pour en témoigner.

« C'est le devoir militaire de tout citoyen du Canada de défendre le sol de sa patrie et celui du Québec n'y a jamais manqué et n'y manquera jamais. Et j'ajoute qu'il agira ainsi sans y être contraint par une loi. »

Trois jours plus tard, à l'occasion de la fête de la Saint-Jean-Baptiste, patron du Canada français, le premier ministre William Lyon Mackenzie King leur adressa un message dans lequel il répétait que la mobilisation pour service intérieur était indispensable, qu'il n'y avait pas de conscription pour service outre-mer et ajoutait : « le sort tragique de la France lègue au Canada français le devoir de porter haut les traditions de culture et de civilisation françaises et son amour brûlant de liberté. »

À noter d'ailleurs qu'après l'annonce de la capitulation de la France à la mi-juin et les nouvelles mesures prises par Ottawa pour la mobilisation intérieure, la plupart des unités de la région de Montréal avaient enregistré une augmentation sensible du recrutement dans les jours qui suivirent.

Ainsi, le 15 juillet, des cours d'officiers débutaient au régiment de Châteauguay sous la direction du capitaine Antoine Spickler. Le régiment accueillait dans ses rangs pas moins de 50 nouveaux lieutenants. Quelques semaines plus tard, toujours dans le but de former des officiers canadiens-français, deux nouveaux détachements du Corps d'école d'entraînement des officiers canadiens (COTC) étaient formés : un au Collège Jean-de-Brébeuf et l'autre au Mont-Saint-Louis, deux institutions d'enseignement de Montréal. Ces détachements du COTC venaient s'ajouter au détachement de l'Université de Montréal. Les anglophones comptaient déjà deux détachements à Montréal, ceux de Loyola et de l'Université McGill.

Toujours à la mi-juillet, pour faire suite à un ordre du ministère de la Défense nationale, le régiment de Maisonneuve fut autorisé à organiser immédiatement un 2e bataillon pour la milice non permanente. Ce bataillon était placé sous le commandement du lieutenant-colonel Joseph Brosseau, assisté par le major Ernest Beaupré, en tant que commandant en second et par le major H. Lefort Bisaillon, en tant qu'adjudant.

Le Maisonneuve lançait un appel à tous ceux qui désiraient offrir leurs services d'une manière non permanente, afin, disait-on, « de défendre leur pays contre les envahisseurs et protéger nos institutions industrielles, religieuses et autres contre tous les troubles possibles ».

Le nouveau bataillon devait comprendre un effectif de 28 officiers et de près de 1 000 hommes qui seraient appelés à faire de l'entraînement le soir et à participer à des exercices dans des camps spécialement aménagés à cet effet. La durée d'un camp d'entraînement variait de 15 à 20 jours.

À la même époque, le 2e bataillon des Fusiliers Mont-Royal commençait lui aussi son recrutement. L'entraînement se faisait à raison de deux soirs par semaine puis se poursuivit au camp du Mont Saint-Bruno du 25 août au 14 septembre. Ce bataillon de la force active non permanente était, quant à lui, placé sous le commandement du lieutenant-colonel Gustave Massue, assisté par le major Arthur Guindon, comme commandant en second et par le capitaine Lucien Tardif, comme adjudant.

Le 4 août, quelque 4 000 officiers et soldats du district de Montréal et de ses environs sont partis pour les camps d'été du Mont Saint-Bruno, de Farnham et de Saint-Jean-sur-Richelieu. Ces hommes de la milice active non permanente devaient y recevoir un entraînement de trois semaines. Au nombre des unités participantes figuraient plus de 300 hommes du régiment de Châteauguay sous le commandement du major Hector Maurault.

Des officiers canadiens-français un peu partout
En ce qui concerne l'armée de terre, on retrouvait des officiers canadiens français dans tous les secteurs.

Le 30 août, par exemple, *La Presse* publiait la photo du colonel P.-A. Piuze et annonçait que l'ancien chef de la Police provinciale du Québec et ancien gouverneur du pénitencier de Saint-Vincent-de-Paul serait désigné comme chef de la police militaire canadienne pour la durée de la guerre.

Chez les aumôniers catholiques, les francophones dominaient. C'est ainsi qu'on avait notamment parlé en août de la nomination du capitaine Alphonse-Claude Laboissière, franciscain, au poste d'aumônier du district militaire de Montréal ; de l'abbé Jude Riopel, ancien vicaire de la paroisse Saint-Jean-Baptiste de Montréal, à celui d'aumônier du 2e bataillon du régiment de Maisonneuve, et surtout du major-abbé G. Côté à celui de premier aumônier catholique de la 2ᵉ division canadienne. Ce dernier était un ancien combattant de la Première Guerre mondiale outre-mer.

Enfin, plusieurs Canadiennes françaises occupaient des rôles de premier plan au sein du Womens Auxiliary Reserve Corps (WARC) au Québec. C'est ainsi que le capitaine Jeanne Germain, était nommée secrétaire francophone et officier de liaison auprès de la presse canadienne. Par ailleurs, parmi les organisatrices d'un gala militaire organisé en octobre sous les auspices du WARC, on notait les lieutenants Gisèle Moreau, Bérangère Paré, Germaine Paré-Morin et le capitaine Julienne Saint-Mars-Gauvreau.

Le WARC était né de la Deuxième Guerre mondiale. Fondée depuis quelques mois à peine, l'unité comptait déjà, en octobre 1940, plusieurs milliers de membres recrutés à Montréal, Québec et dans d'autres villes de la province.

L'unité reçut ses drapeaux le même mois, au manège des Fusiliers Mont-Royal. C'était la première fois qu'une cérémonie de remise officielle d'un drapeau régimentaire (« *trooping colours* ») était organisée par une unité féminine au Canada. L'unité était commandée par le major Sophie Elliott, assistée par plusieurs officiers canadiennes-françaises.

Francophones dans une armée anglophone

Le 7 octobre 1940, alors que le Canada s'engageait dans une deuxième année de guerre, le ministre de la Défense nationale, J. L. Ralston, faisait savoir que la milice du Canada cessait d'exister. Dorénavant, on ne parlerait plus que de « l'armée canadienne », qui se composerait de troupes actives et de réservistes.

L'entraînement en français pour les conscrits

« Quand ils se rendront dans les centres d'entraînement militaire, le 9 octobre, les jeunes Canadiens français y trouveront des officiers de leur nationalité, qui comprennent leur mentalité, leur esprit. »

Ainsi s'exprimait le sous-ministre adjoint des Services de guerre du Canada, le major général La Flèche, Ordre du Service distingué (DSO), lors d'une conférence prononcée devant la Chambre de commerce de Saint-Hyacinthe, quelques jours avant le début de l'entraînement militaire obligatoire de quelque 30 000 jeunes Canadiens de 21 à 24 ans inclusivement, célibataires et veufs sans enfant, pour un entraînement militaire de 30 jours. Plus de 6 500 de ces jeunes gens, pour la plupart francophones, venaient notamment de la grande région de Montréal, de Sherbrooke et de la vieille capitale.

C'est donc en français que les jeunes conscrits du Québec ont subi un entraînement militaire de base dans les divers camps de la province du 8 octobre au 9 novembre. Huit de ces camps étaient situés dans la région dépendant du district militaire de Montréal, soit à Valleyfield, Huntingdon, Sherbrooke, Farnham, Saint-Hyacinthe, Sorel, Joliette et Saint-Jérôme.

Un mois plus tard, c'est en chantant et riant que ces recrues revinrent des camps d'entraînement. On ne signalait qu'un seul groupe de mécontents. Les recrues du camp de Huntingdon, en effet,

117

se plaignaient de la nourriture qu'on leur avait servie. Les autorités militaires du district de Montréal reconnaissaient la gravité du problème et annonçaient des mesures immédiates pour y remédier. Par ailleurs, beaucoup de ces recrues manifestaient l'intention de s'enrôler dans l'armée active pour service outre-mer.

Le départ de la deuxième fournée des conscrits en novembre différait déjà de celui du mois précédent. Les recrues, renseignées par leurs prédécesseurs aux camps, savaient maintenant très bien comment elles seraient reçues et ce qu'on attendait d'elles. C'est donc avec gaieté et philosophie et sans la moindre appréhension qu'elles ont obéi à cet appel du pays.

De toute façon, d'après les historiens, Parizeau et Bernier du Service historique de la Défense nationale, seulement la moitié des centres d'entraînement de base étaient réellement bilingues, tandis qu'au Nouveau-Brunswick, où les francophones représentaient 34,5 % de la population en 1940, le lieutenant-colonel A.J. Brooks et le major G.F.G. Stanley, chargés de l'instruction des recrues, faisaient l'impossible pour tenter de faire instruire et entraîner les Acadiens en français, au grand étonnement du major-général T.-L. Tremblay qui visitait ces régions lors d'une inspection générale.

On ne possède pas de données officielles sur les efforts entrepris pour instruire dans leur langue les Franco-Ontariens ou les francophones de l'Ouest du pays. Mais certains efforts furent faits pour les regrouper.

À preuve, en décembre 1940, sous le titre de « Peloton de Canadien français déclaré vainqueur », *La Presse* publia une photo prise au centre d'entraînement de Cornwall, en Ontario. Il s'agissait du peloton du lieutenant J.-O.-A. Letellier, qui avait terminé premier parmi les 15 pelotons qui s'entraînaient à cet endroit. La légende précisait qu'il s'agissait d'un peloton « composé exclusivement de Canadiens français ». Le centre d'entraînement était d'ailleurs commandé par un officier francophone, le lieutenant-colonel Rodolphe Larose, d'Ottawa, ancien combattant de la Première Guerre mondiale et ancien commandant du régiment de Hull.

Sept mois plus tard, en juillet 1941, on devait apprendre que le centre d'entraînement de Cornwall avait été le premier établissement du genre au Canada où la totalité des recrues levées en vertu de la *Loi sur la mobilisation des ressources nationales* s'est enrôlée sous les drapeaux. En quelques jours, 173 recrues ont signé les formules nécessaires pour devenir membres de l'armée active outre-mer.

Le centre d'entraînement de Cornwall recevait des recrues de langue française et de langue anglaise, il y avait également des recrues du service actif qui poursuivaient leur instruction de base. Les recrues des deux langues recevaient le même traitement et suivaient le même programme.

Par ailleurs, dans le district militaire de Québec, on ouvrit à partir de février 1941, cinq écoles de métiers, dirigées en français et destinées à former au sein de l'armée des hommes de métier. Les cours furent donnés à l'École technique de Québec, à l'École technique de Montréal, à l'École des arts et métiers de Lauzon, à l'Académie commerciale de Québec, à l'école Brillant de Rimouski, aux ateliers d'International Harvester de Québec, au camp militaire de Valcartier ainsi qu'à la Citadelle.

Aucune statistique n'est disponible pour le district militaire de Montréal, mais Parizeau et Bernier disent avoir de bonnes raisons de croire qu'à peine la moitié des cours de métiers offerts par l'armée du district furent donnés en français.

On peut donc conclure que le nombre connu de 2 016 stagiaires entraînés en français dans le district militaire de Québec et le nombre approximatif de 2 000 dans celui de Montréal ne représente qu'environ 4 % des quelque 100 000 stagiaires militaires qui suivirent de tels cours techniques au sein de l'armée canadienne.

Des manuels d'instruction traduits en français
À ces efforts, il faut ajouter ceux du bureau de traduction de l'armée. Au 1er mars 1944, le colonel J.-H. Chaballe, chef de bureau, le major Pierre Daviault, réviseur en chef et le capitaine Léopold Lamontagne avaient déjà traduit en français pas moins de 359 manuels et traités d'instruction militaire.

Dans le texte rédigé en 1941 pour annoncer la nomination du colonel Chaballe à la tête du bureau de traduction, Ottawa précisait qu'on ne pouvait choisir meilleur candidat pour ce poste. C'est « un soldat et un journaliste qui peut, écrivait-on, dire sans exagérer qu'il en a vu de toutes les couleurs ».

Au cours de sa carrière, longue et variée, Chaballe, né en Belgique en 1876, a fait partie de deux armées. Il a commandé à des Belges, à des Noirs dans le Congo belge, à des Amérindiens, à des Finlandais, à des Russes, à des Anglais et à des Canadiens. Il a perdu un œil à la guerre et mérité des décorations de trois pays, dont la Croix militaire (MC). À 65 ans, ancien professeur de culture physique, il était encore alerte et vigoureux.

Après ses études à l'École militaire, en Belgique, Chaballe servit pendant sept ans comme professeur à l'École normale militaire de gymnastique et d'escrime à Bruxelles. Puis, il passa trois années au Congo belge comme lieutenant chargé d'un détachement d'indigènes dont le seul uniforme en campagne « est souvent leur peau noire et leurs ceintures de cartouches ».

En 1903, Chaballe s'établit au Canada, où il travailla comme comptable à Chicoutimi tout en enseignant la gymnastique au Séminaire de la même ville. Il s'engagea comme simple soldat dans les Francs-tireurs du Saguenay et fut bientôt promu sergent d'une compagnie formée en majorité de Montagnais et d'immigrants finlandais. Il dut cependant attendre d'être devenu citoyen britannique en 1907 avant d'obtenir un brevet de lieutenant dans la milice canadienne.

En 1910, Chaballe déménagea à Montréal où il fut nommé directeur général de la culture physique à la Commission scolaire de Montréal. Il entra dans le régiment de Châteauguay, puis se joignit au 22e bataillon canadien-français au début de la Première Guerre mondiale.

À Vimy, le 2 juin 1917, Chaballe fut grièvement blessé, le jour de son 41e anniversaire de naissance. Il perdit l'œil gauche, eut la figure brûlée par les gaz et passa trois mois à l'hôpital. Une fois rétabli, il fut nommé membre de la mission canadienne en France et officier de liaison au front français.

Après la Première Guerre mondiale, Chaballe réorganisa le régiment de Châteauguay, qu'il commanda jusqu'en 1926. Cette année-là il devint d'abord major de brigade puis commandant de la 11e brigade d'infanterie, tout en militant au sein d'organismes d'anciens combattants.

Au moment de sa nomination à l'été 1941, Chaballe, âgé de 65 ans, était encore alerte et vigoureux. On lui doit la biographie de plusieurs de ses frères d'armes et la première *Histoire du Bataillon canadien-français*.

À la même époque, son fils, le capitaine F.-X. Chaballe, servait au sein du corps de génie après avoir terminé de brillantes études au Kingston Royal Military College.

À noter que la vie militaire n'intéressait pas que les « mâles » canadiens-français. C'est ainsi qu'à la fin novembre, sept gardes-malades canadiennes-françaises avaient été choisies pour service militaire outre-mer. Il s'agissait des infirmières militaires Jeanne-Marie Latour, Rita Numainville, Béatrice Biron et Yvonne Daigle, de l'hôpital Saint-Luc de Montréal, Cécile Lévesque, de l'hôpital Notre-Dame, également de Montréal, Rachel Lachance, de l'hôpital général d'Ottawa et I. Fischer, de l'hôpital Sainte-Jeanne-d'Arc, de Montréal.

Le brigadier-général Édouard de Bellefeuille Panct

À la mi-octobre 1940, le brigadier-général Édouard de Bellefeuille Panet fut nommé commandant du district militaire de Montréal, en remplacement du brigadier-général J.-P.-U. Archambault, de l'Ordre du Service distingué (DSO), la Croix militaire (MC), qui venait de se voir confier le commandement de la 8ᵉ brigade de la 3ᵉ division canadienne, devant être bientôt envoyée outre-mer.

Le brigadier-général de Bellefeuille Panet descendait d'une famille de militaires remarquables. En 1759, un Panet combattait dans les rangs de l'armée française de Montcalm contre les troupes britanniques, commandées par Wolfe. Mais Montréal ayant été pris et la colonie étant passée sous la domination britannique, les Panet, s'illustraient depuis lors, presque deux siècles, en servant loyalement la Couronne britannique.

La vie du brigadier-général Édouard de Bellefeuille Panet et celle de ses cinq frères constituait, disait-on, la meilleure preuve qu'il y avait dans les armées britanniques, autant de possibilités d'avancement pour les Canadiens français que pour les autres.

Édouard de Bellefeuille Panet appartenait à une génération qui comprenait un major-général, deux brigadiers généraux et trois colonels.

Son père, le colonel Charles-Eugène Panet, avait été commandant du 9ᵉ régiment de Québec. Grand innovateur dans le domaine militaire canadien, il fut un des fondateurs du Kingston Royal Military College. Après avoir été sous-ministre de la Défense nationale, il fut par la suite élevé au Sénat. Trois de ses fils passèrent par le Kingston Royal Military College.

Le premier fils, le brigadier-général Alphonse-Eugène Panet, Compagnon de l'Ordre du Bain (CB), Compagnon de l'Ordre de Saint-Michel et Saint-Georges (CMG), l'Ordre du Service distingué (DSO), âgé de 73 ans était à la retraite en Angleterre, après une brillante carrière aux Indes et en Europe durant la Première Guerre mondiale. Malgré son âge avancé, il continuait de servir au sein du service de prévention contre les raids aériens. Son fils, le lieutenant-colonel H. de Bellefeuille Panet, commandait, à l'été 1941, les troupes du Génie à Hong Kong.

Le deuxième fils, le major-général H.-A. Panet, Compagnon de l'Ordre du bain (CB), Compagnon de l'Ordre de Saint-Michel et Saint-Georges (CMG), l'Ordre du Service distingué (DSO), âgé de 72 ans, était à la retraite à Ottawa, après avoir servi au Canada, en Afrique du Sud et en France.

Le troisième fils, le brigadier-général Édouard de Bellefeuille Panet, venait d'être nommé commandant du district militaire de Montréal.

Diplômé du Kingston Royal Military College en 1902, Panet servit d'abord dans l'artillerie, puis suivit des cours pendant deux ans à l'école d'état-major en Angleterre. De retour au Canada, il regagna la Grande-Bretagne à peine huit mois plus tard avec l'état-major du premier contingent canadien de la Première Guerre mondiale à se rendre outre-mer.

Les états de service de Panet à l'état-major de plusieurs divisions, puis du corps d'armée canadien, lui valaient d'être cité cinq fois dans les dépêches et de recevoir, entre autres décorations, les suivantes : Compagnon de l'Ordre de Saint-Michel et Saint-Georges (CMG), l'Ordre du service distingué (DSO) et la Légion d'honneur française.

En février 1919, Panet fut promu brigadier-général dans l'état-major d'administration.

À l'époque, les généraux de brigade étaient désignés sous le vocable de « brigadiers-généraux » dans l'armée canadienne. Puis, à l'approche de la Deuxième Guerre mondiale, on supprima le mot « général » pour ne plus les désigner, comme en Grande-Bretagne, que sous le vocable de « brigadiers », même si aux États-Unis, on parlait toujours de « brigadiers-généraux ». Or, en France, le mot « brigadier » était utilisé pour des militaires ayant un grade équivalent à celui de caporal, ce qui en français porte à confusion.

Depuis l'unification des Forces armées canadiennes, au milieu des années 60, les généraux de brigade sont de nouveaux désignés sous le vocable de brigadiers-généraux et ceux qui détenaient le grade de brigadier jusque-là, y compris les anciens combattants à la retraite, ont dès lors placé le mot général à la suite du mot « brigadier ». C'est pourquoi, tout au long de cet ouvrage, j'ai décidé par souci d'uniformité d'employer le terme « brigadier-général » pour désigner tous les officiers canadiens détenant un grade équivalent à celui d'un général de brigade, bref tous ceux qui étaient supérieurs à un colonel, mais qui détenaient un grade inférieur à celui de major-général.

Quittant l'armée permanente à son retour au Canada après la guerre, Panet fut nommé en 1921 chef de la police de la Commission des liqueurs de la province de Québec. En 1925, il devint chef de la police de la Compagnie du chemin de fer Canadien Pacifique, poste qu'il occupa jusqu'en 1934. Il fut alors prêté à la Ville de Montréal pour prendre la direction de la Commission du chômage. En mars 1937, il retourna à la Compagnie du Canadien Pacifique pour y rester jusqu'au début de la Deuxième Guerre mondiale.

Dès le début des hostilités, Panet reprit l'uniforme et devint directeur de l'internement au Canada.

À noter que le brigadier-général Panet était aussi colonel honoraire du régiment de Québec.

En plus de ses frères généraux, le brigadier-général Panet avait trois autres frères qui se sont vu accorder le grade de colonel.

C.-L. Panet fut secrétaire de la Défense nationale pendant la Première Guerre mondiale. Son fils, diplômé du Kingston Royal Military College, servait, en 1941, dans l'artillerie canadienne avec le grade de major.

A. de L. Panet fut pendant plusieurs années directeur du manège militaire de Québec et, en 1941, son fils servait avec les Cameron Higlander d'Ottawa, également en qualité de major.

Enfin, A.-H. Panet avait fait carrière dans le corps des magasins militaires avant de prendre sa retraite avec le grade de colonel.

Le brigadier-général Henri Lefebvre
Par ailleurs, le colonel Henri Lefebvre, jusque-là quartier-maître général du district militaire de Québec était nommé commandant et promu général de brigade de ce même district.

Issu d'une famille de capitaines de milice de la Nouvelle-France, le brigadier-général Lefebvre était entré au 85e régiment le 20 juin 1910 avec le grade provisoire de lieutenant. Une fois confirmé dans son rang en juillet 1913, il fut promu capitaine en novembre de cette même année-là.

Dès les premiers jours de la Première Guerre mondiale, Lefebvre s'enrôla pour le service outre-mer. Nommé lieutenant au 12e bataillon, il s'embarqua pour l'Angleterre en octobre 1914. En juin 1915, il fut envoyé en France avec le 10e bataillon d'infanterie. Après avoir été promu capitaine en novembre, il se vit confier le commandement d'une compagnie en juillet 1916, avec le grade de major. Trois mois plus tard, il fut muté en Angleterre.

En mai 1917, Lefebvre retourna au front en France. Le 16 août, ses exploits de commandant du 10e bataillon à la côte 70 lui valurent la Croix militaire (MC). Puis, de mai 1918 à mars 1919, il se joignit au Royal Flying Corps, l'ancêtre de la Royal Air Force, l'aviation britannique.

Pour se donner une idée du soldat que fut Lefebvre, on n'a qu'à lire la citation publiée à son sujet dans la *London Gazette* du 7 mars 1918. Ce jour-là il reçut la Croix militaire (MC) — décoration qui ne se gagne que sur la ligne de feu. Voici cette citation :

« Pour bravoure remarquable et dévouement à son devoir. Au cours des journées précédant l'attaque, il rendit des services inappréciables en assurant les approvisionnements.

« Pendant l'attaque, il se rendit en avant en reconnaissance et se rendant compte qu'un détachement de nos hommes était en voie d'être cerné par l'ennemi, il organisa une équipe de secours et réussit à les sortir de leur impasse afin qu'ils regagnent nos lignes. Tous les officiers dans le secteur étant morts ou blessés, il prit le commandement et conserva la ligne intacte en repoussant plusieurs contre-attaques. Il fit preuve d'un beau sang-froid et d'une grande habileté d'organisation. »

Outre la Croix militaire (MC), Lefebvre détenait la décoration du Long Service ainsi que le Regulation Flying Badge.

De retour au pays, promu lieutenant-colonel, Lefebvre commanda le régiment de Maisonneuve de 1926 à 1930, avec pour tâche de reconstituer un bataillon de milice. De 1932 à 1936, il fut nommé colonel et commanda la 11e brigade d'infanterie.

Rappelé sous les drapeaux au début de la Deuxième Guerre mondiale, Lefebvre devait, après son mandat de commandant du district militaire de Québec, être dépêché aux quartiers généraux canadiens en Angleterre, avant de servir comme attaché militaire en URSS de 1943 à 1945.

En janvier 1946, Lefebvre fut ensuite versé dans la réserve. Il devait faire carrière dans le génie et l'industrie de la construction. Il mourut en 1968.

Le prédécesseur de Lefebvre au commandement du district militaire de Québec, le brigadier-général E.-J. Renaud, occupait ce poste depuis juillet 1938, ayant lui-même succédé au brigadier-général J.M. Prower.

Renaud, qui venait d'être nommer assistant-quartier-maître général de l'armée canadienne aux quartiers généraux d'Ottawa, était lui aussi diplômé du Kingston Royal Military College et avait fait partie du corps d'ordonnance de la milice active permanente.

Pendant la Première Guerre mondiale, Renaud servit comme officier d'ordonnance en Angleterre de novembre 1917 à septembre 1918 et comme assistant-directeur des services d'ordonnance en Sibérie de septembre 1918 à juin 1919. Il fut décoré plusieurs fois, en plus d'être maintes fois mentionné pour conduite exceptionnelle dans les dépêches officielles de l'armée. Depuis la fin de la Première Guerre mondiale, il avait occupé plusieurs postes d'importance au sein de l'armée canadienne. Promu lieutenant-colonel le 1er mars 1930, Renaud fut nommé colonel le 1er mai 1936. Ce jour-là, il fut placé à la tête des services d'équipement et d'ordonnance aux quartiers généraux de la Défense nationale à Ottawa.

En octobre 1940, le ministre des Munitions et des approvisionnements, C.D. Howe, annonçait le transfert de l'administration des arsenaux du Canada du ministère de la Défense à son ministère. Le colonel A.-T. Thériault, surintendant en chef des fabriques d'armement, dont les bureaux se trouvaient à Ottawa, devait par le fait même permuter.

À la mi-octobre 1940, les arsenaux du pays fabriquaient une grande quantité de munitions et constituaient un élément important du programme de la production de guerre.

Natif de Rimouski, Thériault, fit ses études à l'Université Laval. Il obtint un brevet de lieutenant dans le 89e régiment, puis plus tard, il fut muté au corps des ingénieurs canadiens comme de capitaine. S'étant rendu outre-mer, il passa au corps d'artillerie royal canadien et suivit les cours du Collège des sciences à Woolwich.

Revenu au Canada, Thériault renonça à son grade de major, qu'il avait obtenu à la fin de la guerre, et accepta de garder le grade permanent de capitaine dans l'artillerie canadienne. Bien lui en prit, puisqu'il fut promu colonel peu après.

En mai 1920, Thériault fut nommé surintendant adjoint des arsenaux du Canada et, le 1er mai 1936, surintendant. Au début de

1940, il était promu surintendant en chef de la politique d'armement chargé de l'entière surveillance des arsenaux. C'est à lui que revient en grande partie le mérite d'avoir agrandi les ateliers d'armement après le début de la guerre, en septembre 1940, dans le but d'accroître la production de guerre.

Un mois plus tard, on annonçait que l'honorable Gagnon, qui avait été ministre du Commerce du Québec dans le premier gouvernement Godbout, était nommé directeur général conjoint des achats au ministère des Munitions et des Approvisionnements. Fait digne de mention, Gagnon avait accepté de servir bénévolement et ne touchait aucune rémunération pour ses services.

Toujours en octobre 1940, le premier ministre du Canada William Lyon Mackenzie King, annonçait que le lieutenant-colonel Georges Vanier, ancien ambassadeur plénipotentiaire du Canada en France, d'où il avait été obligé de fuir devant la menace nazie à la mi-juin, venait d'être nommé membre de la Commission conjointe et permanente de la défense canado-américaine.

Commentant cette nomination, *La Presse* écrivait en éditorial que « l'avènement du colonel Vanier à la Commission permanente de défense fait, en même temps, disparaître une grave anomalie. Il donnera sa juste représentation à l'élément canadien-français dans une institution dont l'importance grandit de jour en jour. Il montrera, par un exemple des plus opportuns, que les autorités fédérales ne pensent pas seulement à nous quand il s'agit de service militaire ou de souscriptions, mais aussi lorsqu'il s'agit d'attribuer les postes dont dépendent la sécurité, le progrès et le bien-être de notre pays ».

Six mois plus tard, Vanier, devait être promu général de brigade et commandant du district militaire de Québec, en remplacement du brigadier-général Hercule Lefebvre, qui venait d'être muté à l'état-major du Corps expéditionnaire canadien à Londres.

Né à Montréal le 23 avril 1888, Vanier avait fait ses études au Collège Loyola et à l'Université de Montréal. En 1911, il avait été admis à la pratique du droit, mais il fut l'un des premiers officiers à s'enrôler dans le 22e bataillon canadien-français au début de la Première Guerre mondiale.

Gravissant les échelons jusqu'au grade de major, Vanier fut blessé en 1915. Plusieurs fois cité à l'ordre du jour, il fut décoré de l'Ordre du Service distingué (DSO) pour bravoure remarquable après avoir conduit une partie de son bataillon à la prise d'un village sur le front français.

À cette occasion, le major Vanier fut cité dans le *London Gazette* en ces termes : « Son courage, son exemple et sa volonté de conquérir communiquèrent le plus bel esprit combatif à tous ceux qui étaient sous ses ordres. »

En 1915, Vanier avait également gagné la Croix militaire (MC). Sa bravoure lui valut une agrafe à la même décoration en 1918. Cette année-là, il rallia ce qu'il restait de son bataillon pour continuer l'attaque, après que son officier commandant eut été atteint. C'est au cours de cet engagement qu'il fut blessé aux deux jambes.

Versé dans l'armée permanente en 1920, Vanier avait été promu lieutenant-colonel et commandant du Royal 22e Régiment en 1924.

Vanier fut placé hors cadre en 1928 pour entrer au ministère des Affaires étrangères. Il avait alors commencé une longue carrière diplomatique, interrompue seulement par la capitulation de la France en juin 1940.

En octobre, Vanier était revenu à la vie militaire en tant que représentant du Canada à la Commission conjointe et permanente de la défense canado-américaine. Il fut ensuite retiré de ce poste pour être nommer général de brigade et commandant du district militaire de Québec.

Vanier devint enfin le premier gouverneur général francophone du Canada avec le grade de major-général.

Des Canadiens français au Collège d'état-major

Durant l'été 1941, on s'interrogea beaucoup sur les possibilités de promotions qui pourraient être accordées à des officiers canadiens-français ne maîtrisant pas parfaitement l'anglais. Pour remédier à cette situation, on décida de créer au camp Borden, en Ontario, une école spéciale pour commandants de compagnies et candidats francophones aux postes supérieurs. Le major Jean Leclaire la dirigea et éprouva beaucoup de difficultés à recruter des instructeurs compétents au fait du complexe vocabulaire militaire britannique et de ses équivalences en français. Le brigadier-général Guy Gauvreau, des Fusiliers Mont-Royal, alors simple capitaine, fut l'un des officiers francophones qui suivit ce cours, ce qui lui permit de gravir rapidement les échelons de la hiérarchie militaire.

Pour ceux qui connaissaient mieux l'anglais, comme le major Jean-Victor Allard, de Trois-Rivières, le futur général, le cheminement fut plus rapide. Dès le printemps 1940, celui-ci fut envoyé en Angleterre terminer son entraînement dans les écoles britanniques spécialisées, à l'École des communications et des techniques de l'armée anglaise.

Puis le major fut affecté à un régiment blindé britannique, le 4th County of London Yeomanry. Il y demeura jusqu'à la fin février 1941. À cette époque le régiment britannique prenant la route du Moyen-Orient, le stagiaire canadien-français fut renvoyé au Canada rejoindre son régiment d'origine, le régiment de Trois-Rivières.

Séjour de courte durée puisqu'à l'été de 1941, on l'envoie à Kingston, au collège militaire, suivre le premier cours d'état-major dispensé au pays.

En plus du futur général Allard, un bon nombre d'autres officiers canadiens-français y avaient été dépêchés, les majors Croteau, de Hull, J.N.E. Grenier, de Québec, ainsi que L.F. Trudeau, du Royal 22e Régiment qui devait se faire tuer plus tard lors de la guerre de Corée, les capitaines C.R. Payan, de Saint-Hyacinthe, O.E. Delorme et J. P. L. Gosselin, tous deux du régiment de la Chaudière, ainsi que le futur brigadier-général Dollard Ménard, le héros de Dieppe de 1942 à la tête des Fusiliers Mont-Royal, puis commandant du régiment de Hull lors de la libération de l'île de Kiska, dans le Pacifique, en 1943 et qui revenait alors des Indes où il avait servi pendant deux ans dans un bataillon britannique à la frontière de ce qui est aujourd'hui l'Afghanistan.

Le cours était donné en anglais, ce qui, s'il faut en croire le général Allard dans ses Mémoires, n'inquiétait aucun des francophones qui le suivaient. « Considérant que les états-majors fonctionnent en anglais et qu'il est impossible, dans les circonstances, de faire autrement, il n'y a pas lieu de protester. Nous y mettons un peu plus d'énergie et c'est tout. »

Dans les faits, ce premier cours d'état-major dispensé au Canada faisait suite à l'annonce, en janvier 1941, par le lieutenant-général Andrew G.L. McNaughton, commandant du Corps expéditionnaire canadien en Angleterre, d'inaugurer dans un vieux manoir britannique un collège militaire, baptisé le « khaki college », destiné à donner des cours d'état-major aux officiers canadiens. Plusieurs Canadiens français furent choisis pour cet entraînement exclusif, qu'on décida de donner à l'été 1941, au Kingston Royal Military College, au Canada.

Pour l'armée canadienne, il s'agissait enfin d'une autre étape importante dans la conquête de son autonomie à l'égard des Britanniques. Ce désir d'autonomie était apparu à la fin de 1916. À cette époque on avait formé le 1er corps d'armée canadien, dont les unités, le commandement et les états-majors étaient en très grande partie exclusivement canadiens. Mais il fallut attendre 1941 pour que l'armée canadienne se décide à mettre sur pied les institutions indispensables pour pouvoir former elle-même ses cadres.

Les officiers avaient été choisis parmi ceux qu'on considérait comme les plus susceptibles de faire preuve de la plus grande énergie et d'une application soutenue, de façon à pouvoir remplir les vacances qui ne manqueraient pas de se créer aux plus hauts échelons de l'armée. Le favoritisme, assurait-on, n'entrait nullement en ligne de compte quand arrivait le temps de choisir les candidats à de tels cours.

C'est le futur lieutenant général Guy Simonds, alors lieutenant-colonel, qui avait inauguré ce programme en donnant les cours en Angleterre en janvier 1941.

Le major Jean Chaput, de Montréal, les capitaines M.-L. Derome, de Montréal, K.H. Tremaine, H.-E.-T. Doucet et L. Lalonde, de Montréal, J.-G.-A.-D. de Grandpré, de Saint-Hyacinthe ainsi que les lieutenants Jean Fournier, de Québec et R.W. Moncel, de Montréal, constituaient le premier groupe d'officiers canadiens-français à suivre de tels cours.

Pas de brigade francophone

Si l'entraînement des recrues pour la défense du territoire canadien pouvait se faire en français, du moins au Québec, c'est toutefois en anglais que nos régiments actifs outre-mer devaient fonctionner, en pratique du moins en ce qui concerne toute activité militaire de quelque importance.

Dès l'été 1940, le projet de former une brigade francophone pour service actif outre-mer, élaboré au printemps, au moment où les autorités avaient confié au brigadier-général P.-E. Leclerc le commandement de la 5e brigade, avait été rapidement mis de côté par l'état-major général, chargé d'assigner les fonctions opérationnelles aux unités.

En fait, le projet avait failli tomber à l'eau dès le début. Le Royal 22e Régiment avait, en effet, déjà été envoyé outre-mer depuis quelques mois en tant qu'unité de la 1re division. Il n'était évidemment pas question de le rappeler au pays ; il fut donc remplacé par les Black Watch, régiment anglophone au sein d'une brigade qui aurait été alors « majoritairement » et plus « exclusivement » francophone.

Puis, le 1er juillet 1940, on décida que les Fusiliers Mont-Royal seraient envoyés en Islande où ils demeurèrent jusqu'au 31 octobre.

On les remplaça alors au sein de la brigade du brigadier-général Leclerc par le Calgary Highlander. Conçue pour être une brigade exclusivement francophone, la 5e brigade devenait alors une brigade majoritairement anglophone.

Après leur séjour en Islande, les Fusiliers Mont-Royal furent affectés, dès leur arrivée en Angleterre, à la 6e brigade. Entre-temps, le régiment de la Chaudière, le 4e bataillon canadien-français actif aux prises avec des problèmes de recrutement, après avoir perdu son statut de « bataillon de mitrailleuses », avait été reconverti en bataillon d'infanterie et versé à la 8e brigade de la 3e division.

La 3e division ne devait être envoyée outre-mer qu'en 1941, pour être suivie un an plus tard des 4e et 5e divisions blindées, de même que des quartiers généraux et unités de troupe de deux corps d'armée et du quartier général et des unités de troupes de la 1re armée canadienne.

Outre les quatre bataillons cités (Fusiliers Mont-Royal, Royal 22e Régiment, régiment de Maisonneuve et régiment de la Chaudière), quelques autres unités francophones ou bilingues furent aussi envoyées outre-mer, notamment le 4e régiment d'artillerie moyen ; la 82e batterie anti chars, le régiment de Trois-Rivières (également désigné sous le nom de 12e régiment blindé) et les Fusiliers de Sherbrooke (connus également sous le nom de 27e régiment blindé), le 3e bataillon de génie et enfin la 18e ambulance de campagne.

Toutes les unités francophones œuvraient au sein de formations supérieures où tout se faisait en anglais sur le plan opérationnel, le français n'étant plus utilisé bien souvent qu'au niveau social ou dans le cours d'opérations militaires mineures n'engageant que le bataillon.

Les quatre bataillons d'infanterie francophones appelés à combattre en Europe furent donc versés dans quatre brigades différentes, de sorte qu'ils durent communiquer en anglais avec leur quartier général respectif et les autres unités de leur brigade et, bien sûr, avec les échelons supérieurs. Il en fut ainsi pour l'artillerie et les blindés. En fait, même lorsque trois Canadiens français furent promus généraux de brigade, ils durent nécessairement commander celles-ci en anglais, puisque les états-majors et la majorité des unités sous leurs ordres étaient presque tous des unilingues anglophones.

Cependant, dans ce qui s'appelait encore jusqu'en octobre 1940 la « milice non permanente », destinée à rassembler des troupes de réserve ou pour la défense du territoire, certaines brigades furent formées uniquement ou majoritairement d'unités francophones. Ainsi, en septembre, le lieutenant-colonel Édouard Tellier avait été promu commandant de la 11e brigade d'infanterie, composée d'éléments des Fusiliers Mont-Royal, du régiment de Châteauguay, du régiment de Maisonneuve et du régiment de Joliette ; quant au lieutenant-colonel Léopold Chevalier, il avait été promu commandant de la 10e brigade d'infanterie, qui était constituée des Fusiliers de Sherbrooke, du Sherbrooke Regiment (unité anglophone) et du régiment de Saint-Hyacinthe.

LA LONGUE ATTENTE

L'arrivée des Fusiliers Mont-Royal en Angleterre en novembre 1940, après quatre mois de garnison en Islande, complétait les effectifs de la 2e division. Pour le moment, la tâche la plus urgente de cette division était d'aider à la défense de la Grande-Bretagne, qui semblait à l'époque devoir être la prochaine cible des armées de Hitler.

La Luftwaffe, l'aviation allemande, qui avait échoué dans sa tentative de détruire l'aviation britannique au sol comme dans les airs au cours de l'été 1940, décida à l'automne de recourir aux bombardements nocturnes, moins coûteux pour elle en avions et en équipage.

Le but de l'aviation allemande semble évident : ouvrir la voie à une invasion future de l'Angleterre par la Wehrmacht, l'armée allemande, massée sur les côtes de la mer du Nord et de la Manche. Cette menace pèsera d'ailleurs sur l'Angleterre jusqu'en décembre 1941 ; à cette époque les Russes ayant réussi à arrêter les Allemands à quelques kilomètres de Moscou, les Allemands en eurent alors plein les bras et durent remettre *sine die* leur projet d'envahir le sol britannique.

Quant aux Fusiliers Mont-Royal, dès leur arrivée en Angleterre, ils réintégrèrent la 5e brigade du brigadier-général P.-E. Leclerc, en compagnie du régiment de Maisonneuve et des Black Watch. C'est l'ancien commandant du régiment de Châteauguay, le lieutenant-colonel Marcel Noël, qui occupait le poste de major de brigade auprès du brigadier-général Leclerc.

Avant la fin de 1940, les Fusiliers Mont-Royal devaient toutefois être mutés à la 6e brigade d'infanterie, composée de deux bataillons anglophones de l'Ouest canadien, soit les Queen's Own Cameron Higlanders of Canada, de Winnipeg et le South Saskatchewan Regiment, de Saskatoon.

Pour justifier cette mutation, l'état-major canadien invoquait le fait que la 5e brigade était alors formée de trois régiments originaires de la même ville. Que cette brigade se trouve engagée seule dans un combat important et la région de Montréal aurait eut à supporter des pertes proportionnées, ce qui ne manquerait pas de provoquer de vives critiques de la part de la population.

Cette raison officielle est d'ailleurs fort plausible. Mais il en est une, dont on ne fait pas état, mais que mentionne l'*histoire officielle des Fusiliers Mont-Royal*, et c'est « peut-être de ne pas vouloir de brigade en majorité francophone ».

Les Fusiliers Mont-Royal passèrent donc sous les ordres du brigadier-général Sargent, de Vancouver, qui était assisté comme major de brigade par le major Sherwood Lett, également de Vancouver.

On passera l'hiver et le printemps 1941 à poursuivre l'entraînement, tout en restant disponible comme renfort en cas d'invasion.

Commença alors la longue attente avant d'affronter l'ennemi. La deuxième année de guerre s'écoulait trop lentement aux yeux de beaucoup.

C'est ainsi que lorsqu'on le célébra le Noël 1940, qui était le deuxième en terre étrangère dans le cas du Royal 22e Régiment et le premier dans le cas du Maisonneuve et des Fusiliers Mont-Royal, le climat n'était certes pas celui qui régnait à Montréal. On était loin du pays, des êtres chers et il arriva même, par malheur, que le courrier mis à la poste au Canada ait été coulé en mer. Malgré tout, raconte-t-on, le moral restait au beau fixe et l'esprit de corps chez les francophones faisait l'envie des anglophones des autres unités.

Le 26 mars 1941, George VI et sa fille Élisabeth rendirent visite aux Fusiliers Mont-Royal. Le roi et la princesse étaient accompagnés du major-général V.W. Odlum, commandant de la division, du brigadier-général Sargent, commandant de la brigade et d'une nombreuse suite ; ils furent accueillis par le lieutenant-colonel Paul Grenier, commandant des Fusiliers Mont-Royal. Le roi conversa quelque peu en français avec quelques membres des Fusiliers et prononça même quelques mots dans cette langue lors de son allocution.

Par ailleurs, pour parer à la possibilité d'une invasion allemande, la 2e division canadienne organisa un bataillon de reconnaissance sur le modèle allemand ; ce bataillon serait appelé à se déplacer d'abord en motocyclette puis sur des véhicules blindés à quatre roues motrices arrière, capables de circuler à peu près sur tout terrain ferme et généralement armés d'une paire de mitraillettes lourdes.

Une soixantaine d'hommes des Fusiliers Mont-Royal et quelques officiers furent affectés à ce bataillon de reconnaissance, commandé par le lieutenant-colonel C.C. Mann, des Royal Canadian Dragoons. Mais, selon l'histoire du régiment des Fusiliers Mont-Royal, ils seront malheureux dans une formation où leurs camarades étaient presque tous anglophones, et après quelques mois, ils furent renvoyés à leur régiment.

L'arrivée des Fusiliers Mont-Royal en Angleterre donna lieu à un incident cocasse, que l'histoire du régiment retient sous le nom de « Bataille de l'ours polaire ». Les Fusiliers Mont-Royal, en effet, avaient fait partie en Islande de la force Alabaster, ce qui leur donnait le droit de porter un emblème distinctif : un ours polaire sur fond noir, cousu à l'épaule de leur uniforme.

Dès leur arrivée en Angleterre, les Fusiliers Mont-Royal se virent intimer l'ordre de remplacer l'ours par le rectangle bleu de l'unité. L'argument du quartier général de la division était simple : pour des raisons de sécurité il ne fallait pas, qu'un quelconque espion à la solde des nazis puissent savoir que des troupes avaient été retirées d'Islande.

Mais les Fusiliers Mont-Royal, tout comme leurs camarades anglophones du Royal Regiment arrivés en Angleterre d'Islande en même temps qu'eux, étaient fort attachés à leur ours polaire. Les membres des deux bataillons décidèrent donc de passer outre aux ordres et de porter sur l'épaule les deux écussons.

Comme l'expliquent les auteurs de l'histoire du régiment des Fusiliers Mont-Royal, « cela se termine, comme il fallait s'y attendre, par la victoire du quartier-général sur la volonté populaire, l'armée étant obligatoirement une dictature au service de la démocratie et ne reconnaissant pas les principes de celle-ci dans son organisation interne ».

Les Fusiliers Mont-Royal, le Royal 22e Régiment et le régiment de Maisonneuve n'étaient pas alors les seules unités canadiennes-françaises en garnison en Angleterre. En effet, la 18e ambulance de campagne bivouaquait au même camp que les Fusiliers Mont-Royal. Il s'agissait de la seule unité entièrement francophone des services médicaux de l'armée canadienne. Celle-ci transforma pendant deux mois les casernes Guillemont en un petit village québécois en terre anglaise.

La fraternisation avec les Britanniques

À la fin juin 1941, en Angleterre depuis six mois déjà, les Fusiliers Mont-Royal allèrent prendre position en première ligne à Lewes, à quelques kilomètres de la mer, au nord de New Haven, secteur probable d'invasion.

Les officiers et les hommes échangèrent de cordiales civilités avec la population locale, en dépit des difficultés de communication causées par l'accent chantant et la prononciation très particulière de l'anglais des habitants du Lancashire. C'était la première fois que les membres du bataillon vivaient en contact direct avec la population et les Canadiens français se feront beaucoup d'amis.

De telles fraternisations entre Canadiens français et jeunes anglaises ne pouvaient qu'aboutir à des mariages.

C'est ainsi que, le 4 janvier 1941, on célébra en grandes pompes le mariage du sergent Alban Beaudry, du quartier Rosemont, de Montréal, membre du corps des signaleurs canadiens, avec une jeune sténographe de Londres, Elsie Holton, âgée de 20 ans, en l'église St Peter de Walworth, en banlieue de Londres.

Beaudry, qui était âgé de 23 ans, s'était enrôlé dans l'armée canadienne au tout début de la guerre et, après quelque entraînement au camp de Valleyfield, il avait été envoyé en Angleterre dès janvier 1940. À Londres, son rôle était de rétablir les communications téléphoniques endommagées par les bombardements.

C'est au printemps 1940 que Beaudry avait fait la connaissance d'Elsie Holton et, huit mois plus tard, l'idylle aboutit à un mariage. Sténographe dans un bureau d'assurances, la jeune mariée était, depuis le début des bombardements sur Londres, attachée à un service britannique s'occupant de l'évacuation civile de la population lors des raids.

Une garde d'honneur du corps des signaleurs canadiens présenta les armes au couple à la sortie de l'église après l'échange des vœux du mariage.

Dans ses mémoires rédigés en collaboration avec l'historien en chef de la Défense nationale Serge Bernier, le général Jean-Victor Allard raconte l'état d'esprit qui régnait alors au sein de la population anglaise :

« J'étais à Londres le soir du bombardement du cœur de la ville à l'aide de bombes incendiaires. Un tel événement ne s'oublie pas. Londres était en feu et les soldats en congé durent prêter main-forte aux pompiers et aux policiers. Je fus affecté au service de la circulation. Le plus extraordinaire, ce fut de voir le comportement stoïque des civils. Plusieurs se rendirent dans les abris aériens pour ensuite rentrer tout naturellement chez eux, si ce "chez eux" existait toujours. Le bombardement continua toute la nuit. Aucune panique, pas le moindre signe de découragement chez cette population londonienne, capable de tout. »

En bombardant ainsi Londres, les Allemands venaient de commettre une grave erreur. Après les bombardements, en effet, les Britanniques furent plus déterminés que jamais à empêcher les Allemands de gagner la partie.

Selon Allard, vivre avec les Anglais constituait une expérience sociale enrichissante pour un Québécois. La langue des *public schools* britanniques et celle des officiers canadiens-anglais différait beaucoup. Le vocabulaire, l'accent et la phraséologie différaient totalement. De même, les Gallois, les Irlandais ou les Écossais avaient tous un accent différent. Sans compter l'argot ou le « cokney » des Londoniens difficile à comprendre pour les Canadiens français qui éprouvaient déjà de la difficulté à se débrouiller dans la langue de Shakespeare. Mais nécessité faisant loi, les nôtres s'y habituèrent progressivement.

Ces propos rejoignent assez bien ce qu'on peut lire dans l'histoire du régiment de Maisonneuve : « Qu'en était-il des Canadiens français dans cette Grande-Bretagne secouée de fond en comble ? Assez paradoxalement — et de nombreux témoignages pourraient l'attester — il semble que, malgré la barrière linguistique, les Canadiens français voyaient les Britanniques d'un œil sympathique. Évidemment, l'explication de ce phénomène tient essentiellement au fait que les Britanniques étaient chez eux, donc accueillants pour leurs hôtes qui venaient les épauler dans une lutte titanesque contre les forces nazies. Aussi les Canadiens français, autant que les autres Alliés, étaient-ils sensibles aux sacrifices surhumains consentis par les Britanniques. Leurs vêtements éliminés, leurs repas frugaux, leur humour resté inébranlable, malgré les terribles épreuves du "blitz", leur thé de l'après-midi, leur patience inlassable, leur flegme, tout cela rendait ces Britanniques charmants aux yeux des Canadiens français. »

Les membres du Maisonneuve n'échappèrent pas à la tendance de nombreux militaires canadiens à épouser des Britanniques pendant leur séjour en Grande-Bretagne. Ce qui ne les empêcha pas de se faire tuer au front par la suite. Ce fut le cas du sergent-major quartier maître Marcel Gariépy, marié à Joan Frances, de Hounslow, dans le Middlesex, qui fut tué le 30 octobre 1944 et qui fut inhumé au cimetière de guerre de Bergen-op-Zoom, aux Pays-Bas. Ce fut également le cas du sergent Mario Viger, qui avait épousé Joan Kathleen, de Brighton, dans le Sussex. Il fut tué le 29 septembre 1944 et qui fut enterré, lui aussi, dans le même cimetière.

L'histoire du Royal 22e Régiment abonde d'anecdotes semblables. On y mentionne que de solides liens d'amitié s'étaient noués entre Canadiens français et Anglais, liens fort durables en certains cas, puisque beaucoup d'officiers et de soldats devaient y retourner à plusieurs reprises. C'est le cas du caporal P.-A. Tremblay, plus tard promu officier et qui, en plus de gravir les échelons jusqu'au grade de major, s'était marié dans la région de Northampton, où les hommes étaient cantonnés dans des familles qui les avaient accueillis avec une grande bienveillance.

Un autre officier du Royal 22e Régiment, le capitaine Gaston Poulin, devait épouser Diana Williamson, le 19 juillet 1941, en l'église St Joseph de Brighton.

À l'été 1940, l'accent francophone des hommes et officiers du Royal 22e Régiment pouvait toutefois leur jouer des mauvais tours. En effet, on craignait de plus en plus à cette époque une invasion de l'Angleterre et la population civile voyait des parachutistes et des espions partout et soupçonnait tout le monde.

Même le major Joseph-Émile Poirier, commandant en second du régiment, fut victime de cette paranoïa. Arrêté par une patrouille de la Garde territoriale, il eut beau montrer sa carte d'identité, on le prit, à cause de son accent français, pour un « espion » allemand. Il fut conduit et détenu plus d'une heure dans un poste de police, jusqu'à ce qu'un officier d'état-major de la Première division canadienne vienne formellement l'identifier et réussisse à le faire libérer.

Le 20 janvier 1941, le lieutenant-colonel Percy Flynn subit une crise cardiaque et dut être hospitalisé.

Ayant quitté le Canada à la fin de 1939, Flynn était à la tête de son unité en Angleterre depuis plus d'un an. Sous son commandement, estimait-on, le Royal 22e Régiment, qui était déjà l'une des plus belles unités de la 1re division canadienne, était devenue l'un des meilleurs régiments, sinon le meilleur, des armées britanniques.

Lorsque le Royal 22e Régiment avait monté la garde au palais de Buckhingham, il fut comparé à celui des Grenadiers de la Garde royale. Depuis, on considérait qu'il avait atteint un degré d'efficacité presque incomparable et que ce succès, qui honorait le Canada tout entier, était dû à l'expérience de Flynn qui s'était épuisé à la tâche.

Ancien combattant de la Première Guerre mondiale, Flynn était entré dans l'armée permanente comme capitaine-adjudant du Royal 22e Régiment lorsque l'ancien 22e bataillon canadien-français fut reconverti en régiment actif à la citadelle de Québec par le lieutenant-colonel Henri Chassé, Ordre du Service distingué (DSO), Croix militaire (MC). C'est Vanier, qui avec le grade de major, était alors commandant en second de cette unité.

Pour remplacer le lieutenant-colonel Flynn, le major Joseph-Émile Poirier devait être promu au même grade et prendre officiellement le commandement du Royal 22e Régiment en Angleterre le 25 avril 1941. Officieusement, il occupait cependant ces fonctions à titre intérimaire depuis la fin janvier.

Né en 1896 à Thetford-Mines, Poirier s'était enrôlé comme simple soldat le 5 novembre 1914. Il avait pris part à la Première Guerre mondiale avec le 22e bataillon canadien-français et avait mérité la Médaille militaire (MM) avec agrafe. Affecté au Royal 22e Régiment en qualité de lieutenant, il avait été promu capitaine en 1927 et major deux ans plus tard en mai 1920. Il commandait alors en second cette unité.

Malheureusement pour Poirier, il ne put exercer longtemps son commandement. Le 15 juillet, victime d'un malheureux accident, il subit des blessures internes multiples. Il fut transporté au Canada où on décida peu après qu'il valait mieux le garder au Canada. Le major L.-P. Payan, de Saint-Hyacinthe, le remplaça par intérim et le major Paul-Émile Bernatchez assuma le commandement en second.

Le 15 octobre 1941, Payan fut muté au quartier général de la 3e brigade et le major Bernatchez fut promu commandant du Royal 22e Régiment, avec le grade de lieutenant-colonel.

Né à Montmagny le 1er mars 1911, Bernatchez, entra au Kingston Royal Military College le 28 août 1929 et obtint un diplôme le 13 juin 1934.

Après avoir reçu sa commission de lieutenant dans la milice active permanente, Bernatchez fut versé au Royal 22e Régiment. L'année suivante, il fut envoyé en Angleterre afin d'y parfaire son instruction militaire. De retour au Canada en février 1937, il détenait des certificats d'instructeur des écoles anglaises d'armes portatives de Netheravon et de Hythe.

Dès le début de la Deuxième Guerre mondiale, Bernatchez reçut le grade de capitaine puis celui de major peu après. Il n'avait que 30 ans lorsqu'il fut promu lieutenant-colonel. Il fut nommé par la suite général de brigade sur les champs de bataille, puis, après la guerre, major-général et commandant de la région militaire du Québec au début des années 60.

Dieu est de notre bord !

Le 9 janvier 1941, geste sans précédent dans l'histoire du Québec. Toutes les paroisses de la province se sont unies dans les mêmes prières, dans les mêmes intentions.

« Comprenant qu'il faut sauver la civilisation et la chrétienté, un peuple entier se mettra à genoux pour demander à la Providence la victoire de nos armées, de ces soldats qui sont nos frères », affirmait un communiqué officiel de la hiérarchie catholique.

« Il nous faut la victoire sur la haine, les entreprises odieuses de la force sur le droit. Pour la mériter, il faut agir, mettre en jeu toutes nos ressources matérielles et tout ce qui nous est cher. Mais il faut mettre aussi en jeu nos forces spirituelles.

« Dans les écoles, dans les hôpitaux, dans les familles, on récitera des prières privées ; mais l'Église sait que Dieu veut les peuples entiers agenouillés dans des supplications publiques.

« À cause de l'importance énorme que prendra la Journée nationale de prières, demandée par les autorités civiles, Nos seigneurs les Archevêques et Évêques de la province de Québec ont accordé une indulgence de cinquante jours à la récitation par chacun de la "Prière pour la victoire et pour la paix" que prononcera le très honorable Ernest Lapointe, ministre de la Justice, devant l'autel de l'église Notre-Dame, lors de la messe votive. »

Prière pour la victoire et pour la paix
Voici le texte officiel de cette prière :
« Dieu tout puissant et miséricordieux, daignez jeter un regard de bonté sur votre peuple, prosterné devant vous pour implorer votre clémence et demander votre secours.

« Nous déplorons en présence de votre divine Majesté, toutes les fautes commises contre vos saintes lois. Nous vous en conjurons, Seigneur, vous qui manifestez votre toute-puissance en pardonnant, oubliez les crimes des nations chrétiennes et inspirez aux individus et aux peuples l'observance de vos commandements, la pratique de votre Évangile.

« Nous vous en supplions humblement, ô Dieu de bonté, ayez pitié de nous et donnez-nous la victoire. Donnez surtout à l'humanité la victoire du droit sur la violence, la victoire de la justice sur l'iniquité, la victoire de la charité sur l'égoïsme, la victoire de vos droits divins sur les usurpations sacrilèges.

« Ô Marie, secours des chrétiens et reine de la paix, vous qui tant de fois avez accordé à notre pays votre protection maternelle, portez notre supplication jusqu'au trône de votre divin fils.

« Saint Joseph, patron du Canada, glorieux Martyrs canadiens, intercédez pour nous auprès de Dieu. Obtenez de sa miséricorde qu'il daigne soulager la misère du peuple, qu'il ait pour agréables ses sacrifices et prières, et qu'il lui donne enfin, avec la paix du Christ dans la justice et dans la charité, le bonheur et la prospérité. Ainsi soit-il. »

La prière fut récitée dans toutes les églises du Québec.

Le communiqué ajoutait : « Il est dit dans la splendide messe *En temps de guerre* de ce jour-là :

« Ô Dieu, qui domptez les guerres et par votre puissance protectrice abattez les agresseurs de ceux qui espèrent en vous, secourez vos serviteurs qui implorent votre miséricorde ; afin qu'après avoir écrasé la férocité de nos ennemis, nous nous trouvions dans une action de grâces continuelle. »

« Tel est le sens de la Journée nationale de prière, désignée par proclamation de Sir Eugène Fiset, lieutenant-gouverneur et à laquelle l'épiscopat canadien-français apporte son concours unanime. »

Il s'agissait d'un événement sans précédent dans l'histoire du Québec, qui fut diffusé dans le monde entier. Le réseau transcontinental de Radio-Canada et des postes indépendants du Canada et des États-Unis retransmirent des parties de la cérémonie, aussi bien de l'intérieur que de l'extérieur de l'église Notre-Dame de Montréal. La British Broadcasting Corporation capta l'émission et la diffusa en Europe et dans tous les pays de l'Empire britannique. Un poste américain fit parvenir par ondes courtes jusqu'en Amérique du Sud le sermon du cardinal Villeneuve, archevêque de Québec, et la prière pour la victoire, récitée par le ministre de la Justice du Canada, Ernest Lapointe.

Le maire de Montréal, Adhémar Raynault, et le commandant du district militaire de Montréal, le brigadier-général Eugène de Bellefeuille Panet, étaient d'ailleurs allés accueillir, au nom de l'armée et des autorités civiles, le cardinal Villeneuve à son arrivée à Montréal, en provenance de Québec.

C'est d'abord le major général Sir Eugène Fiset, lieutenant-gouverneur de la province de Québec, qui eut l'idée de cet appel à Dieu en faveur de la victoire, conjointement avec le cardinal Villeneuve, le premier ministre Adélard Godbout, certains ministres du cabinet provincial et d'autres évêques qui décidèrent de faire du dimanche 9 février 1941, « Jour de prières publiques pour la victoire ».

Lapointe, qui en tant que ministre de la Justice occupait dans l'État canadien le poste le plus élevé de la collectivité canadienne-française, décida de réciter lui-même la prière spéciale pour la victoire à l'issue du sermon du cardinal.

Cette curieuse alliance de l'Église catholique et des autorités civiles et militaires dans le but de demander à Dieu d'appuyer nos troupes dans un conflit armé, les hordes de Hitler et Mussolini étant représentées comme l'Antéchrist, reçut la bénédiction de *La Presse* en éditorial. Le 8 février, le journal avait publié en effet le texte suivant sous le titre de « Pour la victoire » :

« C'est demain, à Notre-Dame, qu'aura lieu la grande manifestation religieuse organisée à la demande des autorités civiles avec l'entier concours des autorités ecclésiastiques de la province. Nul doute que cette cérémonie solennelle attirera une foule considérable de fidèles désireux d'unir leurs prières à celles des invités de marque qui se trouveront réunis dans le vieux temple sulpicien pour supplier le Ciel d'accorder la victoire aux armées Alliées et de ramener une paix durable dans le monde.

« Nous vous en supplions, ô Dieu de bonté, dira l'oraison officielle, ayez pitié de nous et donnez-nous la victoire. Donnez surtout à l'humanité la victoire du droit sur la violence, la victoire de la justice sur l'iniquité, la victoire de la charité sur l'égoïsme, la victoire de vos droits divins sur les usurpations sacrilèges. » Par cette pieuse démarche, nos chefs civils et notre population témoignent de leur foi dans l'action de la divine Providence pour mettre fin aux maux terribles causés par la guerre. Or, la prière humble et confiante trouve toujours une oreille attentive auprès du Très-Haut, maître des destinées humaines et du sort des peuples.

« Malgré ses vastes dimensions, l'église Notre-Dame ne saurait recevoir toutes les personnes qui veulent assister à la cérémonie demain. La masse populaire pourra cependant faire monter, elle aussi, ses prières vers le Créateur, puisque, suivant les prescriptions de l'épiscopat, des messes votives aux mêmes fins seront célébrées dans chacune des églises paroissiales du Québec. Les fidèles trouveront là une occasion spéciale de prier ensemble afin d'obtenir le succès de nos armes et le triomphe de la paix.

« La paix ! Trésor incomparable aujourd'hui ravi à l'univers par l'ambition démesurée de peuples qui comptent à la vérité un grand nombre de chrétiens, mais que des dictateurs orgueilleux ont aveuglés et égarés. Comment retrouver un bien si précieux ? Dans une certaine mesure par la vaillance de nos soldats et par la puissance de nos armements. Mais, d'abord et surtout, par le secours de Dieu qui, pourvu que nous le lui demandions dans les dispositions convenables, se chargera de donner aux peuples usurpateurs et avides de vengeance de rudes mais nécessaires, leçons.

« Que la journée de demain soit donc pour nous une journée de prières nationales ! Le Dieu des armées nous entendra et nous exaucera. Il nous donnera la victoire et la paix. M. le chanoine Harbour, curé de la cathédrale de Montréal nous y invite dans un article de *La Semaine Religieuse* qui vient de paraître. À l'exemple du peuple d'Israël menacé de l'écrasement et se tournant vers Dieu dans la prière et la pénitence, commençons une véritable croisade de confiance en Dieu, de prière et de pénitence. »

La cérémonie eut un grand retentissement. « Le Canada à genoux demande la victoire », titrait *La Presse* à la une. Cette demande d'intercession de la Providence en faveur de nos armées avait été faite, au nom du Canada français, par nuls autres que le cardinal Villeneuve et « le premier de nos hommes d'État », le ministre Ernest Lapointe, tandis que le major-général Sir Eugène Fiset, en grande tenue, représentait le roi.

L'événement était tel que *La Presse*, rompant avec la tradition qui voulait, à l'époque, que les textes de ses reporters ne soient pas signés, publia un compte rendu lyrique sous la plume d'Ephrem Réginald Bertrand :

« À la face du monde, en ce dimanche de Septuagésime, dans une cérémonie dont les échos ont déferlé, par les mégaphones et par la radio de Notre-Dame sur la place d'Armes, puis à travers la ville, aux autres coins de la province et du Dominion, d'un bout à l'autre des Amériques, de par tout l'Empire et en Europe, jusque dans le silence angoissé de la France, le Canada français et catholique, son lieutenant-gouverneur, son primat, ses chefs spirituels et temporels en tête, a rendu un hommage officiel au Christ qui aime les Angles et les Francs, lui a fait acte de réparation nationale, et l'a supplié, avec la pleine confiance d'un pays en armes, qui veut s'aider pour mieux avoir l'aide du Ciel, de nous obtenir non seulement la paix, mais la paix dans la victoire. »

Le cardinal Villeneuve dans la mêlée

C'est le cardinal Villeneuve lui-même, archevêque de Québec et prélat de l'Église canadienne, qui a déclaré, en plein sanctuaire de l'église Notre-Dame à Montréal, lors de la messe votive pour la paix et pour la victoire que « c'est la victoire que nous voulons sous peine de voir périr la civilisation et la chrétienté ».

Dans son homélie, le cardinal Villeneuve déclara notamment :

« Pourquoi prions-nous ? En face des malheurs présents qui affligent le monde et dont les contrecoups peuvent exercer sur votre vie religieuse, sociale et nationale une puissance désastreuse, que tous purifient leur cœur, lèvent les bras au ciel, et par la force de leurs prières, calment le courroux divin et attirent vers la terre les flots de la céleste miséricorde.

« Arrêtons-nous, mes frères. Toutes les divines Écritures sont pleines de récits ou établissent que les grandes ressources des peuples croyants pour arrêter les calamités et les guerres sont toujours la prière publique, la pénitence et la confiance en la Providence divine. Et toute l'histoire de la chrétienté enseigne de même, depuis le triomphe du Labarum, depuis Attila arrêté par le pape saint Léon le Grand, depuis Lutèce sauvée par Sainte Geneviève, depuis Lépante et depuis Sobieski et, pour nous-mêmes, depuis Dollard des Ormeaux et Notre-Dame des Victoires.

« Nous sommes réunis afin de proclamer solennellement notre foi en ce Dieu des armes et de victoire qui est notre Dieu. Et pour lui offrir les mérites propitiatoires de l'auguste Victime et les accents de notre humilité, de notre supplication, de notre confiance.

« Ah, certes, nous ne sommes pas pour la guerre ! Mais pouvons-nous sans émoi laisser périr la civilisation chrétienne ; pouvons-nous

145

regarder indifférents le règne de la barbarie reparaître dans le monde ; mais pouvons-nous voir s'abattre et périr tant de peuples que nous aimons et auxquels nous attachent des liens de toute espèce ; pouvons-nous sans terreur observer avec quelle rage une puissance effrénée s'attaquer à la métropole britannique, menaçant de sa haine et de ses coups la grande famille des nations soumises à notre commun Souverain ; pouvons-nous dénombrer ces bataillons qui sillonnent le ciel, toutes ces ailes d'acier de nos ennemis jetant sur les villes leurs foudres et tuant les plus innocentes victimes ; pouvons-nous voir les horizons s'embraser et les océans se rougir sous leurs feux meurtriers, les flottes qui ravitaillent les continents sombrer à jamais, la famine menacer le monde, la guerre s'approcher ainsi de nos bords, sans nous dresser d'un commun accord pour opposer la force à la force, la défense à l'attaque, la justice à l'iniquité, la victoire, en un mot à des marches conquérantes aussi néfastes, et qu'il faut arrêter et refouler à tout prix, sous peine de voir périr la civilisation et la chrétienté.

« Voilà pourquoi nous voulons la victoire. Et parce qu'en ce jour, descendants de la vieille France, fille aînée de l'Église, nous prions ; parce que nous avons prié déjà, à l'appel de nos Évêques et de nos chefs publics, et que plusieurs ont jeûné et regretté leurs péchés ; parce que nous avons prié à l'exemple de nos Souverains, et selon l'invitation faite à tout l'Empire ; parce que chez les peuples opprimés, tant de prières et de larmes se répandent dans le secret des cœurs et sous les voûtes des temples ; parce que nos ennemis croient pouvoir braver la puissance divine qu'ils défient ou qu'ils blasphèment tandis que nous, si nous sommes coupables, au moins nous prions ; parce que malgré nos fautes et nos erreurs, et malgré les fautes et les erreurs de nos alliés, un souffle de régénération chrétienne commence à se lever sur nous et sur eux, oui, nous avons lieu de demander avec confiance et d'attendre avec espoir la victoire de Dieu qui de sa puissance repousse toujours avec sagesse les ennemis de ceux qui espèrent en lui, nous souvenant toutefois comme le rappelait Lord Halifax dans un message public, que notre prière doit avant tout demander à Dieu de connaître sa volonté, laissant ensuite nos vies avec confiance entre ses mains.

« Certes, nous demandons la victoire d'abord de nos armées. Le Canada est notre patrie, le patriotisme chrétien remplit d'amour, impose les plus sublimes et héroïques devoirs envers la patrie. Et là-bas, des soldats, nos frères, héritiers des faits d'armes du 22e à Vimy, du 22e dont les glorieux drapeaux se balancent sous cette voûte sacrée, sont au front et s'apprêtent à verser demain leur sang pour défendre nos vies. Et dans cette enceinte, et aux portes de ce temple vénéré, ce sont les fils de notre race qui partagent aujourd'hui notre prière et combattront demain nos ennemis, en valeureux soldats.

« Nous demandons la victoire de nos armes, car les peuples écrasés, au milieu de leurs deuils sanglants et des ruines fumantes de leurs cités, attendent notre victoire pour respirer et revivre : l'Autriche, la Tchécoslovaquie, la Pologne, le Danemark, la Norvège, la Belgique, les Pays-Bas, la Roumanie, et, dirai-je aussi, l'Italie, la véritable Italie, mais la France surtout. La France, toujours aimée et dont nous continuons d'admirer le patriotisme, le courage indéfectible, un instant renversé, mais non, jamais vaincu. Nous vénérons l'auguste et noble vieillard qui tient en ce moment d'une main prudente, mais sans vaciller, les destinées de la nation qui fut celle de nos pères et pour laquelle nos cœurs battent toujours.

« Nous admirons ceux de ses fils que le sort des armes a rejetés sur le sol britannique, où avec gloire, ils entendent relever leur vaillante épée.

« Nous admirons non moins le peuple de la fière Albion, si fort, si courageux, si tenace et si irréductible, qui donne à l'univers la plus grande leçon de résistance patriotique qu'ait connue l'histoire.

« Et nous remercions la grande République voisine de s'associer avec magnificence et dans un geste intrépide, à notre défense de la liberté humaine. Avec gratitude, nous saluons son valeureux Président.

« Bien plus notre *Requiem Æternam* et notre pensée émue vont aux soldats tombés sur tous les champs de bataille et nous recommandons leurs âmes au Seigneur.

« Mais pour citer encore les paroles de Sa Majesté George VI, si nous demandons la victoire, c'est pour frayer notre chemin vers la justice et vers la paix. Vers une paix juste et durable, selon les vœux réitérés de sa Sainteté le Pape Pie *XII* vers la paix avec les autres nations, sans haine ni méfiance pour aucune, vers la paix dans une société équitable et ordonnée, où l'égoïsme cédera la place au culte du droit et à la victoire de l'humanité vers la paix entre les classes par de nécessaires réajustements économiques. Vers la paix où ce n'est pas le nombre mais le bien même de la communauté et le respect des minorités qui détermineront les gouvernants. Vers la paix où en ce Canada, notre loyauté britannique ne risquera point de servir à l'effondrement de notre vie française.

« Et, bien volontiers, avec les chefs religieux de l'Angleterre qui reconnaissent que les maux actuels du monde proviennent d'abord de l'inobservance des lois divines, souscrivons-nous à ce programme de paix entre les nations et à l'intérieur des pays : employer les ressources de la terre comme des dons de Dieu au service de la race humaine tout entière ; répartir plus équitablement les richesses et corriger l'extrême inégalité des classes ; restaurer le sentiment de la valeur morale du travail et des intentions divines qui y sont attachées ; protéger la famille, cellule vitale dans l'organisation de la société ; et conséquemment rendre l'instruction accessible aux fils de toutes les familles, dès lors qu'on leur inculquera en même temps une éducation chrétienne, la conscience des obligations de l'individu à l'égard du bien commun.

« Nous avons confiance, nous aussi, que ces principes seront acceptés par les gouvernants et les hommes d'État dans tout le Commonwealth des nations britanniques et reçus comme une base solide sur laquelle une paix durable pourra s'édifier.

« Vous le voyez, mes frères, c'est une victoire pour nos armes, mais aussi une victoire peut-être sur les idées, qui nous est nécessaire ; victoire sur le désordre social qui agite présentement même les démocraties, sur les ambitions effrénées des uns, sur la concentration outrancière des richesses, sur la mécanisation de l'ouvrier, sur le mépris des dictées fondamentales de la nature, des droits de la personne, des règles de la conscience, des lois sacrées du mariage, des sublimes devoirs de la famille, de tous les préceptes divins ; c'est bien cette victoire à obtenir qui nous agenouille aussi en ce moment ! »

Par ailleurs, parlant par la suite en anglais, le cardinal Villeneuve ajouta notamment :

« Nous sommes engagés dans un conflit gigantesque d'une importance vitale pour nous, car son issue décidera des destinées humaines.

« Les pouvoirs déchaînés de l'ennemi font une lutte sans pitié et sans répit au Christianisme et à Dieu Lui-même. Que tous ceux qui croient en Dieu s'unissent donc et se préparent à faire de lourds sacrifices pour éloigner de l'humanité l'immense danger qui nous menace tous.

« Imitons la valeur et l'endurance du peuple anglais, qui se comporte aujourd'hui comme un peuple de héros, digne de l'admiration du monde entier ; et par là invite de façon si convaincante l'aide de nos voisins du Sud.

« Prions aussi pour notre Roi et notre Reine, qui donnent un magnifique exemple de courage à leurs sujets, dont ils partagent si noblement les dangers.

« Enfin, prions le Dieu de sagesse et de justice qu'il aide et guide nos gouvernants en cette heure grave.

« Alors, enfin, notre victoire apportera la paix à ce monde déchiré par la guerre, la paix entre nations et dans les nations, la paix dans les familles et dans les cœurs, la paix juste et durable pour laquelle nous prions avec confiance. »

Cérémonie grandiose

En éditorial, le 10 février, *La Presse* revint sur cette cérémonie unique dans notre histoire :

« La manifestation de foi et de confiance dont l'Église Notre-Dame de Montréal a été le théâtre, hier, comptera parmi les plus solennelles et les plus impressionnantes de l'histoire du vénérable temple sulpicien. C'est bien, comme on le voulait, l'hommage de la province entière, ses chefs ecclésiastiques et civils au premier rang, qui est monté vers le Très-Haut pour obtenir la victoire de nos armes et le retour de la paix dans le monde.

« Spectacle émouvant dont le défilé militaire, à l'extérieur, après la messe, a marqué pour ainsi dire le caractère et l'occasion. Touché par nos prières ferventes parties de Notre-Dame et, en même temps, de toutes les églises du Québec, le Maître des destinées humaines aura sans doute daigné bénir nos troupes qui symbolisaient hier la résistance héroïque offerte là-bas à l'ennemi, bénir aussi la foule pieuse qui incarnait l'espoir dans la divine Providence.

« Au milieu de cette grandiose cérémonie s'est élevée la voix éloquente du primat de l'Église catholique canadienne, le cardinal Villeneuve, archevêque de Québec, entouré d'un grand nombre de représentants de l'épiscopat, du clergé séculier et régulier, de la politique tant fédérale que provinciale, de l'armée, des cercles administratifs. Son Éminence a su, dans son discours, marquer avec exactitude le pourquoi de la réunion, indiquer les espérances qu'elle a autorisées et aussi les obligations morales pour tous qu'elle comporte.

« Nous sommes engagés dans un conflit gigantesque d'une importance vitale pour nous, explique l'éminent prélat, et parce que nous combattons un adversaire révolté contre Dieu tandis que nous sommes soumis à ce Dieu, nous avons raison de croire que le ciel accueillera favorablement nos humbles prières et repoussera l'ennemi orgueilleux. Il nous donnera la victoire, et, avec elle, la paix qui rendra leur liberté à tant de peuples opprimés aujourd'hui, qui dissipera la crainte d'une attaque violente où se trouvent la plupart des nations.

« Les initiateurs et les réalisateurs du déploiement d'hier, à Notre-Dame, doivent, après l'éclatant succès qu'elle a remporté, se féliciter de leur démarche, en même temps qu'ils savent sûrement gré à tous d'avoir secondé leurs projets avec un si bel empressement et un si généreux enthousiasme. La fête laissera d'impérissables souvenirs dans la mémoire des personnes qui ont eu l'avantage d'y participer. Enfin, elle aura été une nouvelle attestation de l'esprit chrétien qui anime notre peuple et lui fait recourir à Dieu comme à son principal appui dans les travaux qu'il entreprend, dans les luttes qu'il est appelé à soutenir. »

L'IMPATIENCE SE FAIT SENTIR

En 1941, le recrutement de volontaires était toujours suffisant, surtout au Canada français, pour combler les postes vacants des forces armées canadiennes. Mais la guerre semblant vouloir s'éterniser, de nombreux éléments, notamment au sein du Parti conservateur fédéral et au Canada anglais, commençaient à s'agiter et à préconiser la conscription pour service outre-mer, ce qui, croyait-on, accélérerait le règlement du conflit.

Quoi qu'il en soit, au début de février 1941, le premier ministre du Canada, William Lyon Mackenzie King, annonça l'établissement d'une période d'entraînement obligatoire de quatre mois, au lieu du programme de 30 jours alors en vigueur, ainsi que la réorganisation complète du programme d'entraînement, ce qui devait permettre de former 72 000 soldats par année.

Le nouveau programme entra en vigueur le 15 mars, date à laquelle environ 6 000 hommes furent appelés aux camps d'entraînement. Par la suite, un nombre égal d'hommes devait être appelé le 15 de chaque mois.

Ce programme ne concernait que les jeunes gens de 21 ans. On sait que d'après l'enregistrement national d'août 1940, le Canada en comptait 78 000. Cependant, s'il devait s'avérer impossible d'obtenir ainsi le nombre requis, on entendait puiser dans les rangs des hommes plus âgés.

À la mi-mars 1941, 30 000 jeunes Canadiens avaient suivi un entraînement militaire de 30 jours. Selon le nouveau programme de quatre mois on devait enseigner les principes de l'art militaire à 300 000 mobilisés par année. Ce programme ne permettrait pas d'entraîner un aussi grand nombre d'hommes, mais il serait plus complet. À la fin de l'année, environ 36 000 hommes devaient l'avoir suivi. On calculait qu'à cette époque, si on ajoutait le nombre des mobilisés entraînés selon le plan de 30 jours à celui des mobilisés ceux qui devaient l'être selon le programme de quatre mois, le Canada compterait de 115 000 à 120 000 jeunes gens tout à fait familiarisés avec la vie militaire.

Un point important du nouveau programme était qu'aucune exemption ne devait être accordée. Il devenait ainsi plus difficile d'éviter le service militaire en se mariant ou en ayant recours à d'autres échappatoires.

Par ailleurs, le recrutement dans la réserve, qui avait cessé en août 1940, à la suite de l'instruction militaire obligatoire au Canada, reprit à la mi-février 1941, depuis Halifax jusqu'à Vancouver ; les commandants de toutes les unités reçurent alors l'ordre de remplir leurs cadres pour renforcer l'armée active canadienne au pays ou combler les pertes subies par les unités en service outre-mer.

Dans le district militaire de Montréal, cette décision concernait notamment le régiment de Maisonneuve, le régiment de Châteauguay et les Fusiliers Mont-Royal.

En ce qui concerne l'armée active, un rapport rendu public à la Chambre des communes en février 1941 montrait qu'elle avait réussi à recruter 161 134 hommes en 17 mois, dont 30 028 au Québec, qui arrivait ainsi au deuxième rang pour le nombre d'enrôlements volontaires derrière l'Ontario.

Pour ce qui est de l'aviation, les chiffres ne portaient que sur une période de 13 mois, mais on relevait 23 601 recrues dans tout le pays, dont 2 715 au Québec, qui arrivait encore au deuxième rang, bien que très loin derrière l'Ontario.

Enfin, quant à la marine, le Québec n'avait fourni que 1 860 des 12 045 recrues des 17 derniers mois, ce qui le plaçait non seulement derrière l'Ontario, mais également derrière la Nouvelle-Écosse et presque à égalité avec la Colombie-Britannique qui n'avait fourni que quelques hommes de moins qu'elle.

Lors du déclenchement des hostilités, l'armée active et la réserve réunies de l'armée, de la marine et de l'aviation canadiennes comptaient moins de 100 000 hommes. À la fin de 1941, le Canada estimait avoir 500 000 hommes sous les drapeaux ou ayant subi un entraînement militaire d'au moins un mois. Ce résultat était le fruit d'une évolution lente mais constante.

Contrairement au corps expéditionnaire de 620 000 hommes recruté durant la guerre de 1914-1918, l'armée canadienne de la Deuxième Guerre mondiale s'est constituée sans recourir à des campagnes intensives de recrutement. Au milieu de 1941, le volontariat suffisait encore aux besoins de l'armée active et des mesures avaient été soumises au Parlement visant à renforcer la réserve.

On comptait envoyer de nouveaux contingents en vue de renforcer, au cours de l'année 1941, le corps expéditionnaire commandé par le lieutenant-général Andrew G.L. McNaughton. On estimait que les effectifs de ce corps dépasseraient 100 000 hommes à la fin de l'année.

De toute façon, à la fin de mars, le premier groupe de recrues de 21 ans appelées à faire leur entraînement militaire pour quatre mois partit pour les camps.

« Un mois ou quatre mois d'entraînement, la jeunesse canadienne ne s'en fait pas, écrivait-on dans *La Presse*. Nous l'avons constaté aujourd'hui, en assistant à des départs de recrues du district de Montréal. Aux gares de chemins de fer aussi bien qu'aux gares d'autobus, le même enthousiasme régnait. »

Des 4 690 recrues formant ce premier contingent, le Québec en avait fourni 1 440, dont 930 provenaient de la région de Montréal. Les recrues partant de Montréal étaient dirigées vers les camps d'instruction militaire de Saint-Jérôme, Joliette, Sherbrooke, Valleyfield, Sorel et Huntingdon. Les camps de Saint-Hyacinthe et de Farnham étaient réservés aux cours spéciaux pour sous-officiers et officiers.

Le nouveau commandant du régiment de Joliette, le major J.-Gérald Dubeau, profitait de l'occasion pour annoncer une grande campagne de recrutement pour cette unité.

Le ministre de la Défense nationale, J.L. Ralston, avait expliqué aux Communes que grâce au programme de « quatre mois » on entraînerait 5 000 hommes chaque mois pour la réserve et un nombre égal d'hommes pour l'armée active.

D'ailleurs, plus de 23 % des recrues du « programme de 30 jours » avaient exprimé le désir de s'enrôler ensuite volontairement dans l'armée active pour aller combattre dans l'armée outre-mer ou n'importe où ailleurs.

Les esprits s'échauffent

Malgré tout, le chef de l'Opposition à Ottawa, R.B. Hanson, déplorait que la loi ne permette pas au gouvernement d'envoyer les mobilisés combattre outre-mer, « après leur avoir donné quatre mois d'entraînement et dépensé une somme s'élevant déjà à $25 millions ». Le chef conservateur affirmait que le gouvernement devait avoir le courage d'aller jusqu'au bout et de s'assurer le droit absolu d'utiliser le service de ces hommes, et se prononçait donc, dès le printemps 1941, en faveur de la conscription pour service outre-mer.

Mais les esprits s'échauffèrent lors du débat à la Chambre des communes sur le budget de la guerre. Le ministre de la Défense nationale, Ralston exprima l'espoir que les Canadiens s'enrôlent en nombre suffisant pour répondre aux besoins de l'armée, sans qu'on ait besoin de recourir à la conscription militaire totale au pays, que réclamait à grands cris le députés conservateur de Hastings-Peterborough, le capitaine George White.

White, qui s'était présenté aux Communes revêtu de son uniforme militaire pour prononcer son discours provoqua la scène la plus tumultueuse de la session parlementaire. Il attaqua personnellement le ministre de la Justice, Ernest Lapointe, et clama que le reste du Canada en avait assez de se faire dicter sa conduite par la province de Québec. « Il y a d'autres provinces que le Québec dans le Canada ! », dit-il, s'en prenant à une déclaration de Lapointe selon laquelle le Québec était opposé à la conscription.

Ralston ne fit rien pour calmer les esprits en répliquant que les remarques de White sur la province de Québec étaient « indignes d'un membre du Parlement et d'un homme portant l'uniforme de Sa Majesté ».

White avait qualifié le programme d'entraînement obligatoire de 30 jours de « simple farce ». Maintenant que la période avait été portée à quatre mois, White disait espérer que ce programme serve à envoyer les hommes servir outre-mer, exigeait qu'ils continuent leur entraînement tout en étant affectés à la fin à des unités de réserve, bref que l'entraînement se poursuive de façon ininterrompue.

White avait même prédit qu'un jour le peuple du Canada se rendrait compte de « la faillite de l'aéronautique, de la vérité sur le manque d'équipement et sur le plan d'entraînement de 30 jours. Lorsque le peuple se rendra compte de toute la vérité sur la façon dont notre effort de guerre a été empêché, il déchirera votre gouvernement de la même façon que Winston Churchill dit que les armées de Grande-Bretagne déchireront l'empire de Mussolini ».

Un mois plus tard, à la fin d'avril, Ralston annonçait une nouvelle politique militaire, dictée par les exigences de la situation : les recrues faisant alors leur entraînement obligatoire de quatre mois seraient tenues de demeurer dans l'armée, une fois la période terminée, sous les drapeaux au Canada, la défense des côtes et à des fins de sécurité intérieure.

De plus, le recrutement se poursuivrait pour engager quelque 22 000 hommes pour servir outre-mer. Ce recrutement était jugé nécessaire pour que les régiments canadiens fassent le plein de leurs effectifs. Ralston avait ajouté que le service militaire au Canada et dans les eaux territoriales ne s'appliquait pas à Terre-Neuve qui ne faisait pas encore partie du Canada.

Mais le débat opposant partisans de la conscription aux tenants du recrutement volontaire pour remplir les rangs de l'armée active appelée à combattre outre-mer continua de faire rage de plus belle. L'ancien lieutenant-gouverneur de l'Ontario, Herbert Bruce, député conservateur de Toronto-Parkdale, réclama l'enrôlement militaire « par tirage au sort », comme cela se pratiquait aux États-Unis, seule façon efficace, selon lui, de régler les problèmes de recrutement de l'armée canadienne.

Ralston, qui venait de lancer un appel à la nation pour qu'elle fournisse avant la mi-juillet 32 000 recrues de façon volontaire pour combler les cadres du corps expéditionnaire outre-mer était outré. « Rien n'était plus propice à nuire à mon appel, peut-être même à en retarder le résultat », répliqua-t-il aux Communes.

« Nous sommes entrés en guerre comme un peuple uni.

« La Chambre a adopté la Loi sur la mobilisation des ressources nationales. Toutes les provinces du Dominion, Québec compris, ont accepté le service obligatoire de 30 jours. Toutes les provinces du Canada ont accepté le service militaire de quatre mois. Les jeunes gens du Québec se sont rendus au camp en plus grand nombre peut-être que ceux des autres provinces.

« Ma récente déclaration que les jeunes gens au camp pour une période d'instruction seront appelés à servir dans les unités de défense territoriale a fait l'objet d'un semblable accueil.

« Il n'est vraiment pas nécessaire à l'heure actuelle de préconiser un moyen du genre de celui qu'il a exposé. Nous avons encore au pays suffisamment d'hommes pour satisfaire aux besoins des armées de mer, de terre et de l'air et à la production industrielle.

« Au Canada, comment pourrait-il être à l'avantage du pays de préconiser une telle méthode avant même que la première campagne de recrutement soit véritablement lancée ?

« En 1917, cette même question a déchiré et divisé le pays. Aujourd'hui, nous avons l'unité. Travaillons donc à la conserver au lieu de semer le germe de la division au sein d'un effort de guerre qui me semble tout à l'honneur du pays.

« Je condamne fortement, tant chez les hommes publics que chez les autres citoyens cette tendance à préconiser d'autres moyens dont la nécessité n'est pas évidente. Cette tournure d'esprit nuit à notre effort de guerre et, surtout atténue l'effet de l'appel qui vient d'être lancé à la jeunesse.

« Au lieu de critiquer ou de préconiser d'autres moyens alors que la méthode suivie est celle qu'a adoptée un pays libre, qu'ils invitent donc les Canadiens à s'enrôler volontairement et à aider de plein gré le Canada dans son effort de guerre. »

Au tour d'Ernest Lapointe de se faire entendre
Pour sa part, dans une allocution radiophonique, le ministre de la Justice, Ernest Lapointe, lança un appel pressant aux Canadiens français pour que les jeunes gens aptes au service militaire se présentent le plus tôt possible aux bureaux de recrutement.

« Nous avons le choix entre la ruine et l'esclavage certains ou la lutte à fond pour sauvegarder notre foi, nos biens et notre liberté. Cette guerre est notre guerre à tous les Canadiens ; c'est une guerre pour notre survivance même.

« Ce que les Nazis veulent, c'est moins de conquérir des territoires et de travailler à la grandeur éventuelle d'une Allemagne élargie que de détruire une civilisation qu'ils sont incapables de comprendre ou de partager. C'est pourquoi ils s'attaquent à Dieu, à l'homme, ou à l'humanité, à la tradition familiale, à la sécurité et à la liberté des individus. Aux croyances et aux vertus que nous respectons, ils entendent substituer leurs vices, leur athéisme et leur haine de tout ce qui est noble et grand.

« S'ils venaient jamais au Canada, les Nazis ne nous traiteraient certainement pas mieux que les Polonais et les Tchèques, et probablement de pire façon, puisque nous représentons justement ces vertus morales sur lesquelles leur rage aime à s'exercer. Ils ne respecteraient sûrement pas mieux notre clergé que les prêtres polonais qu'ils ont fusillés et internés par centaines.

« La vérité, c'est que nous avons le choix entre la ruine et l'esclavage certains ou la lutte à fond pour sauvegarder notre foi, nos biens et notre liberté. Dans ces conditions, allons-nous nous en rapporter exclusivement à d'autres pour la défense de ce qui nous est le plus précieux ou encore escompter béatement de la Providence un miracle à notre usage particulier, quand notre religion elle-même nous fait un devoir suprême de nous défendre contre une injuste agression ? Allons-nous refuser de donner une partie de nos biens et courir le risque d'être ruinés à coup sûr ? Allons-nous jouer la perte totale de notre liberté contre le désir fou ou l'espoir sans fondement que les Allemands ne viendront jamais au Canada ou n'influenceront pas, par des moyens économiques, notre destinée de peuple indépendant et prospère ? Ce serait vraiment trop bête.

« C'est pourquoi, nous qui vous représentons à Ottawa, n'avons pas hésité à prendre en votre nom les mesures qui s'imposent pour le salut de notre patrie. Certes, il aurait été beaucoup plus aisé pour nous d'endormir vos craintes et de cultiver une popularité facile en exigeant moins d'efforts et de sacrifices, mais dans les circonstances, cette conduite n'aurait pu être qualifiée que d'un mot : trahison.

« Nous n'avons pas voulu trahir. Nous ne trahirons pas. Nous continuerons à prendre toutes les précautions que nous croyons utiles à votre salut, à organiser outre-mer et ici la défense de vos libertés. Et vous nous aiderez, car cette guerre est notre guerre à tous les Canadiens, c'est une guerre pour notre survivance même.

« Nous ne sommes pas les défenseurs de prétendus intérêts étrangers, mais nous défendons avec des hommes d'un autre sang des principes bien supérieurs aux intérêts économiques, au prestige d'une nation ou même à l'orgueil légitime du plus grand empire qui ait jamais existé. »

Aux jeunes Canadiens français, Lapointe ajouta que leur devoir était de répondre à l'appel qui venait d'être lancé pour grossir les rangs de notre armée.

« Je dis cela en toute tranquillité de conscience parce que je suis convaincu à la fois de la nécessité de ce geste et des conséquences fatales d'une abstention. On connaît mes sentiments sur ce point. Je ne les ai jamais cachés et ils n'ont pas changé. Je suis toujours pour l'enrôlement volontaire pour service en dehors du Canada. Ceux qui prônent le service obligatoire outre-mer rendent un mauvais service à notre effort national de guerre et à la grande cause de l'unité canadienne, si essentielle dans cette grande crise.

« Mes compatriotes de Québec, je serai fidèle aux promesses sacrées que j'ai faites. Vous pouvez compter sur moi. Je sais que je puis, moi aussi, compter sur vous, et que vous accomplirez, volontairement et fièrement, le devoir que la patrie vous demande. »

Mais tous ne partageaient pas l'avis de Lapointe. C'est ainsi que Maxime Raymond, député de Beauharnois-Laprairie et futur chef du Bloc populaire, déclara plutôt à la Chambre des communes : « Nous sommes entrés en guerre non pour des motifs humanitaires, mais uniquement parce que l'Angleterre a déclaré la guerre. L'Angleterre elle-même a déclaré la guerre pour protéger ses intérêts. »

Partant de là, Raymond avait blâmé l'importance de la participation du Canada à la présente guerre, la trouvant exagérée. Il fit remarquer qu'il avait suggéré en 1939 la tenue d'un plébiscite sur l'entrée en guerre du Canada, mais que le Parlement décida qu'il fallait déclencher la guerre immédiatement. Cette attitude fut approuvée aux élections générales de mars 1940.

« Depuis lors, il n'a plus été question de neutralité, mais seulement du degré de notre participation. »

Pour Lapointe, les vues de Raymond ne représentaient pas le sentiment de la province de Québec.

« La voix de Québec s'est faite entendre maintes fois dans les discours de ses chefs et par le succès qu'a couronné les appels lancés au sujet de toutes les œuvres de guerre.

« Le discours du député de Beauharnois-Laprairie facilitera l'infâme besogne des ennemis du Québec. Je me serais attendu que les événements survenus depuis le début de la guerre eussent modifié la façon de voir de l'honorable député.

« Comme tous les dirigeants spirituels et temporels de l'opinion publique, il devrait sûrement savoir que le sort même de la civilisation est aujourd'hui en jeu et que personne n'a le droit de rester neutre.

« S'il en est qui n'ont pas encore compris l'extrême gravité de l'heure pour le monde, pour l'Amérique, pour le Canada et la race canadienne-française, nous les supplions de réfléchir un peu. Aux heures du danger, la légèreté prend un caractère criminel. »

Le meilleur système à condition d'avoir des volontaires
Pour sa part, le colonel Georges Vanier, déclara au parc Jeanne-Mance, lors d'une manifestation publique en faveur du recrutement

qu' « une armée de volontaires est encore la meilleure armée du monde, parce que composée d'hommes librement déterminés à combattre et à vaincre et non contraints de le faire à la suite, simplement, d'une législation quelconque, mais à condition d'avoir des volontaires ».

Selon Vanier, « la ligne de défense du Canada dans la présente guerre n'est pas ici, mais au-delà de l'Atlantique. Le jour où l'Atlantique ne sera plus protégé par les flottes britanniques, canadienne et américaine, ce sera notre tour. Cela ne saurait faire aucun doute pour personne.

« J'ai vu en France, dit-il, toutes les horreurs que vous connaissez : ruines un peu partout, routes encombrées de réfugiés ne sachant, la plupart du temps, où ils allaient et perdant parfois en cours de route des êtres chers, tués par l'aviation ennemie, etc. Je fus également témoin, en Angleterre, d'horreurs non moins indescriptibles. Or, je ne vous demande pas de me croire, mais je vous dis, et si je vous le dis c'est que je le pense sincèrement, tout cela peut nous arriver un jour ou l'autre. »

À ce moment-là, les autorités militaires commençaient d'ailleurs à admettre publiquement que le recrutement de volontaires s'essoufflait. Le brigadier-général Édouard de Bellefeuille Panet et les membres du comité de recrutement insistaient notamment sur le fait qu'il y avait apathie dans les circonstances dans le public et que trop nombreux étaient ceux qui croyaient que l'Angleterre avait surtout besoin de munitions et non d'hommes, erreur la plus grave qui puisse être commise dans le moment, précisait-on.

Panet considérait lui aussi que « le système de l'enrôlement volontaire est le meilleur, mais encore faut-il que ceux qui le peuvent répondent à l'appel », nuançait-il.

Trois fois plus de volontaires qu'en 1914

Le 23 avril 1941, le *Vancouver Sun* avait publié un éditorial fort intéressant sur l'effort de guerre du Québec jusque-là :

« Le récent discours du cardinal Villeneuve à Toronto est un autre témoignage de l'entier appui donné par la province de Québec à l'effort de guerre. Ce prince de l'Église catholique qui exerce une si grande influence sur les Canadiens français nie en termes vigoureux la légende qui voudrait qu'une partie importante de la population québécoise désire s'isoler du reste du Canada. Il bénit notre effort de guerre et célèbre une Messe pour la Victoire dans Québec. Et il parle avec une si grande autorité spirituelle que l'on peut voir en lui le porte-parole de son peuple.

« La participation de la province de Québec ne se résume pas d'ailleurs à des discours. Il existe des faits et des chiffres, des hommes et des femmes, des usines, des canons, de la production enfin ; et il serait bon que tous les Canadiens s'en rendent compte.

« Au cours de la dernière guerre, que Québec ne considéra jamais comme la sienne, moins de 20 000 Canadiens français s'enrôlèrent dans l'armée canadienne de 500 000 hommes. Au début de cette année, l'effectif total de nos armées de terre, de mer et de l'air était de 229 700 hommes. Là-dessus, la part du Québec a été de 42 650 hommes et, de plus, de nombreux Canadiens français de l'Ontario et des autres provinces se sont enrôlés. Au moins 50 000 Canadiens français portaient l'uniforme en janvier et leur nombre a augmenté depuis.

« Ainsi Québec a donné jusqu'à trois fois plus d'hommes au pays qu'il ne l'a fait lors de la Première guerre, bien que l'enrôlement total au Canada soit encore la moitié de ce qu'il était en 1918. Voilà des chiffres remarquables. Comme le disait M. Leonard Brockington dans un discours prononcé récemment aux États-Unis, un des faits saillants de cette guerre est que cette race, qui n'est rattachée à la Grande-Bretagne ni par le sang ni par les sentiments, qui n'a pas de liens avec la France depuis 1 763, a accepté cette guerre parce qu'elle voyait clairement qu'il y allait de son avenir, de ses libertés et de son mode de vie.

« D'autres régions du Commonwealth se battent pour la Grande-Bretagne parce qu'elles sont britanniques. Les États-Unis sont encore britanniques par la langue et le sang. Mais le Canada français se bat parce qu'il voit dans le projet de la Grande-Bretagne, celui de la liberté partout, même dans la province de Québec. On doit à des chefs comme M. Lapointe et le cardinal Villeneuve et à la sage politique d'Ottawa le fait que cette vérité ait été comprise de tous les villages du Saint-Laurent. »

Dollard des Ormeaux et lutte contre Hitler : même combat

S'il y a eu, comme on l'a vu, de curieuses alliances entre l'Église catholique et les autorités politiques et militaires pour transformer en quasi-croisade religieuse l'engagement du Canada contre l'hitlérisme, il y a également eut de curieuses alliances, que trop d'historiens préfèrent passer sous silence, entre le mouvement nationaliste et les autorités militaires et civiles, du moins durant les premières années de la guerre.

C'est ainsi que, le 24 mai 1941, les autorités militaires et civiles s'allièrent aux porte-parole nationalistes de l'Association catholique de la jeunesse canadienne-française (ACJC) pour célébrer conjointement, au parc La Fontaine, la fête du héros de la Nouvelle-France popularisé par le chanoine Lionel Groulx, Dollard des Ormeaux, « mort au champ d'honneur », s'écrièrent les autorités militaires.

Non seulement le lieutenant-gouverneur du Québec, Sir Eugène Fiset, revêtu de son uniforme de major-général, était présent, mais il y avait également le brigadier-général Édouard de Bellefeuille Panet, commandant du district militaire de Montréal, le colonel Henri Desrosiers, sous-ministre de la Défense nationale, le lieutenant-colonel Georges Vanier, qui devait être promu général de brigade et commandant du district militaire de Québec peu après, le lieutenant de section Jean-Paul Desloges, grand blessé des combats aériens en Angleterre et que la RCAF montrait à toutes les écoles supérieures du Québec, et de nombreuses autres personnalités, dont nul autre que le premier ministre du Québec, Adélard Godbout.

Un défilé militaire couronna la cérémonie, accompagné par des cadets de l'armée et survolé par des avions, le tout destiné à rendre hommage à Dollard des Ormeaux et à proclamer que les soldats d'aujourd'hui étaient ses successeurs.

Serment solennel face au flambeau
Pareilles cérémonies où se mêlaient patriotisme, religion et propagande militaire avaient tendance à se multiplier.

« J'affirme ma foi en un Dieu Tout Puissant et je réaffirme ma loyauté et mon allégeance à Sa Majesté le roi et aux institutions britanniques.

« Je prends l'engagement solennel de porter bien haut le flambeau et de marcher côte à côte avec la mère-patrie et l'empire jusqu'à la Victoire et la Paix. »

Quelques jours avant la fête de la Saint-Jean-Baptiste de 1941, 16 000 personnes réunies au stade Molson répétaient avec le maire Raynault ce serment de foi et de patriotisme.

Tête nue, debout et dans un silence impressionnant, la foule se tint à l'attention pendant que le Flambeau de la victoire, symbole de l'unité canadienne, porté par quatre agents de la Gendarmerie royale, s'avançait majestueusement vers l'estrade d'honneur. La croix du mont Royal brillait de tous ses feux ; une réplique du monument de Vimy découpait dans le ciel, mais sa silhouette blanche éclairée par les flammes rouges de 500 torches qui formaient une haie d'honneur au symbole constituait le thème concret de l'inoubliable manifestation.

La Presse affirmait que rarement on avait vu à Montréal cérémonie mieux conduite, plus évocatrice et d'un ton aussi juste.

« Lorsque le flambeau fit son apparition sur la piste du stade et que les 36 Union Jack portés par les fiers cadets du Mont Saint-Louis déployèrent dans le vent du soir leurs couleurs soyeuses, ce fut un tonnerre d'applaudissements suivi d'un silence respectueux. Le loyalisme, la volonté de vaincre, la détermination de toute une nation étaient symbolisés par ce flambeau, par ces drapeaux, et la foule comprenait qu'elle vivait des moments historiques.

« Aussi est-ce avec ferveur qu'elle fit retentir l'hymne national marquant la fin d'une cérémonie dont le souvenir et la signification resteront vivaces dans toutes les mémoires. »

Canadiens français, votre pays est en danger !
Pour couronner tous ces appels en faveur de l'enrôlement volontaire, le comité de recrutement fit paraître de grandes annonces publicitaires dans tous les médias francophones du Québec, lançant un appel spécial aux Canadiens français. Le texte de cet appel se lisait ainsi :

« Canadiens français,

« Votre pays est en danger, il faut le défendre !

« Faites votre devoir — Enrôlez-vous !

« Le peuple canadien comprend la gravité de la situation. » Hitler et ses hordes barbares achèvent de ravager l'Europe, de la dominer, de la réduire en esclavage. Dès que le régime nazi s'est installé dans un pays, il n'y a plus de liberté pour personne. Les jeunes gens sont enrégimentés de force puis envoyés dans des régions éloignées, soit pour se battre, soit pour exécuter des travaux pénibles dans les camps de travail et les usines, où les heures sont longues et la paye minime. Vous tous, jeunes Canadiens français d'âge militaire, vous êtes appelés à défendre le beau pays du Québec, nos foyers, nos libertés. La patrie compte sur vous à cette heure décisive de notre histoire.

« Quels que soient votre emploi, vos aptitudes, vos goûts, vous pouvez rendre d'inestimables services en vous enrôlant dans l'armée canadienne.

« Vous y trouverez des jeunes gens de votre âge, actifs, fiers de porter l'uniforme, de manœuvrer des canons anti-aériens, de conduire des chars d'assaut, désireux d'apprendre le fonctionnement de tous les merveilleux engins de guerre modernes dont l'armée canadienne est amplement pourvue.

« L'industrie canadienne produit en abondance les armes et les munitions dont vous aurez besoin pour combattre et vaincre l'armée partout où elle se dressera. L'armée canadienne vous offre une bonne solde, de l'avancement, des distractions ; elle accorde de généreuses allocations à votre famille, si vous êtes mariés ou si vous avez des vieux parents qui comptent sur vous. Vous y trouverez des officiers canadiens-français sympathiques et soucieux du bien-être de leurs hommes.

« Le Pays a les yeux sur vous.

« Sous le régime nazi, vous seriez enrôlés de force ; ici on vous demande de vous engager volontairement. On fait appel à votre cœur, en même temps qu'à votre raison, sachant que vous connaissez votre devoir et que vous n'attendrez pas, pour prendre les armes, que les horreurs de la guerre se soient étendues à nos villes et à nos villages. Il faut arrêter l'ennemi là-bas, outre-mer. Hésiter serait fatal. Si nous perdions la guerre, nous perdrions tout. Canadiens français, jamais plus lourde responsabilité n'a pesé sur les épaules d'une jeune génération.

« L'armée active du Canada a besoin de 32 000 hommes.

« Enrôlez-vous tout de suite. On a besoin d'artilleurs, d'ingénieurs, de signaleurs, de conducteurs de voitures blindées et de chars d'assaut ainsi que de tout un personnel pour les transports et approvisionnements, services médicaux, l'intendance et autres branches du service.

« Présentez-vous au bureau de recrutement le plus proche. Renseignez-vous sur les divers services de l'armée. Choisissez l'emploi qui convient à vos aptitudes. Enrôlez-vous tout de suite, vous serez fiers de vous !

« Il y a urgence... Que tous les jeunes gens vigoureux et braves s'enrôlent !

« Présentez-vous sans retard au bureau de recrutement. Vous y recevez le meilleur accueil. »

Pas de conscription avant de consulter la population

Le 1er juillet 1941, à l'occasion de la Fête du Canada, le premier ministre du Canada William Lyon Mackenzie King réaffirma catégoriquement son engagement à ne pas établir la conscription pour le service outre-mer, du moins pas avant d'avoir fait appel au peuple par voie d'élection générale sur la question ou par voie de référendum. Cette déclaration est passée à l'histoire comme voulant dire « la conscription si nécessaire mais pas nécessairement la conscription ».

En fait, ce que Mackenzie King dit ce jour-là, à Victoria, en Colombie-Britannique, c'est que « s'il se produisait une situation où les représentants du peuple au parlement croyaient qu'il faudrait renverser cette politique [de ne recourir qu'à l'enrôlement volontaire pour service outre-mer], nous aurions le temps de considérer le meilleur moyen de connaître la volonté du peuple quand le parlement lui-même aura déclaré son opinion ».

Mackenzie King avait rappelé ses promesses faites au parlement et au peuple contre la conscription pour service outre-mer et pour le maintien de ce service sur une base de volontariat. Cette pratique a été réaffirmée durant la campagne électorale de 1940 et approuvée par le peuple, dit-il.

Au sujet de la campagne de recrutement, Mackenzie King déclara alors qu'on n'a jamais trouvé de plus faible excuse pour ne pas répondre à l'appel que celle donnée par certains qui disent qu'ils sont prêts à servir si d'autres sont forcés de servir.

La campagne porte fruit

Puis le 11 juillet, les quartiers généraux de la campagne de recrutement de l'armée active pour service outre-mer annonçaient non seulement l'objectif de 32 400 hommes était atteint, mais qu'il serait dépassé pour atteindre près de 35 000 hommes jugés aptes à servir dans l'armée active.

Cela dit, on ajoutait aussitôt que, malgré tout, le besoin d'hommes était devenu tel que, malgré le succès de la campagne, on devait intensifier encore, si possible, le recrutement des volontaires, particulièrement celui des hommes de métier prêts à servir dans l'armée.

Quelques jours plus tard, *La Presse* se réjouit en éditorial de ce succès qui, espérait-on, clouerait le bec aux partisans de la conscription à tout prix :

« De même que la campagne en faveur de l'Emprunt de la Victoire avait donné bien au-delà de la somme désirée, ainsi la campagne de recrutement pour remplir les cadres de l'armée active du Canada a dépassé l'objectif. Les autorités militaires avaient fixé un minimum de 32 000 recrues ; pendant les deux mois qu'a duré l'exercice, pas moins de 48 000 volontaires se sont présentés, mais un assez grand nombre n'ont pu satisfaire aux exigences médicales. Il reste cependant 34 625 sujets qualifiés versés dans les forces actives.

« C'est un beau succès. Le ministre de la Défense nationale, en remerciant les ouvriers de la dernière campagne, s'est déclaré content du résultat, de même que le brigadier-général Édouard de Bellefeuille Panet, commandant du district militaire de Montréal. Notons aussi les paroles élogieuses que le très honorable Malcom MacDonald, haut commissaire du Royaume-Uni au Canada, a formulées à l'adresse du Québec : "Je suis grandement impressionné et encouragé par ce que j'ai vu de l'effort de guerre de la province de Québec", a dit notre hôte distingué. Et il avait en vue non seulement le recrutement mais aussi la production d'armes et de munitions. Nous ne tirons certes pas en arrière des autres et nous pouvons nous rendre le témoignage d'accomplir notre devoir dans les circonstances actuelles.

« Cependant, si la campagne de recrutement est terminée, l'enrôlement des volontaires pour l'armée active n'est pas terminé. Il se poursuivra d'une façon continue et l'on espère qu'il fournira une moyenne de 7 000 hommes chaque mois ou environ 85 000 au bout de l'année. C'est dire que le patriotisme et le dévouement des populations canadiennes auront maintes occasions encore de s'exercer. Les mêmes raisons qui ont persuadé les 34 625 recrues des dernières semaines ne cessent de valoir auprès de ceux qui songent à s'enrôler. Le Canada devrait réunir sans peine les effectifs dont il a besoin.

« Les partisans de la conscription à tout prix n'ont pas vu avec joie le succès du recrutement volontaire ; ils auraient fort probablement préféré qu'il échouât. Continuons de leur prouver que cette mesure est inutile, que les Canadiens comprennent leurs obligations et sont prêts à les remplir généreusement ! Lorsque, plus tard, nous établirons le bilan de la guerre, nous serons encore plus heureux de nous rappeler que le volontariat est demeuré à la base de la coopération que nous avions promise aux alliés : ce que nous aurons fait, ce que nous aurons donné, nous l'aurons fait et donné de plein gré et de grand cœur. »

« CHUBBY » POWER
ET L'ESCADRILLE ALOUETTE

« Nous sommes au courant des obstacles rencontrés par les jeunes Canadiens de langue française qui ont si généreusement offert leurs services au pays. L'étude d'une science compliquée dans une langue qui ne leur était pas familière était particulièrement ardue et cependant, beaucoup d'entre eux s'y sont mis avec une détermination remarquable. La difficulté n'en restait pas moins sérieuse. »

C'est pourquoi, après avoir tenu ces propos cités, le sous-ministre de l'Air, J.S. Duncan, qui portait la parole au début de septembre 1940 devant le Club Canadien de la ville de Québec, annonça l'ouverture prochaine d'un centre aérien pour les recrues à Québec. Ce centre serait situé dans les locaux de l'ancien hospice Saint-Charles et commandé par le futur vice-maréchal de l'air Adélard Raymond.

Dans cette école, annonçait Duncan, qui, né en France et y ayant vécu 25 ans, s'exprimait avec facilité en français, les jeunes Canadiens français pourront suivre un cours d'anglais qui supprimera pour la suite de l'entraînement le handicap créé par la question de la langue. Certains élèves de cette école termineront leur cours assez vite, grâce à leur connaissance préalable de la langue anglaise. Mais les autres ne perdront pas de temps non plus, puisque cette école de Québec les familiarisera avec les premiers stades de l'entraînement et leur fournira une base précieuse pour les années suivantes.

« On peut se demander pourquoi il est nécessaire d'enseigner l'anglais à ces jeunes gens, pourquoi l'on ne forme pas des équipages entièrement canadiens-français ?

« C'est que les hommes instruits en vertu du plan voleront avec des aviateurs anglais, dont ils devront connaître la langue assez bien pour éviter tout malentendu ou tout retard dans les communications en cas d'urgence.

« De nombreux centres du plan d'entraînement sont ouverts ou en cours de construction dans la province de Québec. Nous aurions préféré en construire un plus grand nombre dans cette province, mais nous avons été limités par la nature du sol et les conditions climatiques. C'est ce qui nous a obligés à nous limiter à la région des environs de Montréal, de Windsor Mills et du Cap-de-la-Madeleine.

« Ce plan d'entraînement des aviateurs ne comporte pas de plus bel aspect que la vue des Canadiens français et de leurs frères d'armes de l'Ontario et de l'Ouest, unis et résolus, suivant les mêmes cours en vue du même but et inspirés par le même amour de la liberté, de la démocratie et de la justice. Membres d'une même équipe, le pilote, l'observateur et le mitrailleur dépendent l'un de l'autre et en arrivent rapidement à un esprit de collaboration digne de la fameuse devise des mousquetaires de Dumas : "Tous pour un, un pour tous". Il y a lieu d'espérer que cette camaraderie pendant l'entraînement et durant le service produira un nouveau type de citoyens libéré de tout préjugé. »

Désireuse de mettre toutes les chances de son côté, l'aviation canadienne avait fait inaugurer l'école d'aviation de Québec par nul autre que le primat de l'Église catholique canadienne, le cardinal Rodrigue Villeneuve. Celui-ci déclara aux 600 cadets-aviateurs qui y étaient réunis que « l'élément canadien-français se montrait ainsi dans toute sa valeur ».

En présence du commandant de l'école, le chef d'escadrille Adélard Raymond, et d'un autre chef d'escadrille, un réserviste celui-là, Victor Doré, qui occupait le poste très important au Québec de surintendant de l'Instruction publique, en plus d'agir à temps partiel comme conseiller pédagogique de l'école d'aviation de Québec, le cardinal Villeneuve avait lancé : « Depuis quelques semaines, j'apprends la fonction d'inspecteur militaire. Je suis allé dans les camps et jusqu'au Nouveau-Brunswick où j'ai vu une escadrille d'aviateurs. J'en ai éprouvé une joie canadienne et chrétienne. Ce matin, je suis venu à l'école d'aviation que nous sommes si heureux d'avoir à Québec et je veux vous dire que le public met une grande confiance en vous, compte sur vous. »

Une escadrille canadienne-française
Le 28 septembre 1940, *La Presse* titrait : « Les nôtres ont accès à l'aviation. » Un sous-titre ajoutait : « Ce corps de la défense nationale est ouvert à tout Canadien français. »

En effet, dès septembre 1940, une escadrille de la Royal Canadian Air Force (RCAF), dont le personnel était composé presque exclusivement de Canadiens français, était établie dans les environs d'un port de l'Est du Canada. Avant la guerre, précisait-on, cette escadrille formait une unité de service actif non permanent à Montréal.

On mentionnait même les noms de quelques-uns de ces officiers : son commandant, le lieutenant de section Vadeboncœur et les officiers d'aviation Émond, Saint-Pierre, Mongeau, Richer, Labelle et Bourbonnais. Promu commandant d'escadre (lieutenant-colonel d'aviation), J.-M.-W. Saint-Pierre devait par la suite commander la 425e escadrille de bombardiers, mieux connue sous le nom d'escadrille Alouette et dont la devise, sur son écusson officiel, était justement, en français, le traditionnel refrain « Je te plumerai ».

Quoi qu'il en soit, en septembre 1940, un officier aviateur francophone, non identifié, déclara à *La Presse* : « Dites à tous que le corps d'aviation est entièrement ouvert à tous les Canadiens français. Vous savez quand un Canadien français lit un article sur l'aviation, les noms mentionnés sont généralement ceux d'Anglais, d'Écossais ou d'Irlandais. C'est sur nous qu'il faut faire porter le blâme puisque nous n'avons pas assez d'hommes canadiens-français dont les noms apparaissent dans les journaux. C'est pourquoi plusieurs des nôtres s'imaginent que les portes de la défense aérienne leur sont fermées, ce qui est erroné.

« Nous combattons pour une cause, celle de la liberté humaine. Le Canadien français voudrait faire sa part aussi parce qu'il reconnaît que c'est une lutte juste et logique. Il ne craint pas la mort. C'est une des caractéristiques primordiales du "gars" du Québec.

« S'il est intelligent et éduqué, il pourra aussi facilement que quiconque remplir les fonctions d'un officier, tout autant qu'un individu d'une race ou origine étrangère. »

La création de l'escadrille Alouette

Déjà, en janvier 1941, pour activer l'enrôlement, la RCAF, sous le titre de « La Grande Aventure vous attend ! » lançait, en français, une immense affiche mesurant 84 centimètres de hauteur par 51 centimètres de largeur. Un aviateur, photographié dans la carlingue de son avion, en tenue de vol grise, se détachait nettement sur un fond bleu horizon, tandis que le rouge incarnat, en bordure de la carlingue, s'alliait au bleu foncé où apparaissait le vocable de la RCAF, francisée, pour les besoins de la cause, en Corps d'aviation royal canadien (CARC). Pour terminer, on avait ornée l'affiche du disque caractéristique de l'aviation canadienne avec au centre la feuille d'érable.

À l'été 1941, Charles Gavan « Chubby » Power, député de Québec-Ouest depuis 1917, qui était ministre de l'Air depuis mai 1940, intervint pour que la RCAF prenne des mesures nécessaires pour recruter un plus grand nombre de francophones, en particulier au Québec. Des officiers bilingues visitèrent les écoles et les collèges ; on ouvrit un bureau de recrutement et on forma une équipe mobile pour recruter à la grandeur de la province. On donna même des cours spéciaux à Cartierville pour entraîner des mécaniciens francophones.

Powers voulait assurer aux aviateurs canadiens-français une chance de servir à part entière dans la RCAF, comme cela se faisait dans l'armée au sein du Royal 22e Régiment, des Fusiliers Mont-Royal, du régiment de Maisonneuve ou du régiment de la Chaudière. C'est pourquoi, à l'automne 1941, Power exprima l'intention de former une escadrille canadienne-française reconnue qui vit finalement le jour en juin 1942 sous le titre d'escadrille Alouette.

Mais, s'il faut en croire les historiens Jean Pariseau et Serge Bernier, le projet rencontrera à ses débuts une vive opposition.

Le vice-maréchal de l'air L.F. Stevenson, officier commandant de la RCAF outre-mer, trouvait que le ministre manquait une occasion en or de fondre ensemble Canadiens français et Canadiens anglais. Il s'opposa donc à la proposition.

Son successeur, le vice-maréchal de l'air H. Edwards, chercha à s'opposer au projet lui aussi. Il fallait s'attendre à de graves répercussions si une escadrille canadienne-française subissait des pertes excessives lors d'une mission, allégua-t-il. Puis, ajouta-t-il, les aviateurs canadiens-anglais avaient eu assez de difficulté à s'habituer à l'accent « cockney » de beaucoup de leurs collègues britanniques sans devoir s'habituer à celui des francophones.

Quant au ministère britannique de l'Air, même s'il ne voyait pas l'idée d'un bon œil, il ne s'y opposa pas formellement, mais il insista pour que le Canada forme une escadrille de bombardement plutôt qu'une escadrille de chasse. Ce qui fut fait. Et c'est ainsi que naquit la 42e escadrille de bombardiers lourds, mieux connue sous le nom d'escadrille Alouette.

Des héros francophones

S'il fut difficile d'implanter le bilinguisme dans l'aviation, et encore plus difficile de créer une escadrille canadienne-française, l'aviation canadienne fit des efforts louables, non seulement pour recruter des francophones, mais également pour mettre en valeur ceux des nôtres qui s'y illustraient.

Le premier à être ainsi honoré fut le vice-maréchal de l'air J.-L.-E.-A. de Niverville. Capitaine de groupe (équivalent de colonel dans l'armée) à l'automne 1940, était néanmoins le plus haut gradé des officiers de langue française de la RCAF.

C'est à de Niverville qu'incombait la tâche de surveiller l'enrôlement des milliers de candidats désireux de s'engager dans l'aviation canadienne. Tous les centres de recrutement disséminés dans tout le Canada relevaient automatiquement de lui.

Né à Montréal le 31 août 1897, J.-L.-H.-A. de Niverville s'était établi, très jeune à Ottawa. Durant la Première Guerre mondiale, il combattit outre-mer et capitaine, il fut blessé sur le champs de bataille en France. À sa sortie de l'hôpital, il se vit confier la mission de former les pilotes de la Royal Air Force (RAF), basés au camp d'aviation de Shawburg, en Angleterre. Il occupa ce poste jusqu'en janvier 1919. Il reçut alors l'ordre de revenir au pays.

Instructeur d'aviation à plusieurs reprises, d'abord au Camp Borden, en Ontario, puis à Vancouver, où il fut également commandant en second de la base aérienne de Jéricho Beach, de Niverville entra au quartier général de la RCAF en septembre 1927.

De Niverville fut ensuite dépêché à l'école de guerre d'Andover, en Angleterre, où il passa une année, de décembre 1932 à décembre 1933.

Le 15 janvier 1936, de Niverville fut promu chef d'escadrille (l'équivalent de major dans l'armée). Un mois plus tard, il fut muté au quartier général de Montréal où il remplit pendant trois années les fonctions d'officier major du service de l'air. Muté à nouveau au quartier général de la RCAF à Ottawa en février 1939, il fut promu commandant d'escadre, (l'équivalent de lieutenant-colonel dans l'armée) en avril.

Au début de 1940, de Niverville et deux autres officiers de la RCAF firent une tournée des aménagements de la RAF en Angleterre et en France afin d'enquêter sur les méthodes suivies par l'aviation britannique. Cette tournée aboutit à une étude qui se concrétisa par l'aménagement du colossal programme d'entraînement aérien du Commonwealth, la plus grande entreprise du genre lancée au Canada. Le but de ce programme était de fournir en nombre toujours plus grand des équipages navigants et du personnel sédentaire pour les avions britanniques.

À noter que de Niverville ne faisait pas que consacrer sa vie à l'aviation. Marié en 1920, il avait vingt ans plus tard pas moins de treize enfants, dix garçons et trois filles, et son fils aîné, l'officier-pilote Gilles de Niverville, avait suivi ses traces en s'enrôlant à son tour dans la RCAF à 19 ans.

En octobre 1941, de Niverville devenait le premier Canadien français de l'histoire militaire canadienne à être promu au grade de commodore de l'air (l'équivalent de général de brigade dans l'armée) et commandant de la 3ᵉ région d'entraînement aérien, dont le quartier général était à Montréal.

Le lieutenant de section Jean-Paul Desloges

Un autre officier aviateur canadien-français, véritable héros de guerre, dont les exploits furent largement rapportés, fut le lieutenant de section (capitaine d'aviation) Jean-Paul Desloges. Celui-ci faisait partie d'un contingent de 230 officiers, soldats et aviateurs, qui étaient revenus d'outre-mer malades ou blessés à la fin de novembre 1940.

À la fin de janvier 1941, Desloges devait faire à nouveau les manchettes, se voyant décerner le trophée réservé chaque année à « l'athlète le plus courageux » par la Philadelphia Sporting Writers Association. C'était la première fois qu'un tel honneur revenait à un Canadien, de langue française par surcroît.

L'événement était d'autant plus digne de mention qu'il s'agissait de la première fois en 37 ans que la Philadelphia Sporting Writers Association décernait son trophée à un athlète étranger.

C'était également la première fois que la distinction n'était pas accordé à un athlète pour un exploit sportif proprement dit. Le jury avait en effet choisi d'honorer la bravoure et l'intrépidité d'un « chasseur » de type particulier, en l'occurrence un pilote de chasse canadien-français, membre de la fameuse escadrille de chasse nᵒ 1 de la RCAF qui combattait avec distinction en Angleterre depuis déjà plusieurs mois.

Le public, estimé à plus de 1 000 convives réunis à l'hôtel Benjamin Franklin de Philadelphie, avait réservé une immense ovation à l'officier canadien-français d'Ottawa. Toute l'élite du sport, ainsi que des représentants de la finance, des hommes d'État et des chefs de l'industrie et du commerce, tant américains que canadiens, ont acclamé le héros de l'heure.

Les orateurs ont exalté le courage et la fermeté d'âme du jeune officier canadien-français qui avait perdu un œil outre-mer au cours d'un combat aérien au-dessus de l'Angleterre. On a vanté son courage, alors que, gravement brûlé, il a dû sauter de son avion en flammes à une altitude de 5 000 mètres et exécuter une périlleuse descente en parachute sous les balles ennemies. De même, a-t-on souligné le fait que cet aviateur du Canada avait antérieurement abattu deux appareils nazis.

Par un heureux concours de circonstances, Desloges avait été l'objet de cette manifestation d'estime internationale, au moment où le gouvernement canadien avait décidé de l'envoyer en mission spéciale. Comme il était bachelier ès arts et qu'il avait fait ses preuves devant l'ennemi, la RCAF venait de lui confier la tâche de prononcer des conférences dans les universités, les collèges et les écoles supérieures de la province de Québec.

« *Le flight lieutenant* Desloges a bien mérité de la patrie », pouvait-on lire dans *La Presse*. Au cours de son stage aux avants-postes de la liberté, il a accompli héroïquement son devoir et s'est montré digne de sa race. Chaque fois que l'occasion s'est offerte d'affronter les escadrilles allemandes, c'est avec une ardeur virile et un brio contagieux qu'il s'est comporté.

« C'est pourquoi les Américains ont voulu saluer en lui tous les Canadiens qui combattent dans l'aviation, tous ces vaillants jeunes gens, qui avec simplicité et dans le plus complet détachement d'eux-mêmes, s'enrôlent crânes et sublimes vers le destin.

« Les exemples de bravoure, de patriotisme militant que donnent à l'univers ces natures généreuses sont une inspiration féconde pour tous ceux qui aiment profondément la liberté et qui sont prêts à se battre pour la sauvegarder. »

Deux jours plus tard, Paul-E. Parent, propagandiste du ministère de l'Air, déclarait qu'il aurait été difficile de trouver un homme mieux qualifié que le lieutenant de section Desloges pour bien comprendre quel rôle jouait l'aviation dans le conflit en cours. Pilote d'une grande expérience, doué d'une énergie indomptable, il avait vu et s'était rendu compte par lui-même que ce n'était qu'avec une force aérienne égale sinon supérieure à celle de ses ennemis que la Grande-Bretagne s'assurerait la victoire finale.

Parent ajoutait qu'en tant que pilote, Desloges avait bien « gagné ses épaulettes ». Plus d'une fois même, ayant été blessé dans les airs, il a dû se jeter dans le vide d'une hauteur de 5 000 mètres. Il y a perdu un œil et a été grièvement blessé. Grand chrétien, il a d'abord remercié le Ciel de s'en être tiré ainsi.

À son retour au Canada, tout couvert de gloire, au moment où on le félicitait de ses exploits d'outre-mer, Desloges s'est contenté de dire : « Je ne veux pas poser au mélodrame ; je ne suis ni plus ni moins qu'un autre. Mais si je suis encore vivant aujourd'hui, je crois le devoir à cette statuette. »

Et tout bonnement, Desloges avait montré une statuette de Notre-Dame-du-Perpétuel-Secours, que sa mère lui avait remise avant son départ pour outre-mer, « afin de le protéger, lui avait-elle dit, contre les mauvais coups ». D'après les rapports officiels, Desloges avait alors descendu au moins deux avions ennemis.

« Ce soir-là, comme Desloges le raconte lui-même, j'étais à attaquer un bombardier nazi qui faisait partie d'un groupe imposant. Soudain, un chasseur d'escorte Messerschmitt que je n'avais pas vu m'arrive sur le dos et ouvrit le feu dans ma direction. Comme d'habitude, je portais mon costume des pilotes de chasse britanniques, avec masque à gaz et appareils de sans fil. L'ennemi visa juste, mais le projectile, qui m'aurait sûrement tué raide, vint donner contre un de mes écouteurs de radio. Il va sans dire que le choc fut terrible, mais je ne perdis pas connaissance.

« À cet instant même, je pensai à ma statuette qui ne me quittait jamais. Le projectile, après avoir ricoché contre mon oreille, mit le feu à mon appareil. Je me trouvais alors à 15 000 pieds du sol. Je réussis à sortir de l'avion et me jetai dans le vide avec mon parachute. Je me laissai descendre quelque 1 000 pieds, puis je l'ouvris. Je m'évanouis en touchant le sol. »

Guéri de ses blessures, Desloges se trouva incapable de poursuivre sa carrière de pilote, mais il voulait quand même continuer la lutte. C'était dans ce but qu'il s'était lui-même offert pour donner des conférences sur l'aviation dans les universités, les collèges et les écoles supérieures de langue française de la province de Québec.

Conférencier quelques semaines plus tard devant le Corps-école d'officiers canadiens de l'Université de Montréal, Desloges avait d'ailleurs affirmé avec force que les Canadiens français avaient toutes les qualités requises et qu'ils auraient leurs escadrilles et leurs écoles d'entraînement, dès qu'ils seraient en nombre suffisant.

« On nous a souvent demandé, précisa Desloges, pourquoi nous n'avons pas nos unités canadiennes-françaises. La raison en est bien simple. Jusqu'à aujourd'hui, nous n'avons jamais eu assez de pilotes canadiens-français. Le ministère de l'Air m'a informé que si la jeunesse du Québec répond à l'appel en nombre suffisant pour la formation et la relève d'unités à nous, nous aurons nos escadrilles canadiennes-françaises et nos écoles d'entraînement.

« Il n'y a pas un Canadien français qui, pourvu du degré d'instruction requis et d'une santé normale, ne puisse devenir un excellent pilote. Nos qualités raciales, notre intelligence vive, lucide, notre nature hardie et combative, tout nous dispose admirablement au rôle d'aviateur. Plusieurs de nos jeunes gens craignent de s'enrôler dans l'aviation parce qu'ils ne sont pas très familiers avec la langue anglaise. Ils ont tort. Car, en quelques semaines, ils peuvent obtenir une connaissance suffisante de la langue anglaise pour faire partie de l'aviation canadienne. »

Cela dit, Desloges tenta de démontrer qu'il était néanmoins indispensable que chaque membre de la RCAF parle et comprenne l'anglais.

« Je sais, dit Desloges, que j'aborde là une question très délicate. Mais il faut absolument vous l'expliquer. J'admettrai d'abord, et sans hésitation, qu'on peut piloter un avion aussi bien en français qu'en anglais. Pour ma part, j'ai souvent accablé mon avion d'épithètes choisies dans les deux langues. Mais lorsque je dis qu'il y a nécessité absolue pour nos pilotes d'apprendre l'anglais, c'est parce que là-bas, c'est-à-dire outre-mer, il faut une langue commune pour amener une collaboration parfaite de tous les aviateurs. Nos pilotes sont appelés à travailler avec des gens de six ou sept nationalités différentes, il est donc impossible que les ordres leur soient donnés dans leurs langues respectives.

« Une langue commune, je le répète, est indispensable et cette langue doit être nécessairement de langue anglaise puisque nous combattons sous les directives de la Royal Air Force. Quand une escadrille est dans l'air, il ne faut pas le moindre manquement, la moindre perte de temps. Les ordres doivent être exécutés avec la vitesse de l'éclair. Il faut que chaque aviateur soit en mesure de saisir à la seconde les ordres qui lui sont transmis, soit par les autres aviateurs, soit par le poste de contrôle. »

Le plus jeune pilote en service actif

Par ailleurs, un autre aviateur québécois, Roméo Blanchette, devait faire parler de lui. C'est en effet à ce jeune Canadien français de Québec que revient l'honneur d'avoir été le plus jeune pilote en service actif en Grande-Bretagne. Enrôlé en avril 1940, il recevait ses ailes de pilote en août et était immédiatement muté en Angleterre où il participait quotidiennement depuis à des raids au-dessus de l'Allemagne. Ses camarades de combat l'appelaient « le bébé de l'escadrille ».

Mais il n'y avait pas que les héros consacrés. Le 11 décembre 1940, par exemple, *La Presse* publiait une photo d'un groupe d'aviateurs canadiens-français composé de Laurent Corbeil, de Montréal, Yves Barrette, de Québec, Edgar Léveque, de Campbelton au Nouveau-Brunswick et Maurice Dufour, de Québec. Le journal précisait que la RCAF « compte dans ses rangs une multitude de Canadiens français désireux de devenir célèbres ».

Si on parlait peu des Canadiens français qui servaient dans la marine, l'aviation, elle, a fait des efforts louables et fructueux de relations publiques en milieu francophone. C'est ainsi qu'en février 1941, on faisait savoir que « le nombre de recrues, et particulièrement les recrues canadiennes-françaises, s'accroît sans cesse dans le corps d'aviation royal canadien. C'est que les nôtres, nous assure-t-on, s'adaptent de façon surprenante au concept de l'aviation. Ils comprennent très vite, sont braves et enthousiastes ».

Pour prouver ce qu'on avançait, on publiait une photo de groupe sur laquelle figuraient l'aspirant radio-télégraphiste Raymond Savard, de Cap-à-l'Aigle ; l'aspirant pilote Edgar Ferland, ancien élève du collège Sainte-Marie de Beauce ; l'aspirant radio télégraphiste à terre Marcel Gouin, de Chicoutimi ; l'aspirant mécanicien C.-Auguste Dufresne, de Trois-Rivières ; l'aspirant magasinier Joseph Javelle, de Rockland et l'aspirant observateur Roger Gauvreau, de Montréal.

En d'autres occasions, on vanta les mérites de « nos as à nous » ou encore de « nos hommes-oiseaux ». On y présentait quelques-uns des Canadiens français qui faisaient partie de l'aviation militaire :

— le lieutenant de section Émile Paquin, commandant du centre de recrutement de Québec, et qui avait servi au sein de la RAF en 1914-1918, après avoir d'abord servi dans le 22e bataillon canadien-français ;

— l'aviateur Bernard Dagenais, dont le père, le capitaine Bernard Dagenais, avait servi comme capitaine médecin sur le front français durant la Première Guerre mondiale, ancien journaliste et professeur à l'École du Meuble de Montréal ;

— le lieutenant de section Louis Dubuc, de Montréal, attaché à la région de la côte de l'Est, faisant la surveillance des routes maritimes à bord de gros bombardiers ou d'hydravions. On mentionnait que lui et ses collègues « sont d'une compétence et d'un courage d'autant plus méritoire qu'ils s'exercent dans la solitude, sans bruit et sans gloire » ;

— le commandant d'escadre Marcel Dubuc, ancien pilote de 1914-1918, qui était commandant en second de l'École d'aviation de Saskatoon, en Saskatchewan en février 1941 ;

— le lieutenant de section Robert Landry, pilote de 1914-1918, alors rattaché au Centre de recrutement de Montréal ;

— l'officier d'aviation Louis Gélinas, de Montréal, qui faisait partie du Centre de recrutement de Montréal ;

— et enfin, l'officier d'aviation Henri Geoffrion, de Montréal, commandant en second au Centre de recrutement de Québec.

Une école d'aviation à Victoriaville
Par ailleurs, à la mi-février, le gouvernement québécois acheta le collège des Frères du Sacré-Cœur de Victoriaville pour le louer au gouvernement fédéral, afin d'y installer une école d'aviation pouvant loger 1 200 cadets. Il s'agissait alors de la seconde du genre au Canada.

Le secrétaire de la province de Québec, Hector Perrier, qui faisait alors en pratique office de ministre de l'Éducation, fit remarquer en communiquant la nouvelle que le gouvernement du Québec voulait ainsi coopérer avec le gouvernement fédéral à son effort de guerre.

« Le ministère de la Défense nationale du Canada a décidé d'établir une école d'aviation dans la province de Québec. Après étude, les officiers de ce ministère en sont venus à la conclusion que le meilleur endroit pour établir cette grande école serait à Victoriaville, comté d'Arthabaska, où est situé le collège dirigé par les Frères du Sacré-Cœur.

« Dans son désir de coopérer à la réalisation d'un projet d'une extrême importance pour la province de Québec, le gouvernement provincial est entré en pourparlers avec les autorités du collège de Victoriaville, et nous avons décidé d'acheter l'immeuble et le terrain au coût de 850 000 $.

« Les Frères du Sacré-Cœur ont montré un esprit de coopération digne de tous les éloges. L'entreprise leur impose des sacrifices qu'ils ont consentis de leur gré dans l'intérêt de la défense nationale du pays.

« La nouvelle école d'aviation accueillera de 1 000 à 1 200 cadets.

« Le gouvernement provincial louera au gouvernement fédéral l'immeuble et le terrain du collège de Victoriaville. »

Par ailleurs, à la même époque, on se félicitait qu'à l'école d'avionnerie de Cartierville fondée vers la mi-octobre 1940, pour former une main-d'œuvre technique destinée à fournir des mécaniciens dans l'aviation ou dans les avionneries, sur les 80 premiers diplômés et les 400 élèves, 90 % étaient des Canadiens français. « Espérons que nos compatriotes auront à cœur de maintenir ce pourcentage et même de l'augmenter », pouvait-on lire en éditorial dans *La Presse*.

Bien sûr, la guerre avait commencé à apporter son contingent de victimes plus tôt parmi les aviateurs que dans l'armée de terre. C'est ainsi par exemple qu'en mai 1941, on annonçait la mort au combat d'un jeune lieutenant de section de 25 ans, Jean-Bruno Le Cavalier, de Montréal, qui servait dans la RAF.

Le Cavalier avait étudié au Kingston Royal Military College puis à une école d'aviation en Angleterre. Il servi ensuite en Égypte, en Transjordanie et en Palestine, où il fut décoré, avant de remplir de nombreuses missions en Éthiopie et en Libye.

Des Français libres à la rescousse
Fait généralement peu connu, des aviateurs français, jusqu'alors en garnison à Tahiti et désireux de continuer le combat aux côtés des Alliés, décidèrent de servir dans l'aviation canadienne.

Le 21 janvier 1941, *La Presse* publia en effet un reportage photographique sur trois pilotes français, le lieutenant de vaisseau Charles LaHaye et deux autres officiers aviateurs, Jean-Eugène Battaglia et Pierre-Marie Gicquel, qu'on avait envoyés au dépôt de Québec de la RCAF. LaHaye passait pour avoir coulé un sous-marin italien dans la Méditerranée, au moment où il pilotait un hydravion bi-moteur. Battaglia, qui était décoré de la Médaille militaire française, comptait pas moins de 2 564 heures de vol, tandis que Gicquel, quant à lui, en avait accumulé 1 000.

Mais ces trois pilotes n'étaient pas seuls. En effet, sept de leurs subordonnés à Tahiti s'étaient aussi enrôlés dans la RCAF et, vu leur compétence, ils furent attachés à titre de moniteurs à l'École d'avionnerie de Cartierville.

Il s'agit des aviateurs français Pierre-Eugène Gidouin, Hyacinte-Auguste Guiloux, Honoré Pottier, Pierre-Jean Grenouiller, Lucien-André Alexis Morange, Charles-Auguste Reusch et Clément-André Bert.

LA DIVISION CARTIER

F ace aux efforts de l'armée et de l'aviation, ceux de la marine pour mettre en valeur les Canadiens français et les intéresser à s'y joindre paraissent bien timides.

Il y en a toutefois eu quelques-uns, bien que le contre-amiral L.-P. Brodeur, fils d'un ancien ministre de la Marine et des Pêcheries, ait été le seul officier canadien-français à y gravir les échelons supérieurs pendant la Deuxième Guerre mondiale.

En février 1941, par exemple, *La Presse* avait présenté un reportage photographique sur la division Cartier de la marine royale canadienne et dont la composition, précisait-on, était entièrement francophone.

La marine canadienne jouait alors un tel rôle dans la guerre en cours qu'elle devait augmenter sans cesse son effectif à mesure que les hostilités s'étendaient. À Montréal, les recrues affluaient de toutes parts aux bureaux de la division Cartier, rue de la Montagne, afin d'y suivre des cours techniques, avant d'être acheminés vers les centres d'entraînement des côtes de l'Atlantique ou du Pacifique.

Bon nombre de ces recrues, des casernes de la marine de Montréal étaient francophones et rattachées à la division Cartier. Le reportage photographique identifiait comme faisant partie de celle-ci le chef Léopold Cloutier, instructeur, le lieutenant R. Gervais, officier payeur, le sous-lieutenant H.-P. Demers, le marin-torpilleur Desjardins et le sous-lieutenant Pierre Déry.

On ne donnait toutefois aucune précision sur les effectifs totaux de cette division ni sur son statut exact au sein de la marine canadienne.

En mai 1941, dans un effort pour augmenter son recrutement au Québec, la Royal Canadian Navy Volunteer Reserve (RCNVR) (la réserve de la marine) décidait de créer un poste d'officier recruteur au Québec et de le rattacher à la division Cartier.

On rappela de Halifax un officier canadien-français, le lieutenant Eugène F.-Noël, pour occuper ce poste créé spécialement à cette fin. Ce dernier avait d'ailleurs été choisi en décembre 1941 pour commander une garde d'honneur formée de ses hommes devant le Parlement d'Ottawa, celle-ci serait chargé d'accueillir le premier ministre de la Grande-Bretagne, Winston Churchill, en visite éclair au Canada, après avoir visité le président des États-Unis, Franklin D. Roosevelt.

Au début de 1942, Noël était remplacé au poste de responsable du recrutement par le sous-lieutenant Marcel Jetté, diplômé de l'École des Hautes-Études commerciales de Montréal, qui avait subi son entraînement pour devenir officier de marine à Esquimalt, en Colombie-Britannique.

Dès novembre 1941, la division Cartier de la RCNVR et son pendant anglophone, la division Montréal étaient officiellement constituées en « équipages ». La cérémonie courte mais impressionnante se déroula aux locaux de la rue de la Montagne, en présence du *commander* E.R. Brook, commandant de toutes les unités de la RCNVR au Canada et du *commander* Paul Earl, qui avait été jusque-là commandant des deux « divisions » et qui occuperait le même poste à la tête des deux « équipages ».

Depuis le début de la guerre et jusqu'en mai 1941, la RCNVR n'avait recruté que dans les grands centres du pays exclusivement. Dorénavant, elle comptait adopter les mêmes méthodes de recrutement que celles employées par l'armée et l'aviation.

La marine enverrait donc des officiers recruteurs dans les centres ruraux du Québec à la recherche de jeunes gens vigoureux, âgés de 18 à 24 ans et désireux de s'enrôler dans la marine.

Une fois recrutés, ceux-ci seraient dirigés vers les locaux de la division Cartier où ils seraient logés, nourris, habillés et bien sûr payés et où ils subiraient un entraînement de base de six semaines, avant d'être acheminés vers la côte Est ou Ouest du pays pour y parfaire leur entraînement.

À la veille de Noël 1941, 24 membres du *HMCS Cartier* quittaient Montréal pour se rendre dans un port de l'Est, pilotés par le sous-lieutenant Marcel Jetté, « se rappelant, comme le disait *La Presse*, qu'ils sont descendants de Normands et de Bretons ». Après une courte période d'entraînement, ils devraient servir à bord des corvettes canadiennes protégeant nos côtes et escortant les convois.

Fait assez extraordinaire, trois frères, les marins Paul, Raymond et Guy Paquette, tous de Montréal, quittèrent ensemble la ville, faisant partie du même groupe et exprimant l'espoir de servir ensemble sur le même vaisseau.

Le 17 janvier 1942, *La Presse* publiait dans son cahier de rotogravure un reportage photographique de plusieurs pages sur les Canadiens français dans la marine. Quelques-uns étaient photographiés au King's College et d'autres à l'Admiralty House de Halifax, mais la plupart l'étaient à bord d'un dragueur de mines, ce qui semble indiquer que si on ne comptait aucun navire dont l'équipage était entièrement francophone, on tâchait néanmoins de les regrouper le plus possible.

Le reportage, incidemment, était l'œuvre d'un photographe canadien-français de la marine, le matelot Guy Goulet.

À l'Admiralty House, on avait photographié les sous-lieutenants Philippe Langlois, Hubert Benoit, Adrien Lalonde et André Lemieux.

Au King's College, on présentait le lieutenant Louis Audette, de Montréal, qui servait comme instructeur et les sous-lieutenants René Tremblay, Pierre Denis, Yvon Dupré, Dunn Lantier, Raymond Lemieux et Georges Prew.

Sur le dragueur de mines servaient le « *chief skipper* » R.-A. Doucette, le patron Louis Bastien, les sous-lieutenants R.-C. Vicary, Pierre Déry, Jean Racine et Hubert Benoit, ce dernier avocat de la Compagnie du chemin de fer Canadien Pacifique dans la vie civile, le sans-filiste Jacques Chevalier, le quartier-maître J.-P. Laurent, le marin breveté Roger Beaulieu, les matelots Raymond Godin, C.-L. Corriveau, René Longpré, Gaétan Dubois, J.-R.-G. Breton, J.-R. Blais, J.-G. Chassé, A. Vaillancourt, P.-H. Cusson, Fernand Dupras, Eugène Quénel, J.-L.-E. Saint-Jean, Oswald Morin et Édouard Deschesnes.

Enfin, le père Mathias Langlois servait comme aumônier de marine, le *lieutenant-commander* Pierre Beaudry, ingénieur, était chargé des travaux à la base de Halifax et le lieutenant Jean Michon, diplômé de l'Université de Montréal, agissait comme médecin de la marine canadienne.

Rôle grandissant de la marine canadienne

Dès novembre 1941, le contre-amiral Percy Nelles, chef de l'état-major de la Royal Canadian Navy (RCN), avait lancé l'avertissement que les sous-marins allemands ne tarderaient pas à entrer en opération près des côtes de la Nouvelle-Écosse.

Déjà, des sous-marins allemands étaient à l'œuvre près des côtes de Terre-Neuve. Le 5 novembre 1941, d'ailleurs, *La Presse* avait titré en manchette à la une : « Sous-marins nazis en vue de Terre-Neuve. » Des engagements avaient d'ailleurs eu lieu entre notre marine et ces sous-marins et le ministre de la Marine, M. Macdonald avait non seulement signalé la présence de sous-marins ennemis sur la côte nord de Terre-Neuve mais ajouté qu'on en avait probablement coulé au moins un dès le mois d'octobre.

« Vous pouvez déclarer qu'il y a des sous-marins devant les côtes de Terre-Neuve, qu'ils sont même en vue des côtes. Naturellement, nous les attaquons partout où nous les trouvons. »

À la mi-janvier 1942, l'ennemi coulait un cargo de 10 000 tonnes, occasionnant la mort de 91 de ses 180 occupants, à seulement 256 kilomètres des côtes de la Nouvelle-Écosse. C'était, jusque-là, l'agression ennemie la plus proche des côtes canadiennes.

La RCN, qui comprenait moins de 2 000 hommes au début des hostilités, en comptait 27 000 au début de 1942 et prévoyait augmenter ses effectifs d'environ 1 000 hommes par mois durant l'année suivante pour atteindre un sommet de 40 000 officiers et matelots en mars 1943.

Le capitaine J.-O. Cossette
Par ailleurs, en juillet 1941, on se réjouissait que le poste administratif le plus élevé de la RCN, celui de secrétaire naval, soit occupé par un Canadien français, le capitaine J.-O. Cossette.

En fait, non seulement Cossette était le premier Canadien français à occuper cette haute fonction, mais dans les faits, il était le premier officier canadien à l'occuper, puisque tous ses prédécesseurs avaient été des Britanniques. Cossette avait d'autant plus de mérite qu'il était un marin sorti du rang, ayant commencé en 1910 comme simple matelot breveté de 3e classe, alors l'échelon le plus bas de la marine.

Fils d'un ancien marin qui était entré dans la marine à 11 ans seulement comme mousse sur un navire en partance de New York pour le Chili et qui avait été ensuite zouave pontifical, Cossette trouva difficiles, devait-il raconter plus tard, les débuts de sa carrière. Il ne parlait alors pour ainsi dire pas l'anglais et devait exécuter des ordres qu'il ne comprenait pas ; ces ordres étaient lancés par des officiers durs, habitués à la discipline de fer de la Royal Navy du temps de la navigation à voile.

« Ayant commencé à apprendre l'anglais à mes propres frais, je connais le prix du bilinguisme », devait déclarer Cossette en entrevue à l'été 1941.

En octobre 1913, Cossette fut promu chef aux écritures au Collège naval de Halifax. Lors de la terrible explosion dans le port de Halifax, il fut l'un des rares membres du personnel du collège à ne pas être blessé. C'était la deuxième fois qu'il échappait ainsi à la mort.

En effet, en 1911, désigné avec 50 autres marins canadiens pour représenter le Canada au couronnement de George V, il échappa à la mort, deux mois plus tard, en étant rescapé du naufrage du *Niobe*, le premier croiseur de la marine canadienne.

En 1919-1920, à bord du croiseur *Dauntless* de la Royal Navy, Cossette participa à une expédition britannique contre les Bolcheviks (nom donné aux premiers communistes soviétiques) dans la mer Baltique.

Puis Cossette devint secrétaire du commandant du croiseur canadien *Aurora* et navigua dans la mer des Antilles et traversa le canal de Panama, pour se rendre jusqu'au Pacifique. Il fut ensuite commissaire en chef à la base d'Esquimalt, en Colombie-Britannique pendant quatre années et demie. Il passa ensuite en Angleterre pour suivre des cours techniques et fut attaché pendant un certain temps à l'amirauté britannique. De retour au Canada, il gravit tous les échelons du commissariat pour parvenir au poste de commissaire général en chef de 1re classe et finalement à celui de secrétaire naval le 1er octobre 1939.

Sous le titre de « Un compatriote qui nous fait honneur », *La Presse*, écrivait justement à son sujet : « Après 30 ans de loyaux services, le capitaine Cossette aurait pu prendre sa retraite mais, avec la guerre, il a décidé de n'enlever l'uniforme qu'après la victoire. Il se propose alors d'aller finir ses jours à Victoria, sur l'île Vancouver, car son épouse, comme lui, aime vivre au bord de la mer. Son fils, le sous-lieutenant J.O. Cossette, sert actuellement dans la marine canadienne en Angleterre. Sa fille a épousé un médecin, maintenant engagé dans les services de santé de l'armée.

« Le capitaine Cossette n'a jamais pour un instant regretté son "coup de tête" de 1911 et rien ne lui fait plus plaisir que de voir son fils suivre ses traces. Entré dans la marine royale canadienne sans savoir un mot d'anglais, le capitaine Cossette n'en est pas moins parvenu au poste administratif le plus élevé. »

Un autre officier canadien-français, l'officier-canonnier Marcel Arcand, fils d'un ancien ministre québécois du Travail, faisait parler de lui comme un des premiers héros authentiques canadien-français de la marine. D'après les dépêches, en effet, Arcand, qui naviguait à bord d'une corvette, avait réussi à mettre en fuite un bombardier allemand qui cherchait à attaquer un convoi maritime au large des côtes de Norvège.

En août 1941, un officier de marine canadien-français, le capitaine William Tremblay de la RCNR était nommé aide de camp honoraire du major-général Sir Eugène Fiset, lieutenant-gouverneur du Québec.

À la même époque, sous le titre de « Les nôtres dans la Marine royale canadienne », on publiait la photo de six officiers francophones qui venaient de terminer leur entraînement sur la côte du Pacifique. Tous les six étaient membres de la division Cartier. Il s'agissait des sous-lieutenants R.-M. Montpetit, P.-E. L'Abbé, Maurice Gagnon, R.-E. Paré, M. Fortier et Marcel Jetté.

Devenu *commander*, Jetté devait faire parler de lui en 1951. Cette année-là, il fut nommé président d'une commission d'enquête chargée de renseigner les autorités navales sur le fait que les officiers francophones ne constituaient alors que 2,2 % des effectifs de la RCN et les marins francophones que 11 %.

Bien que le rapport de cette commission ait été produit plus de cinq ans après la fin de la Deuxième Guerre mondiale, ses conclusions, qu'on peut retrouver dans une étude du Service historique de la Défense nationale, intitulée *Les Canadiens français et le bilinguisme dans les forces armées canadiennes*, ouvrage publié par les historiens Serge Bernier et Jean Pariseau, analysent les raisons pour lesquelles les Québécois ne s'enrôlent pas dans la marine royale canadienne, qu'ils confondent d'ailleurs avec la marine marchande.

« Avant tout, les Canadiens français considèrent les marins comme des "bums" avec une fille dans chaque port. Ils ont l'impression que la Marine est beaucoup plus britannique que canadienne. Ce qui confirme la croyance que le Canada participe à des guerres dont l'Angleterre est plus ou moins responsable. Les Canadiens français pensent aussi qu'ils ne seront pas promus en raison de leurs difficultés linguistiques. C'est un fait que les marins francophones doivent apprendre l'anglais en peu de temps, puis maîtriser le jargon de la Marine qui est une autre langue en soi, à quoi s'ajoute l'obligation de vivre toute leur vie dans une mentalité distincte de leurs aspirations.

« Si malgré tout, le Canadien français se laisse apprivoiser par les recruteurs de la Marine, il doit d'abord réussir le test d'aptitude uniquement adapté à la mentalité anglophone. L'impression générale est que la Marine ne veut pas de Canadiens français dans ses rangs, ce qui est un peu vrai. »

Plusieurs tragédies

Malheureusement, c'est souvent à l'occasion d'une tragédie que les marins canadiens-français firent parler d'eux. Le 10 décembre 1940, par exemple, les autorités fédérales annonçaient un autre désastre maritime dans lequel des marins francophones avaient trouvé la mort. En effet, 21 marins du contre-torpilleur canadiens *HMCS Saguenay*, frappé par une torpille au moment où il poursuivait un sous-marin ennemi dans l'est de l'Atlantique, manquaient à l'appel et étaient considérés comme morts au combat.

Au nombre de ces marins se trouvaient Joseph-R. Gougeon, de Victoriaville, Georges Mazaire, de Verdun et le Franco-Ontarien Hector Légaré, de Sarnia. Deux autres marins francophones québécois, Raymond Poirier, de Limoilou, en banlieue de Québec et René Sylvestre, de Montréal, figuraient parmi les blessés qui furent rescapés.

En avril 1941, le patrouilleur *Otter*, devint la quatrième unité navale du Canada à être perdue en l'espace d'une année. Deux officiers et 17 membres d'équipage sont morts noyés ou autrement dans la tragédie.

Encore une fois se trouvaient des Québécois francophones parmi les victimes : les marins Léonard-Placide Thibodeau, de Ville-Émard et Lucien-Joseph-Albert Laurin, de Hull.

Laurin était le fils du caporal A. Laurin, de Hull, membre du Corps médical de l'armée canadienne, rattaché au parc Lansdowne d'Ottawa. Il était âgé de 20 ans et membre d'une famille de huit enfants. Il avait fait ses études au collège Notre-Dame de Hull et à l'école Saint-Jean-Baptiste d'Ottawa. Il faisait partie de la succursale Falkland d'Ottawa des cadets de la marine canadienne et s'était enrôlé dans le service naval canadien au début juin 1940.

L'« *Otter* » était un yacht qui avait été converti en patrouilleur. Il patrouillait, près du phare Sambro, sur la côte Est du pays, lorsque soudainement les flammes l'enveloppèrent avec une terrible rapidité et, en quelques minutes, il coula dans une mer démontée.

TROISIÈME ANNÉE DE GUERRE

L e 1ᵉʳ septembre 1941, le monde entrait dans sa troisième année de guerre.

Deux ans auparavant, le Canada était l'un des États les moins armés du monde. Le 1ᵉʳ septembre 1941, sa flotte comptait 250 navires, son armée était prête au combat, son aviation était déjà aux prises avec l'ennemi. Ses méthodes de recrutement et d'instruction avaient beaucoup changé. On mettait maintenant l'accent sur l'aviation et la motorisation de l'armée.

L'aviation était la seule des trois armes qui avait participé à toutes les batailles depuis le début de la guerre. C'était d'ailleurs elle qui avait subi la majorité des pertes des forces armées canadiennes en deux années de guerre. Pas moins de 710 aviateurs canadiens avaient alors perdu la vie au combat ou étaient considérés comme manquants à l'appel après que leur avion eut été abattu.

L'escorte des convois et la chasse aux sous-marins avaient entraîné des pertes dans les rangs de la marine canadienne. Mais au moment où le Canada entrait dans sa troisième année de guerre, l'armée canadienne ne s'était pas encore battue en tant que telle, bien qu'elle ait déjà subi des pertes face à l'ennemi, certains soldats ayant trouvé la mort lorsque le navire qui les transportait avait été coulé, ou encore comme victimes de bombardements ennemis en Angleterre.

En septembre 1939, l'armée canadienne ne se composait que de 4 500 militaires d'active et quelque 50 000 miliciens. Deux ans plus tard, ses effectifs avaient grimpé à quelque 230 000 hommes dans l'armée active et 170 000 dans la réserve. Au moins 90 000 hommes de l'armée active servaient en dehors du pays, soit en Grande-Bretagne, aux Antilles britanniques et à Terre-Neuve et des centaines d'autres avaient servi en Islande.

En Angleterre, deux divisions du corps expéditionnaire faisaient partie intégrante des troupes défendant le pays. La 3e division canadienne et la brigade de chars d'assaut terminaient leurs instructions avant d'être versées, elles aussi au corps expéditionnaire. Une division blindée devait les rejoindre avant la fin de l'année. Quelques unités de la 5e division gardaient, par ailleurs, les côtes canadiennes et une 6e division était en voie de formation.

D'autre part, une rumeur de plus en plus plausible courait que d'autres unités canadiennes-françaises seraient mobilisées sous peu dans la province de Québec.

Jusque-là, les unités canadiennes-françaises au sein de l'armée active avaient été les premiers bataillons du régiment de Maisonneuve, du Royal 22e Régiment, des Fusiliers Mont-Royal, du régiment de Trois-Rivières (blindés), du régiment de la Chaudière et des Voltigeurs de Québec.

Les Fusiliers de Sherbrooke, unité francophone, avaient eux aussi été mobilisés comme unité d'active mais fusionnés au Sherbrooke Regiment pour constituer une unité mi-francophone mi-anglophone.

Par ailleurs, il y avait contingents nombreux de francophones dans plusieurs autres unités, y compris le Royal Rifle Regiment de Québec, le New Brunswick Regiment, le North Shore Regiment, les Hussards et les Canadian Grenadiers Guards.

À la fin de novembre 1941, on commençait d'ailleurs à dire que le Canada aurait probablement bientôt une armée complète outre-mer. On disait dans les cercles militaires d'Ottawa que ce serait le résultat logique de l'expansion des forces militaires canadiennes. En termes militaires, une armée se composait alors de deux corps d'armée ou plus. Un corps d'armée comprenait deux divisions ou plus.

Effectivement, cette armée canadienne devait être officiellement créée en mars 1942 et placé sous le commandement, du général Andrew G.L. McNaugton.

Au début décembre 1941, les forces militaires canadiennes outre-mer consistaient à ce moment-là en trois divisions régulières et une division blindée et leurs services auxiliaires. Elles comptaient, en outre nombre d'unités surnuméraires propres à servir tant aux quartiers généraux d'un corps d'armée que d'une armée.

En novembre le ministre de la Défense nationale, le colonel J. Ralston, avait d'ailleurs déclaré à la Chambre des communes, qu'« à l'heure actuelle, le corps d'armée canadien est presque devenu une armée véritable en raison des renforts qu'on y a ajoutée ».

À la fin de novembre, les 1re, 2e et 3e divisions canadiennes étaient déjà rendues outre-mer. La 4e division complétait son entraînement au Canada et on avait commencé la mobilisation de la 6e division. La division blindée, arrivée depuis peu en Angleterre, faisait partie comme la 5e division du Corps expéditionnaire canadien.

On prévoyait que lorsque le contingent canadien deviendrait une armée véritable, le lieutenant général McNaughton serait promu général, tandis que le major général H. Crerar aurait probablement le commandement d'un des corps d'armée et serait, quant à lui, promu lieutenant général. McNaughton fut promu par la suite colonel et Crerar général.

Mais déjà on savait que les troupes canadiennes outre-mer devraient patienter encore au moins un an avant d'être engagées dans la bataille pour la libération de l'Europe.

À la fin de novembre, en effet, alors que les États-Unis n'étaient pas encore entrés en guerre et qu'on croyait encore possible d'éviter un conflit dans le Pacifique, le premier ministre de Grande-Bretagne, Winston Churchill, avait prévenu que l'invasion de l'Europe occupée par les forces de l'Axe ne se ferait pas avant 1943, bref qu'il faudrait patienter durant toute l'année 1942.

Churchill avait en effet affirmé à Londres : « En 1943, nous posséderons de nombreux navires qui permettront des expéditions outre-mer que nos ressources actuelles nous interdisent absolument. »

Les volontaires seront-ils assez nombreux ?

« Au moment où s'ouvre cette troisième année de guerre, les Britanniques et leurs alliés n'ont pas de raison de douter de l'issue de ce conflit. Même si le chemin de la victoire doit être long, les peuples du Royaume-Uni, des dominions, des colonies et des pays vaincus ont raison d'attendre avec confiance l'écrasement des puissances totalitaires », pouvait-on lire en éditorial dans *La Presse*, le 1er septembre 1941.

Deux jours plus tard, le journal faisait écho aux propos du premier ministre canadien William Lyon Mackenzie King qui affirmait que « le Canada a compris, au moment où s'ouvrait le grand conflit militaire qui se prolonge depuis plus de deux ans maintenant, que ce qui était en jeu dans cette guerre, c'était tout ce que les hommes libres estiment et chérissent ».

Les discours se poursuivaient pour rappeler aux Canadiens français le prix de la victoire et la nécessité pour tous de donner le meilleur d'eux-mêmes afin d'écraser l'ennemi au plus tôt.

« Nous ne gagnerons pas cette guerre, dit le ministre de la Justice, Ernest Lapointe, nous n'aiderons pas à rétablir l'ordre dans le monde par des critiques stériles, des théories creuses, encore moins par un détachement égoïste de la cause commune et par un souci exclusif de notre confort et de notre sécurité personnelle. Nous la gagnerons en haute lutte en attaquant sous toutes ses formes cet ordre nouveau qui n'est au fond qu'un ramassis des pires erreurs de tous les temps, et sous son aspect militaire, qu'une horde, bien disciplinée mais à laquelle il manque une inspiration morale. »

Malheureusement, Lapointe devait mourir le 26 novembre, au moment où s'engageait le débat provoqué par Mackenzie King qui demandait au peuple canadien, par voie de plébiscite, d'être relevé de son engagement de ne jamais recourir à la conscription.

Nombreux sont ceux qui croient que si Lapointe avait vécu, le résultat du référendum de 1942 aurait pu être différent. Quoi qu'il en soit, aucun des autres ministres de Mackenzie King ni le nouveau ministre de la Justice Louis Saint-Laurent, qui devait se faire élire à la place de Lapointe dans la conscription de Québec et qui succéda à Mackenzie King après la guerre, comme premier ministre, ne réussirent à avoir auprès du peuple canadien-français la même influence et surtout la même crédibilité que Lapointe.

De son côté, le major-général Léo Richer La Flèche déclara que « nous avons déjà consenti à des sacrifices et nous devons consentir à bien d'autres encore plus lourds. Nous avons appris que nous ne pouvons pas faire la guerre à moitié ; nous avons appris que dans cette guerre, il faut vaincre ou mourir. Nous avons vu aussi que cette Allemagne, jugée si forte pourrait se tromper. Nous avons prouvé encore que le Boche ne réussit que lorsqu'il a tous les avantages de son côté. Nous prouverons au monde, de nouveau, qu'à chances égales, l'invincibilité allemande n'est qu'un mythe inventé par la propagande nazie ».

Pour sa part, le brigadier-général Édouard de Bellefeuille Panet, commandant du district militaire de Montréal, lança lui aussi un appel pressant en faveur de l'enrôlement volontaire dans l'armée.

« La grande campagne de recrutement qui fut lancée à travers le pays, il y a environ deux mois, a été un beau succès, mais il ne faut pas s'illusionner. Cette campagne de recrutement n'est pas finie ; elle continue toujours et à mesure que les événements en Europe prennent plus d'ampleur, nous devons tous sans exception accélérer notre effort afin de nous rendre plus puissants et plus efficaces. »

Quant à W.B. Scott, qui présidait le comité spécial de recrutement pour le service outre-mer, conjointement avec le brigadier-général Georges Vanier, il déclara qu'« il était temps que le public comprenne que nous n'avions pas les recrues nécessaires pour l'armée active. Il est aussi temps que le public fasse sa part pour aider au recrutement parce que la réponse au problème devait venir du public. Ce n'était plus seulement, affirma-t-il, la responsabilité de l'armée et du comité spécial de recrutement.

« Un certain enthousiasme s'est manifesté dans la campagne de recrutement mais le résultat final ne fut pas aussi satisfaisant qu'on espérait et cet enthousiasme s'était éteint quelques jours après. Le public semble être ensuite tombé dans une apathie ».

Il n'y avait pas que les unités d'active qui manquaient d'hommes. Deux ans après le début de la guerre, les unités de réserve canadiennes-françaises, faisait-on savoir, avaient grand besoin d'hommes pour reprendre leur entraînement. Depuis quelques mois, elles avaient dû fournir quantité d'officiers, de sous-officiers et de soldats pour les renforts, de sorte qu'il leur fallait maintenant quantité d'hommes pour compléter leurs effectifs. On décida donc de rouvrir tout grands les bureaux de recrutement des trois principales unités canadiennes-françaises de Montréal, le régiment de Maisonneuve, les Fusiliers Mont-Royal et le régiment de Châteauguay.

On mélange encore politique militaire et religion

Puis à Ottawa, le 14 septembre 1941, on mélangea à nouveau religion et effort de guerre en organisant une cérémonie qui, par les circonstances de temps et de lieu, fit époque dans l'histoire religieuse et militaire du Canada, donnant lieu, à l'occasion de la « Semaine de la reconstruction », à une messe basse pontificale célébrée devant l'entrée principale de la Chambre des communes, sous l'arche de la Tour de la Paix, par Mgr C.L. Nelligan, aumônier général des troupes canadiennes.

Lors de cette manifestation catholique sur la colline du parlement, la première du genre, l'archevêque du diocèse d'Ottawa Mgr Alexandre Vachon, exprima les sentiments de l'élément francophone de la population. On récita aussi les prières officielles et on chanta des cantiques dans les deux langues.

À la veille de cet événement inusité, *La Presse* avait écrit que « toute la population catholique du Dominion voudra sans doute s'unir aux oraisons publiques dites ainsi au siège gouvernemental du pays. Ce sera alors véritablement notre peuple qui adressera au Ciel ses hommages et ses supplications. Il remerciera pour les grâces particulières dont le Canada a été l'objet depuis deux ans et il demandera que cette protection spéciale dont il a joui lui soit continuée jusqu'à la fin du conflit. Enfin, il renouvellera sa foi dans les idéaux chrétiens auxquels il obéit et sa détermination de les défendre avec toute l'énergie et les ressources dont il dispose.

« Il est certain que l'office religieux qui réunira catholiques de langue française et catholiques de langue anglaise sur la colline parlementaire d'Ottawa contribuera dans une large mesure à démontrer que, dans cette guerre, les cœurs, les esprits et les volontés sont étroitement unis. Et il n'est pas moins certain que cette manifestation rapprochera davantage les représentants catholiques des deux principaux groupes dont se compose notre population ».

Le brigadier-général Georges Vanier, qui commandait quant à lui le district militaire de Québec, prononça lui-aussi un discours mi-patriotique mi-religieux devant les membres du Club Canadien et du Cercle des femmes canadiennes réunis en séance conjointe au Château Frontenac. Affirmant qu'il était temps de prier Dieu, il s'écria : « cette guerre est une guerre dans lesquelles les forces de la matière et du mal sont tournées contre celles de l'esprit. »

Puis, deux jours avant Pearl Harbor, c'était au tour du sénateur Arthur David de clamer à Valleyfield qu'il n'y avait jamais eu autant de loyauté dans la province de Québec envers la couronne britannique que depuis le début de cette guerre. « Et si vraiment, comme on tente de l'insinuer en certains milieux, c'est le clergé qui dirige les Canadiens français, il les aura menés au loyalisme, réduisant à néant par le fait même certaines fausses rumeurs malicieuses. »

Le peuple décidera
Il est donc faux d'affirmer, comme on avait déjà commencé à le faire à l'époque, que les Canadiens français étaient antimilitaristes et refusaient de contribuer à l'effort de guerre. Au contraire, on estime aujourd'hui que près de 90 000 Canadiens français se sont enrôlés comme volontaires pour servir outre-mer durant le conflit et que, proportionnellement, il s'agit d'une contribution aussi, sinon plus importante, que celle des autres provinces dans ce domaine.

Même les syndicats s'en mêlèrent et, lors de son congrès de septembre 1941 à Hull, par exemple, la Confédération des travailleurs catholiques du Canada (CTCC) réclama du gouvernement fédéral l'établissement d'un collège militaire dans la province de Québec. Les Canadiens français pourraient ainsi bénéficier de promotions au grade d'officiers comme les Canadiens des autres provinces pouvaient le faire déjà grâce au Kingston Royal military College. Il fallut toutefois attendre 1952 pour assister à la création du Collège militaire royal de Saint-Jean et celui-ci devait fermer ses portes en raison des compressions budgétaires du gouvernement fédéral en 1995.

Quoi qu'il en soit, au début de la troisième année de guerre, il devenait de plus en plus évident que le volontariat ne suffirait plus à remplir les rangs de l'armée active. Or si la majorité des citoyens du Canada anglais se montrait favorable à la conscription pour service outre-mer, la majorité des francophones du Québec y était opposée, ce qui fit éclater une crise dont les séquelles se font encore sentir aujourd'hui.

« La question de la conscription pour service outre-mer continue de faire le sujet des conversations un peu partout au pays », écrivait le correspondant parlementaire de La Presse à Ottawa le 11 novembre 1941.

« Cependant, à Ottawa, on est persuadé que la méthode du recrutement volontaire pour service outre-mer sera maintenue le plus longtemps possible, tel que promis par le gouvernement. L'opinion à Ottawa est qu'il n'y aura pas de changement radical sans l'approbation du peuple. Ceci peut se faire par deux méthodes : un référendum précédé d'une campagne éducative ou un appel au peuple. Chose certaine le peuple sera consulté si le gouvernement en venait à la nécessité d'abandonner l'enrôlement volontaire. Pour le moment, on n'entrevoit aucun changement immédiat. Il n'y aura pas de service obligatoire outre-mer à moins d'un mandat du peuple. »

Deux jours plus tard, à la Chambre des communes, Mackenzie King proclama que c'est le peuple qui déciderait, le cas échéant, de la conscription pour service outre-mer.

« Pour ma part, je n'entends pas prendre la responsabilité d'appuyer une politique de conscription pour service outre-mer, sans que le peuple ait été consulté sur cette question. »

Mais cette position claire de Mackenzie King ne faisait pas l'affaire de tout le monde. Le chef du Parti conservateur, R.B. Hanson, préconisa pour sa part l'enrôlement de tous les hommes disponibles dans l'armée, par n'importe quel mode de recrutement.

« Pourra-t-il y avoir un effort de guerre total tant que tous les hommes disponibles n'auront pas été enrôlés dans l'armée ? Il faut affronter avec réalisme ce problème d'hommes pour l'armée. Un effort de guerre total requiert l'enrôlement total de tous les hommes disponibles, peu importe le système de recrutement utilisé. Dans l'histoire, le Canada sera jugé par le nombre d'hommes qu'il aura fourni et non par l'obstination de son gouvernement à s'accrocher à un système de recrutement en particulier. »

Commentant toutes ces discussions, l'éditorialiste de *La Presse*, le 12 novembre estimait que le Canada avait adopté la meilleure formule et qu'il devrait s'y tenir, sans quoi il risquait non seulement de nuire à l'efficacité de la participation canadienne mais encore à l'unité nationale.

« L'honorable R.B. Hanson avouait, il y a une dizaine de jours, que la conscription doit venir du peuple et qu'il ne sert de rien à un parti politique de vouloir l'imposer. Or, le peuple canadien a clairement manifesté aux dernières élections fédérales, qu'il ne voulait pas du service obligatoire pour les activités d'outre-mer. Demeurons-en là ! »

Le lendemain, le journal revenait encore sur le sujet :

« Le très honorable Mackenzie King ne veut en aucune façon se laisser entraîner hors de la voie qu'il a suivie jusqu'ici, pour ce qui a trait à la conduite des affaires de la guerre. Il l'a encore dit à la Chambre des communes, hier, dans une déclaration, aussi nette, aussi claire, aussi formelle qu'on pouvait l'attendre d'un chef de gouvernement. L'attitude de M. King n'est pas pour plaire à ceux qui le combattent ; elle plaira, en revanche, à la masse de notre population, parce qu'elle correspond exactement à ses volontés.

« Nous avons eu l'occasion de le souligner maintes fois déjà ce qui caractérise la politique adoptée par le parti libéral fédéral depuis le début du présent conflit, ce qui lui assure aussi force et fécondité, c'est qu'elle est canadienne et constitutionnelle. M. King et ses conseillers n'ont pas perdu la tête lorsque la guerre a éclaté. Ils ont traité cette nouvelle et grave question avec tout le soin qu'elle méritait, mais ils n'ont jamais cessé de la régler dans les cadres et les limites de la constitution canadienne, en tenant compte de la structure particulière du peuple canadien, des exigences nationales.

« C'est pourquoi le premier ministre se trouve en excellente posture aujourd'hui. Il peut se lever, en face des critiques, parler pour la masse de la nation qui lui a donné son mandat aux dernières élections générales. La confiance qu'il inspire vient de ce qu'il ne cherche pas à imposer aux Canadiens un régime dont ils ne veulent pas en très grande majorité et de ce qu'il se soucie de bien remplir le programme de protection de notre territoire et de l'assistance aux Alliés. Ottawa ne saurait faire mieux qu'adhérer à cette sage politique.

« Le service obligatoire pour les besoins du Canada, oui, mais le service obligatoire pour outre-mer, non, en tout cas pas avant qu'il n'ait été approuvé par le peuple canadien. Voilà qui ne laisse place à aucune ambiguïté. Cette mise au point par M. King devenait nécessaire à la suite de certaines menées en faveur de la conscription générale et absolue. Il devrait aider à maintenir à travers le Canada le bon ordre et la paix nationale indispensables au succès des entreprises auxquelles nous sommes tous voués en ce moment. Tant pis pour les fauteurs de discordes qui ne voudront pas comprendre. »

Pour sa part, prenant la parole à la Chambre des communes, le secrétaire d'État du Canada, Pierre-F. Casgrain, défendit l'attitude du Québec au sujet du service militaire.

« Il arrive parfois, dit Casgrain, que l'on cherche à faire croire que notre province ne fait pas toute sa part. On ne nous montre pas directement du doigt, mais on semble dire que si le recrutement n'est pas aussi actif qu'on le voudrait, c'est parce qu'on ne prend pas suffisamment intérêt aux affaires du pays et que la population ne fait pas tout ce qu'elle devrait. Je veux affirmer de la façon la plus catégorique que la population du Québec a répondu à l'appel dans toute la mesure du possible. »

Le 6 décembre 1941, l'attaque surprise des Japonais contre Pearl Harbor allait changer le cours de la guerre. Non seulement le raid japonais transformait le conflit, jusqu'ici presque exclusivement européen et africain, en véritable conflit mondial embrasant également l'Asie et l'Océanie, mais surtout il précipitait les États-Unis dans la guerre du côté des Alliés.

Cinq jours plus tôt, le ministre des Services nationaux de guerre du Canada, J.T. Thorson, parlant de la conscription devant le Canadian Club de Montréal, avait déclaré que dans le passé elle n'avait pas donné les résultats espérés. Sans compter, avait-il ajouté qu'en 1917, la conscription avait été une cause de malaise pour le Canada, a détruit l'unité du pays et soulevé une grande partie de l'opposition contre elle.

Quant à *La Presse*, elle soutenait en éditorial le lendemain que « si elle revêt une importance incontestable en soi, parce qu'elle peut affecter le sort de l'ensemble de la nation, la question de la conscription pour service outre-mer est devenue, au Canada, par l'attitude que les autorités officielles et la masse du peuple canadien ont prise à son égard dès le début de la présente guerre, une question secondaire. Certains partisans irréductibles de ce système cherchent à la ramener au premier plan ; ils ne devraient pas réussir auprès de l'opinion publique, tant dans l'intérêt de la paix nationale que dans l'intérêt de la cause même que nous avons entrepris de défendre avec les Alliés.

« Pour sa part, *La Presse* n'hésite pas à affirmer qu'elle rejette de toutes ses forces, comme elle l'a fait jusqu'ici, la conscription pour service militaire en dehors du pays. Pour elle, le point a été décidé lors des dernières élections générales d'une manière libre, constitutionnelle, péremptoire. Il n'y a pas à y revenir. »

Après l'attaque japonaise contre Pearl Harbor, après surtout l'attaque contre Hong Kong et la défaite de la garnison et du contingent canadien, première défaite des troupes canadiennes dans le conflit en cours, les partisans de la conscription revinrent à la charge de plus belle, à tel point qu'à la veille du Nouvel an, *La Presse*, dans un geste inusité, réitéra à la une sa position éditoriale sur le sujet :

« On ne saurait trop le répéter, parce que les partisans de cette mesure profitent de tous les événements pour revenir à la charge, la conscription pour service en dehors des frontières du Canada n'est pas nécessaire. Elle n'est pas dans l'intérêt de l'unité nationale qu'elle romprait au moment où nous avons le plus grand besoin de la maintenir. Par son vote explicite et catégorique lors des dernières élections générales, la majorité du peuple canadien l'a rejetée et les chefs du pays, chargés de ce mandat formel, ne sauraient sans manquer à leur devoir aller à l'encontre de la volonté populaire.

« Les apôtres de la conscription pour service outre-mer semblent ou feignent d'oublier que la guerre actuelle revêt un caractère tout à fait différent de la guerre de 1914-1918. Une revue de Toronto le notait une fois de plus ces jours-ci : la guerre moderne est une guerre de machines au point qu'il est permis d'affirmer que, contrairement au conflit précédent, c'est le soldat qui supplante la machine alors que jadis la machine supplantait le soldat. D'où l'importance essentielle du rôle de l'employé des usines d'armement. Dans la dernière guerre, il fallait cinq hommes au front d'arrière pour appuyer un soldat sur le champ de bataille alors qu'il en faut maintenant dix-huit. Une armée de 250 000 hommes exige donc une population ouvrière au pays de quatre millions et demi pour la soutenir.

« Empêchons que la conscription pour service outre-mer ne ruine l'unité canadienne, si précieuse, et ne compromette aussi l'efficacité de notre participation à l'admirable effort des alliés dans la présente guerre ! »

À la mi-janvier, toujours à la une, *La Presse* clamait que si le gouvernement décidait de consulter le peuple par un référendum sur cette question, « nous croyons que cette procédure contribuerait à nuire à l'unité nationale et à la poursuite efficace de la guerre ».

« Un référendum, pourquoi ? Où cela nous mènera-t-il pour ce qui a trait à l'unité nationale et à la poursuite de la guerre elle-même ? À des résultats parfaitement indésirables, parce que très nuisibles. »

Toutes ces considérations n'empêchèrent pas Mackenzie King d'annoncer quelques jours plus tard qu'il allait déclencher un plébiscite de façon à obtenir un chèque en blanc pour recourir à la conscription au besoin quand il le jugerait à propos.

« Je demande au peuple de donner au gouvernement tous les pouvoirs et de lui permettre de prendre toute la responsabilité des décisions militaires qu'il juge nécessaires à la lumière des connaissances qu'il possède. »

Le gouvernement se proposait donc de poser à la population la question suivante : « Consentez-vous à libérer le gouvernement de toute obligation résultant d'engagements antérieurs qui restreignent les méthodes de recrutement pour le service militaire ? »

Ce qu'on appelle depuis la « Crise de la conscription » avait commencé...

Nos troupes outre-mer

Pendant qu'on palabrait beaucoup au Canada, des troupes canadiennes continuaient à s'entraîner en Angleterre et d'autres contingents canadiens servaient en Islande, à Terre-Neuve et dans les Antilles. Sans compter bien sûr les soldats qui, au sein de l'armée active, étaient en garnison au Canada, attendant qu'on les achemine un jour vers des cieux lointains.

Le transport des troupes canadiennes vers l'Angleterre en butte aux attaques de sous-marins et de bombardiers allemands, ne s'opérait pas sans danger.

C'est ainsi qu'au début de mai 1941, un navire transportant des troupes canadiennes, coula dans l'Atlantique, frappé par une torpille ennemie. Quelque 122 Canadiens, dont 75 militaires, périrent en mer, parmi lesquels se trouvaient quelques militaires francophones du Québec.

Au nombre des disparus, il y avait notamment le soldat Henri Leseize, du régiment de Maisonneuve, le sergent Jean Trudel, commis de l'état-major et comptable dans le civil, qui en était à son deuxième voyage transatlantique et qui avait déjà servi neuf mois en Angleterre plus tôt dans le conflit en cours le lieutenant Jean-Marie Boulanger, ancien journaliste dans la vie civile et fils du colonel J.-L. Boulanger, alors chef de cabinet du premier ministre québécois Adélard Godbout, et le lieutenant Maurice Amos, qui avait été comptable pour le Crédit Foncier à Montréal, qui faisait partie du corps canadien des contribuables (Canadian Pay Corps) et dont le père, Arthur Amos, avait été surintendant des eaux courantes de la province de Québec.

Cela n'empêcha pas les déplacements outre-mer de se multiplier. Au début d'août, le plus gros contingent de troupes canadiennes à jamais avoir été envoyé en Grande-Bretagne arrivait sain et sauf, ayant déjoué les tentatives de blocus allemand dans l'Atlantique.

Ce contingent comprenait des milliers de soldats, avant-garde des forces blindées canadiennes qui devaient conduire des gros chars d'assaut que le Canada avait commencé à produire.

Il y avait encore dans ce contingent des troupes de génie, des unités du corps des forestiers canadiens, des artilleurs, des infirmières du service de l'infanterie, des médecins militaires et des renforts de presque tous les secteurs de l'armée, sans parler de centaines d'aviateurs ayant terminé leur formation en vertu du programme aéronautique impérial d'entraînement.

Selon l'agence de *Presse Canadienne*, « c'étaient les hommes de troupe les plus gais et les plus alertes qui aient débarqué cette année. Ils sortirent de leurs navires en sifflant et en chantant ».

Par ailleurs, on parlait de la possibilité d'envoyer bientôt un contingent en Libye. Déjà, à la mi-mars, un certain nombre d'officiers de l'état-major du corps expéditionnaire en Angleterre étaient arrivés à Gibraltar avant de gagner le Moyen-Orient.

Par ailleurs, en août, un contingent de troupes canadiennes débarqua dans l'île arctique du Spitzberg, territoire norvégien, y détruisit les houilles et en évacua la population. On craignait que l'ennemi n'occupe cette île, d'où il aurait pu attaquer les convois maritimes qui approvisionnaient la Russie par le nord. Le débarquement eut lieu sans coup férir le 15 août. L'invasion avait eu lieu en vertu d'une entente entre Londres et Moscou. Tous les mineurs russes furent rapatriés en Russie, tandis que les Norvégiens étaient emmenés en Angleterre, puisque leur pays était occupé par les Allemands.

La fraternisation avec les français libres
Pendant ce temps, en Grande-Bretagne, les militaires canadiens-français fraternisaient notamment avec les Forces françaises libres. C'est ainsi que des artistes français réfugiés avaient même donné un spectacle entièrement en français à l'intention des militaires québécois en Angleterre.

Le général Petit, chef du personnel du général de Gaulle, fit alors un bref discours, dans lequel il déclarait que la présence de troupes canadiennes-françaises en Angleterre symbolisait l'unité entre les peuples français et anglais. « J'ai été très ému d'entendre les chansons du terroir français qui sont aussi celles du Canada français », ajouta Petit.

En une autre occasion, le général Charles de Gaulle lui-même accepta l'invitation à déjeuner d'un groupe d'officiers canadiens-français. Il avait profité pour rencontrer les officiers supérieurs de la 2e division du corps d'armée canadien en Angleterre, le major général Victor Odlum, commandant de la division, le brigadier-général D.-R. Sargent, commandant de la 4e brigade et le plus haut gradé canadien-français, le brigadier-général P.-E. Leclerc, commandant de la 5e brigade.

Plusieurs officiers canadiens-français s'étaient fait photographier avec le chef de la France libre, en train de faire autographier leur menu. C'était notamment le cas du capitaine de Guire, du major Léo Patenaude, des lieutenants Pommet, Henri Brumbray, A. Leblanc, Tremblay, Bégin et Rolland.

La plupart des officiers qui ont rencontré le général de Gaulle faisaient alors partie des Fusiliers Mont-Royal, mais il y en avait aussi du Maisonneuve. En plus de ceux déjà cités, le général de Gaulle s'est notamment fait photographier avec le major Maurice Forget, le lieutenant Guy Vandelac, le capitaine Guy Gauvreau, le lieutenant Robert Hénault, le major Alexandre Grothé, le major Jean Ducharme, le major Trudeau, le capitaine P. Villeneuve-Morin, le capitaine Painchaud et le capitaine L.-G. Talbot.

La longue attente

Pour ceux qui, comme les soldats du Royal 22e Régiment, se trouvaient en Angleterre depuis la fin de 1939, soit pratiquement deux ans, les journées, toujours sans contact avec l'ennemi, passaient lentement.

C'est ainsi qu'à la mi-novembre 1941, le régiment, commandé par le lieutenant-colonel Paul-Émile Bernatchez qui était à l'époque le plus jeune commandant de bataillon de l'armée canadienne, reçut alors l'ordre de se rendre sur la côte sud de l'Angleterre où il devait défendre un secteur de 4 à 5 kilomètres de longueur.

La mission précise du Royal 22e Régiment consistait à empêcher tout débarquement ennemi et, au besoin, à se battre sur place jusqu'au dernier homme.

En réalité, raconte-t-on dans l'historique du régiment, cette tâche ne comportera qu'une suite ininterrompue de patrouilles nocturnes sur le littoral. Chaque soir, au coucher du soleil, il fallait occuper de nombreux postes de sections entre lesquels on patrouillait sans cesse jusqu'à l'aube. Ces postes étaient des abris de bois et de béton entourés de tranchées et protégés par des barbelés. C'est de là que les sous-unités surveillaient les champs de mines et les autres obstacles dressés sur le rivage pour arrêter l'envahisseur.

Pendant les longs mois d'hiver, compagnies et pelotons veillaient derrière leurs mitrailleuses et quelques canons désuets, scrutant l'horizon, cherchant à deviner à quel moment précis l'ennemi, qui ne se présenta jamais, allait déclencher l'assaut si longtemps attendu. Au cours de l'hiver 1941-1942, le Royal 22ᵉ Régiment, tout en remplissant son rôle défensif, n'en continua pas de prendre part aux manœuvres et d'aguerrir ses hommes de troupes.

Si le Royal 22ᵉ Régiment affronta l'ennemi dès 1943 en participant à la campagne d'Italie, le régiment de Maisonneuve débarqué en Écosse en septembre 1940, dut attendre juin 1944 avant d'être lancé dans la mêlée lors de la campagne de Normandie, suivant de quelques jours le régiment de la Chaudière qui, lui, devait avoir l'honneur d'être la seule unité canadienne-française à avoir participé au « jour J », soit au jour du grand débarquement du 6 juin 1944.

Quant aux Fusiliers Mont-Royal, comme on le verra plus loin, ils devaient prendre part au raid meurtrier et suicidaire de Dieppe le 19 août 1942 et en revenir décimés. C'est donc dire que le régiment de Maisonneuve, tout comme le régiment de la Chaudière, vécut et s'entraîna en Grande-Bretagne pendant quatre ans, un fort long séjour pour tous les soldats canadiens-français, qui assistèrent à une transformation profonde de la société anglaise : rationnement de la nourriture, du vêtement et de l'essence, bière diluée, bombardements intenses de 1940 à 1941, bombardements intermittents de 1942 à 1944 et destruction causée par les fusées V1 et V2 en 1944, endettement colossal, effort humain et matériel sans précédent dans l'histoire de la Grande-Bretagne.

Pour en revenir au Maisonneuve, son commandant, le lieutenant-colonel Paul Brosseau, dut être hospitalisé au début de décembre 1941 et, quelques jours avant la célébration du deuxième Noël du régiment en Angleterre, il fut remplacé par le lieutenant-colonel Redmond Roche.

Paul Brosseau appartenait à une famille qui était intimement liée à l'histoire du régiment de Maisonneuve. Il était le fils du colonel fondateur du Maisonneuve, le lieutenant-colonel Julien Brosseau, Décoration d'ancienneté des officiers (VD), qui avait commandé l'unité de 1880 à 1892.

Revenu au Canada, Brosseau devint commandant du camp-école de Saint-Jérôme, où de nombreux jeunes Canadiens d'expression française se sont qualifiés comme officiers pour passer ensuite outre-mer et combler les cadres du régiment de Maisonneuve, du

Royal 22e Régiment, des Fusiliers Mont-Royal et du régiment de la Chaudière. Brousseau a été fait officier de l'Ordre de l'Empire britannique (OBE).

Quant au frère de Paul Brosseau, le lieutenant-colonel C.-A. Brosseau, Croix de guerre, il avait commandé le régiment de Maisonneuve de 1930 à 1934. Il reprit du service en juin 1940 dans le 2e bataillon (réserve) du Maisonneuve, mais pour peu de temps car, dès le 9 juillet, il était nommé officier responsable des archives du district militaire de Montréal. Il se retira de l'armée en octobre 1946.

Deux des demi-frères de Paul Brosseau servirent dans le Maisonneuve, soit le capitaine Ulric Brosseau, avec le grade d'officier payeur, et le lieutenant Ernest Brosseau.

Rappelé du quartier général de l'armée canadienne en Angleterre pour diriger un bataillon d'infanterie, le lieutenant-colonel J.-Redmond Roche apportait avec son expérience d'administrateur militaire, des qualités de doigté et de diplomatie autant que de fermeté, ce qui, peut-on lire dans l'historique du régiment de Maisonneuve, lui permit de procéder sans heurt à des modifications dans les cadres du bataillon. En six mois, de janvier à juin 1942, Roche fit énormément pour donner au Maisonneuve des assises solides qui lui permirent de combattre avec efficacité deux années plus tard.

Durant les derniers mois de la troisième année de guerre, le 1er bataillon du régiment de Maisonneuve, en garnison en Angleterre, connut trois commandants. Tout d'abord, le lieutenant-colonel Roche, fut appelé à de nouvelles fonctions à l'état-major. À l'origine de nombreuses réformes administratives, Roche laissa le souvenir d'un officier à la fois énergique et souple, d'un grand connaisseur d'hommes et d'un habile diplomate.

Promu colonel en octobre 1942, Roche quitta l'armée active en mars 1946 pour reprendre l'exercice du droit, se lancer en politique puis accéder à la magistrature. Il fut président national de la Légion royale canadienne (1970-1972) et premier colonel honoraire du régiment de Maisonneuve (1957-1975).

On s'attendait à ce que Roche soit remplacé immédiatement par son commandant en second, le major H.-Lefort Bisaillon, mais c'est plutôt le major Maurice De Rome, du Royal 22e Régiment, qui fut promu lieutenant-colonel et commandant du Maisonneuve en juin 1942.

Cependant, De Rome ne conserva son commandement que quelques semaines et Bisaillon, enfin promu lieutenant-colonel, ne tarda pas à lui succéder et prit possession son commandement le 4 juillet.

Après avoir commandé brièvement le régiment de Maisonneuve de juin à novembre 1942, De Rome servit ensuite dans le Royal 22e Régiment. Au lendemain de la guerre de 1939-1945, il remplit diverses fonctions d'état-major dans l'armée canadienne tant au Canada qu'en Europe. Il devait mourir en 1967.

Tout comme le lieutenant-colonel Paul Brosseau, le lieutenant-colonel H.-Lefort Bisaillon était le fils d'un ancien commandant du régiment de Maisonneuve.

Le père de H.-Lefort Bisaillon, le lieutenant-colonel Pierre Bisaillon avait commandé le 85e bataillon d'infanterie de 1915 à 1920 dont il avait été le dernier commandant avant que ce bataillon ne prenne officiellement le nom de régiment de Maisonneuve en 1920.

Le grand-père de H.-Lefort Bisaillon, François Bisaillon, ancien bâtonnier de Montréal, lut l'adresse de présentation aux drapeaux du 85e bataillon, au camp de Laprairie, en septembre 1885. Son oncle, Hector Bisaillon, fut adjudant du 85e bataillon. Son frère, le major François Bisaillon, servit lui aussi comme officier du régiment de Maisonneuve outre-mer durant la Deuxième Guerre mondiale.

Quant au lieutenant-colonel H.-Lefort Bisaillon, il commanda le régiment de Maisonneuve outre-mer de l'automne 1942 jusqu'à août 1944. Il fut alors remplacé par le futur brigadier-général Julien Bibeau.

H.-Lefort Bisaillon fut décoré de la Croix de guerre française et occupa divers postes à l'état-major avant de prendre sa retraite à la fin des hostilités.

Le major Gustave Blier

C'est en février 1942 que le régiment de Maisonneuve perdit son premier véritable héros. Les Britanniques, en effet, demandaient la mutation du lieutenant Gustave Blier, qui avait suivi en 1941, avec grand succès, « l'Intelligence Course » des Britanniques pour apprendre comment servir derrière les lignes ennemies.

Vu le rôle que le jeune officier Blier jouait au sein du Maisonneuve, le lieutenant-colonel Roche commença par s'opposer formellement à sa mutation dans l'armée britannique.

Quelques jours plus tard, un officier supérieur du « War Office » se présenta au Maisonneuve et le lieutenant-colonel Roche dut céder à regret aux instances des Britanniques.

Blier, intrépide officier d'ascendance suisse, désirait ardemment, quant à lui, se joindre à l'« armée des ombres » et aider la résistance française dans sa lutte contre les allemands.

Promu major, Blier fut parachuté en novembre 1942 dans la région de Montargis, en France, où il vécut des aventures tragiques, capturé, puis torturé par la Gestapo et ensuite fusillé par les nazis à la fin de la guerre.

À l'été 1941, l'entraînement intensif des Fusiliers Mont-Royal touchait à sa fin. On n'aurait pu d'ailleurs le prolonger plus longtemps sans risquer d'émousser par la monotonie l'entrain et le mordant des hommes. En juillet, le bataillon s'installa sur la côte sud de l'Angleterre, dans un endroit assez exposé. Si, depuis le début de cette année-là, les bombardements allemands s'espaçaient, ils n'en étaient que plus massifs et plus destructeurs et, théoriquement du moins, une invasion de l'Angleterre par les Allemands demeurait possible.

On sait par ailleurs que durant l'été 1941, on s'interrogeait beaucoup sur les possibilités de promotion accordées aux officiers canadiens-français qui ne parlaient pas couramment l'anglais. Pour remédier à cette situation, on créa au camp Borden, en Ontario, une école spéciale pour commandants de compagnies et candidats aux postes supérieurs. Le major Jean Leclaire, qui la commanda eut beaucoup de mal à trouver des instructeurs compétents au fait du complexe vocabulaire militaire anglais et de ses équivalences françaises.

À l'automne, l'entraînement intensif des Fusiliers Mont-Royal en Angleterre reprit, mais après l'entrée en guerre des Américains, le 7 décembre 1941 par suite de l'attaque des Japonais contre Pearl Harbor, on délaissa l'entraînement pour se consacrer nuit et jour à la surveillance de la côte anglaise, pour parer à la possibilité d'une invasion, ou tout au moins d'un coup de main important des Allemands sur les côtes britanniques.

Le lieutenant Guy Vandelac fut envoyé suivre un cours de commando en Écosse et, à son retour, il fut promu capitaine ; on décida qu'il organiserait un entraînement fondé sur les méthodes de spécialistes en escalades et en coups de main.

En dépit des comptes rendus lénifiants des historiques régimentaires, les Canadiens français qui bivouaquaient en Angleterre depuis des mois, beaucoup depuis plus de deux ans au printemps 1942, loin des leurs, dans un pays de langue, de religion et de coutumes différentes des leurs, étaient dégoûtés de leur inactivité forcée.

J'ai moi-même cité dans *Dieppe n'aurait pas dû avoir lieu*, que j'ai lancé aux Éditions du Méridien à l'occasion du 50e anniversaire du raid meurtrier de Dieppe du 19 août 1942, des extraits des lettres que mon père, le lieutenant André Vennat, des Fusiliers Mont-Royal, qui devait trouver la mort dans cette opération suicide, adressait à ma mère.

On sentait que mon père comme bien de ses camarades, officiers ou non, devenait aigri par la routine, les intrigues régimentaires et l'inactivité.

D'ailleurs, en décembre 1941, après l'attaque japonaise contre Pearl Harbor et l'entrée en guerre des États-Unis aux côtés des Alliés, mon père trouvait intrigant que des troupes canadiennes se battent à Hong Kong, alors que lui et ses camarades piétinaient sur place depuis de longs mois en Angleterre.

C'est ainsi que, le 22 décembre 1941, à la veille de Noël, en réponse à une lettre que ma mère lui avait adressée après l'attaque contre Pearl Harbor, mon père écrivait notamment : « la vie est une drôle de chose et notre destinée est bien inconnue. Il y a actuellement des Canadiens qui se battent à Hong Kong ; ils se sont enrôlés bien après les autres et ils sont là ; ici, il y en a qui sont rendus depuis plus de deux ans et qui n'ont jamais vu le feu et ne le verront peut-être jamais ; c'est tout de même curieux. »

Le thème de l'ennui et de l'attente stupide en garnison au lieu de se battre revenait de plus en plus souvent dans les lettres de mon père à compter de la fin de cette année-là.

Le 27 janvier 1942, commémorant la dernière fois où il avait pu voir ma mère avant d'être envoyé en renfort aux Fusiliers Mont-Royal déjà en Angleterre depuis plusieurs mois, mon père lui écrivait : « Il y a un an, jour pour jour, je t'ai laissée sur le quai de la gare pour m'en aller. Ce n'est pas un anniversaire bien gai et en regardant en arrière, que s'est-il passé durant toute cette année sans toi ?

« Ma pauvre chérie, quand je t'ai laissée à la gare, et que tu faisais des efforts pour essayer de sourire, je savais que des jours tristes suivraient, mais j'espérais naïvement que tout se passerait bien et que l'absence ne serait pas longue.

« Pendant tout ce temps d'ennuis, de misère et d'inquiétude pour toi, qu'est-ce que j'ai fait ? J'ai consommé mes dernières illusions, je me suis ennuyé autant qu'il y a moyen de le faire, j'ai travaillé pas mal, surtout ces derniers temps et chaque fois que j'ai pu. Qu'est-ce que j'ai accompli ? Rien.

« Ce n'est certes pas de ma faute, si je n'ai rien pu accomplir. Les raisons sont bien indépendantes de moi et je ne suis pas le seul dans le même cas. Il y en a des milliers, ici, qui se disent la même chose.

« Quand je pense à tous les sacrifices que je t'ai fait faire, à ceux aussi que je fais quoique je les compte moins, pour en arriver à ce bilan : Rien ! Il y a de quoi devenir enragé. Et c'est une des choses les plus dures à supporter : de sentir l'inutilité de l'effort et des sacrifices.

« Au bout d'un an, ce n'est pas très encourageant à constater. Mais je ne veux pas me laisser aller, je veux avoir confiance et je ne veux pas croire que cela sera inutile. »

Le 7 février, mon père revient sur la question en écrivant à ma mère : « si je t'ai laissée pour partir à la guerre, ce n'était sûrement pas pour venir faire de la garnison en Angleterre. Et cette sensation d'assister en spectateurs en uniforme à une action qui ne va pas souvent à notre goût est déprimante ».

Puis le 3 mars, ces mots pleins d'amertume : « ce qui me fait le plus mal au cœur, c'est d'avoir sacrifié notre vie pour venir en Angleterre faire de la garnison. »

Le 14 juillet : « Je suis dégoûté de cette vie jusqu'à la limite. Non pas que l'armée ne m'ait apporté que des désagréments, mais surtout parce que j'en ai marre d'être ici loin de toi, loin des petits, à faire la garde et des manœuvres, sans savoir jusqu'à quand et sans espoir de retour. »

La dernière lettre que nous avons reçue de mon père est datée du 11 août 1942.

Mon père y écrivait alors : « Je ne peux pas croire que je vais passer l'automne et l'hiver ici. Je ne me fais pas d'illusions, c'est probablement ce qui va se passer. Mais il me semble que ça n'a pas de sens et qu'il va se passer quelque chose qui me sorte d'ici et me ramène près de toi au moins pour quelques mois. J'aurais besoin d'un changement d'air, car j'en ai marre de tout. »

Huit jours plus tard, un commando allié, formé surtout de Canadiens, attaquait Dieppe. Mon père en faisait partie. Il ne devait jamais revenir vivant.

Toutes ces lettres de mon père démontrent assez bien ses frustrations d'engagé volontaire désireux de libérer rapidement la

France et qui se trouve, bien malgré lui, mêlé à une vie de garnison qui n'en finit plus en Angleterre. Même si les raisons de s'enrôler de ses camarades étaient sans aucun doute différentes, la frustration de mon père était certainement le lot de beaucoup.

Si mon père, arrivé en Angleterre le 1er mars 1941 pour servir avec les Fusiliers Mont-Royal comme renfort en provenance du régiment de Châteauguay, a dû languir près de 18 mois en Angleterre avant de se battre, que dire de la majorité de ses compagnons d'armes ? En effet, la majorité des effectifs des Fusiliers Mont-Royal avait quitté le camp de Valcartier, en banlieue de Québec le 27 juin 1940 et n'arriva en Angleterre qu'à la fin d'octobre, après un séjour de trois mois en Islande, terre inhospitalière aux yeux de la plupart.

Ce sont ces soldats qu'on a finalement envoyés se battre en août 1942. Peut-on les blâmer, dans les circonstances, d'avoir presque considéré le raid de Dieppe comme une délivrance ?

Les soldats du Royal 22e Régiment, d'autre part, arrivés en Angleterre pratiquement une année avant les Fusiliers Mont-Royal, durent attendre encore une année avant d'être envoyés dans la mêlée pendant la campagne d'Italie.

Quant aux soldats du régiment de la Chaudière, qui eurent l'honneur d'être les seuls Canadiens français engagés dans les opérations du « jour J » du 6 juin 1944, et à ceux du régiment de Maisonneuve, qui les suivirent quelques jours plus tard lors de la campagne de Normandie, c'est quatre années de garnison en Angleterre qu'ils durent endurer avant d'affronter enfin l'ennemi.

Dollard Ménard à la tête des Fusiliers Mont-Royal
C'est l'arrivée du lieutenant-colonel Dollard Ménard, alors le plus jeune lieutenant-colonel d'active du Commonwealth britannique, à 29 ans, à la tête du bataillon, le 1er avril 1942, en remplacement du lieutenant-colonel Paul Grenier, promu colonel et commandant d'une brigade de réserve au Canada, qui devait constituer une véritable révolution dans ce bataillon ; quatre mois plus tard, cette unité fut la première des unités canadiennes-françaises cantonnées en Europe à être sous le feu de l'ennemi.

Comme l'explique l'historique régimentaire des Fusiliers Mont-Royal, « la nomination du lieutenant-colonel cause un certain émoi, fort compréhensible d'ailleurs, au sein de l'unité. On sait peu de chose sur le nouveau venu : qu'il n'est pas originaire de Montréal, qu'il est officier de carrière, et qu'en dépit de sa jeunesse il possède déjà une impressionnante fiche de service. Comme il est naturel en pareil cas, on est donc quelque peu sur la défensive, on réserve son jugement sur l'outsider comme diraient les Anglais.

« Ménard arrive le 3 avril. On dit d'emblée reconnaître à l'homme un splendide physique : 6'2" de taille, de larges épaules, des muscles d'athlète, le regard franc, la mâchoire énergique. On ne tardera pas à se rendre compte que d'exceptionnelles qualités morales et intellectuelles habitent cette enveloppe.

« Entrer à froid de l'extérieur dans une unité dont l'esprit de famille est aussi légendaire que celui des Fusiliers Mont-Royal n'est jamais une tâche facile. Officier ou simple soldat, il appartient au nouveau de se faire accepter. Pour un commandant, plusieurs facteurs compliquent le processus d'adoption : sa nomination n'aura pas manqué de décevoir certaines légitimes ambitions ; on redoute toujours l'inconnu, surtout lorsque sa sécurité personnelle, celle de l'unité peuvent dépendre de son jugement, de ses réflexes ; et puis on croit déceler un blâme des autorités dans un choix fait hors des cadres de l'unité. Ménard réussit en temps record à surmonter des difficultés auxquelles son expérience l'avait heureusement préparé. Et bientôt, hommes et officiers seront prêts à suivre au bout du monde cet étranger accueilli d'abord avec une certaine méfiance. Ils le diront d'ailleurs à qui voudra les entendre ».

Comme je l'ai écrit dans *Dieppe n'aurait pas dû avoir lieu*, de l'avis de tous ceux qui ont été mêlés à l'action des Fusiliers Mont-Royal à Dieppe, c'est l'arrivée comme nouveau commandant au début d'avril 1942, quatre mois avant le raid, du lieutenant-colonel Ménard, officier d'active, du Royal 22e Régiment, diplômé du Kingston Royal military College et ancien combattant de la campagne des Indes, à la frontière actuelle de ce qui est aujourd'hui le Pakistan et l'Afghanistan, qui devait transformer le régiment en véritable unité de commandos.

À cette époque, Ménard suivait à Kingston un cours de spécialiste d'état-major lorsqu'il fut renvoyé d'urgence en Angleterre. Il venait d'être nommé chef d'état-major de la 8e brigade de la 3e division, commandée par le brigadier-général Blackader, ancien commandant des Black Watch, régiment écossais de Montréal.

Comme me l'a confié le brigadier-général Ménard lui-même en entrevue 45 ans plus tard, « je ne devais remplir ce poste que deux mois, puisqu'un jour le major-général Basil Price, qui commandait la division, me fit venir et me dit avec un grand sourire : "Mon cher Ménard, le général McNaughton et le grand quartier général canadien ont décidé de vous nommer commandant des Fusiliers Mont-Royal. Vous voilà lieutenant-colonel. Vous entrez en fonction immédiatement". À 29 ans, à l'époque le plus jeune lieutenant-colonel de l'Empire britannique.

« Les Fusiliers Mont-Royal avaient tout le potentiel pour devenir un bon régiment. Mais c'était un secret de Polichinelle à l'époque que la discipline y était un peu relâchée et que sous le commandement de mon prédécesseur, le colonel Grenier et les officiers avaient tendance à jouer leur rôle quelque peu en dilettante en attendant la guerre et les choses sérieuses.

« Dès mon arrivée, je m'activais à redresser la situation. Nous étions au printemps 1942 et, désormais, ai-je annoncé, l'entraînement serait sans pitié, obligatoire pour tous et à point. D'ailleurs, je m'entraînais moi-même avec eux, selon un plan de véritable entraînement de commandos, conçu par moi, sur mesure pour ce régiment, que le major-général Roberts, qui remplaçait le major-général Odlum, m'avait demandé de transformer en "belle unité".

« C'est comme ça qu'on s'est entraînés sur la côte anglaise, se disant que toutes les côtes devaient se ressembler, que cela soit la côte française ou anglaise. Je voulais que chaque homme fut autonome, capable de transporter 50 livres de munitions sur le dos, et de se débrouiller seul, le cas échéant. Je voulais que tous mes hommes apprennent à ne compter que sur eux-mêmes, même si je leur ai fait apprendre tous les secrets de l'anatomie humaine, de façon, en cas de besoin, à pouvoir s'entraider rapidement avant l'arrivée de secours. Au moment du raid avorté du 8 juillet, nous étions prêts ».

Quoi qu'il en soit, parlant de son nouveau commandant, mon père écrivait le 2 avril 1942 : « On vient d'être avisés cet après-midi qu'un nouveau commandant se rapporte ici demain. Bien des espérances sont déçues et toutes les petites combines qui s'étaient préparées dernièrement ne savent pas trop à quoi s'en tenir. Quant à moi, je ne le connais pas. Qui que ce soit, ça m'est égal. »

Mais le lendemain mon père écrivait : « aujourd'hui est arrivé le nouveau commandant, le lieutenant-colonel Ménard. C'est un jeune homme de vingt-neuf ans, de la Force permanente. Cela fait une différence avec l'autre, qui en avait cinquante et qui n'était pas trop fort. Il est venu seulement quelques minutes au bureau, vers la fin de l'après-midi et il est parti s'installer. C'est difficile de savoir encore quelle sorte de type c'est. Mais cela va faire du bien d'avoir du sang neuf dans le bataillon, surtout de quelqu'un qui vient d'en dehors et ne sera pas embêté par les vieilles amitiés de temps de paix et les relations de famille. On verra bientôt les résultats. En attendant, je crois qu'on va travailler plus fort, ce qui ne fera pas de tort. »

Le 4 avril, mon père revenait sur le sujet pour dire qu'« avec le nouveau commandant, cela va barder dans le régiment. Il est encore bien tôt pour se former une opinion, et d'ailleurs mes opinions là-dessus, je ne les formulerais pas dans une lettre, mais je peux quand même dire que je pense que le changement est pour le mieux ».

Autre remarque le 6 avril : « Il s'agit maintenant de travailler. Le nouveau commandant n'y va pas par quatre chemins et ça commence raide et ça va continuer. Ça ne me fait pas de peine et ça va faire du bien car le régiment en avait grand besoin en général. Je n'ai pas eu le temps de faire grand chose aujourd'hui. Nous avons eu une petite marche de 20 milles, qui a pris la plus grande partie de la journée. Il faut se mettre en forme, paraît-il, car l'armée motorisée doit pouvoir marcher à pied. Ça sauve la gazoline ! »

Enfin, le 5 août, deux semaines avant le raid meurtrier de Dieppe, parlant toujours du lieutenant-colonel Ménard, mon père confiait à ma mère : « C'est un bon militaire et le régiment en avait besoin. »

Dans ses mémoires, publiés plus de 25 ans après le raid, aux Éditions France-Empire, sous le titre de *Un Canadien français à Dieppe*, le capitaine Lucien Dumais, qui servait alors aux Fusiliers Mont-Royal, comme sergent-major, peut se permettre plus de libertés pour raconter la période entre l'arrivée du brigadier-général Ménard, alors lieutenant-colonel, et le raid qui eut lieu quatre mois plus tard. Ce qu'il a écrit sur le sujet confirme ce que mon père écrivait.

« Ménard nous a promis, raconte Dumais, que nous jouerions vraiment aux soldats, selon l'expression consacrée de l'armée canadienne. Nous avons été sceptiques au début, ayant entendu bien d'autres salades du genre. Mais il avait déjà commencé à nous faire confiance, à nous traiter comme des soldats et à exiger des résultats !

« C'est déjà un grand changement avec notre commandant précédent qui nous prenait pour des enfants ou plutôt pour ses domestiques. Oui, il avait sous ses ordres 900 officiers, sous-officiers et soldats, et pour lui, c'étaient 900 hommes qui n'avaient rien de mieux à faire que de le servir. »

« RÉVOLUTION » DANS L'ARMÉE CANADIENNE

Quelques semaines avant sa mort, le ministre de la Justice, Ernest Lapointe, principal bras droit du premier ministre du Canada William Lyon Mackenzie King au Québec, prononça un discours au Club Canadien de Québec. Il profita de l'occasion pour annoncer de grandes réformes dans l'armée canadienne, destinées à favoriser l'avancement des Canadiens français au sein de l'armée canadienne. Ces réformes furent qualifiées de « véritable révolution » par le brigadier-général Georges Vanier, commandant du district militaire de Québec.

Dans son discours du 24 septembre 1941, Lapointe reconnut d'abord que certains obstacles, dont le principal était la différence de langues avaient obligé, jusque-là, les jeunes Canadiens français à se diriger de préférence vers l'infanterie plutôt que dans les armes spéciales, telles que le génie, l'artillerie, le corps de signaleurs, les unités motorisées.

« La difficulté fondamentale de langage ne semble jamais avoir été étudiée en ce qui concerne les besoins militaires. Toute la littérature professionnelle de notre armée a toujours été anglaise. Je suis heureux de vous dire aujourd'hui que l'état-major de l'armée canadienne a établi les bases d'une réorganisation radicale. »

Après avoir rappelé qu'un bureau de traducteurs, sous la direction du colonel G.-H. Chaballe, était dorénavant chargé de fournir aux soldats canadiens-français tous les manuels et livres militaires nécessaires, non seulement à leur instruction initiale mais aussi à leur préparation à l'emploi des armes modernes et à leur avancement dans l'armée, Lapointe ajouta que l'état-major avait tenu à corriger lui-même un état de choses qui avait donné lieu à de nombreuses plaintes.

« Je veux parler des régiments dont les officiers, exclusivement de langue anglaise, commandent à une large proportion de soldats canadiens-français qui avaient été attirés dans ces régiments par le fait que ces armes nouvelles leur paraissaient plus intéressantes que l'infanterie et que d'autre part, pour les raisons déjà citées, il n'existait pas d'unités canadiennes-françaises équivalentes.

«Il me fait plaisir de vous annoncer aujourd'hui que désormais un nombre d'officiers compétents de langue française sera attaché proportionnellement à l'effectif de langue française de ces régiments. »

Autrement dit, expliqua Lapointe, dans un régiment où 25 % des soldats seraient canadiens-français, on nommerait 25 % d'officiers de langue française, ce qui, ajouta-t-il, « non seulement facilitera l'éducation et l'avancement des soldats, mais créera de nombreux postes pour nos sous-officiers qui seront préparés à servir dans ces armes d'un intérêt particulier pour le Québec ».

En plus d'ouvrir une nouvelle carrière aux officiers canadiens-français dans les régiments dits de langue anglaise, il était prévu qu'aux quartiers généraux des districts militaires de Québec, Montréal et d'ailleurs, le nombre d'officiers bilingues ou de langue française serait proportionnel au nombre des troupes de langue française mobilisées dans le district.

Ainsi, par exemple, dans le district militaire de Kingston, en Ontario, il y aurait désormais 25 % d'officiers qui seraient bilingues ou d'expression française, de façon à tenir compte du nombre de Canadiens français enrégimentés dans des unités de langue anglaise aussi bien que de langue française. Il en serait de même pour le district militaire du Nouveau-Brunswick où de nombreux soldats acadiens servaient dans des unités de langue anglaise.

De plus, annonça Lapointe, on avait donné l'ordre d'ajouter aux listes choisies de l'état-major un nombre plus grand d'officiers canadiens-français susceptibles d'occuper des postes importants aux quartiers généraux de l'armée à Ottawa. Les bureaux de sélection des différents districts militaires devaient dorénavant avoir une liste à part de jeunes officiers de talent de langue française, susceptibles de recevoir l'instruction et la préparation nécessaire pour occuper les postes de commandement au sein des états-majors.

On avait également ordonné que des officiers compétents de langue française basés actuellement outre-mer aient la chance de combler des postes d'état-major au Canada.

« Ce qui veut dire que nos officiers, après avoir acquis là-bas une expérience précieuse, pourraient être choisis pour occuper des postes de commandement à Ottawa et dans les quartiers généraux des différents districts militaires du pays.

« Ce n'est pas tout. Dans son désir d'ouvrir toutes grandes les portes de l'armée à l'élément de langue française, l'état-major a choisi un nombre raisonnable d'officiers bilingues d'origine canadienne-française parmi le haut personnel enseignant du collège d'état-major à Kingston qui a remplacé l'ancien collège militaire et il entend suivre la même politique en ce qui concerne les officiers détachés aux États-Unis pour faire leur instruction militaire. »

Commentant ces propos, le commandant du district militaire de Québec, le brigadier-général Georges Vanier, s'exclama que cette transformation non seulement permettrait aux nôtres d'avancer dans l'armée, mais leur préparerait une vie enviable après la guerre.

« C'est une véritable révolution. Autrefois, si le soldat de langue française ne se faisait pas fantassin, il devait affronter des obstacles extrêmes, presque insolubles dans certains cas. À l'avenir, nous pourrons développer chez les nôtres un esprit de technique. C'est extrêmement important cette réforme. C'est le commencement d'une autre ère pour les Canadiens français dans le domaine de l'armée. »

Pour sa part, *La Presse* écrivait en éditorial que la traduction des manuels militaires à laquelle travaillait un comité sous la direction de J.H. Chaballe, constituait une autre indication de volonté des dirigeants de la Défense nationale de favoriser l'instruction des recrues de langue française incorporées à un titre ou à un autre dans l'armée canadienne et, par là, de les mettre en état de mieux servir et d'accéder plus facilement aux postes d'officiers.

« Il est donc fort désirable que, pour donner aux volontaires ou aux mobilisés de langue française la chance de se qualifier comme leurs camarades de langue anglaise, la Défense nationale s'occupe de leur procurer des manuels français. Demande d'autant plus compréhensible qu'Ottawa a soulevé le principe d'unités canadiennes-françaises commandées par des officiers canadiens-français. La traduction, actuellement en cours, devient alors indispensable. »

Peu de temps après, la Royal Canadian Air Force annonçait que les jeunes gens aptes à l'entraînement comme pilotes ou observateurs mais ne possédant pas toute l'instruction requise pourraient s'inscrire à certains cours d'une durée moyenne de 18 semaines qui seraient donnés à Montréal à compter de la mi-novembre. Une section autonome était formée pour les élèves de langue française.

Par ailleurs, à la veille de Noël, on faisait savoir qu'un service d'orientation professionnelle était maintenant organisé dans les districts militaires de Montréal et Québec, sous la direction du major Anselme Bois. Grâce à ce service, on projetait d'interviewer personnellement chaque soldat sur ses aptitudes. En faisaient notamment partie, outre le major Bois, le lieutenant Hermas Bastien, le capitaine R.-T. Lafond, le lieutenant Laurent Breton et le lieutenant Marcel Crépeau.

Le 17 février 1942, prenant la parole à l'hôtel Mont-Royal de Montréal dans le cadre d'un déjeuner en marge de la campagne en vue de recruter 10 000 réservistes pour la garnison de Montréal, le ministre de la Défense nationale, le colonel J.L. Ralston, déclara que « l'armée appartient tout autant aux Canadiens français qu'à leurs compatriotes de langue anglaise ».

« Nous avons fait des efforts particuliers pour assurer à nos compatriotes canadiens-français que l'armée leur appartient tout autant qu'à leurs compatriotes de descendance anglaise. Nous devons reconnaître qu'il n'existe plus de difficultés et de handicaps provenant de la différence de traditions, de coutumes et de milieu. Nous n'avons pas été aveugles ou sourds à ces difficultés ; il s'est fait un effort délibéré et constant pour les surmonter. »

Ralston faisait remarquer qu'en juin 1941, 320 diplômés étaient sortis de l'école d'officiers de Brockville, en Ontario, et que parmi eux pas moins de 121 étaient des Canadiens français. Des 1 106 élèves officiers fréquentant l'école à la fin de ce mois, pas moins de 306 étaient des Canadiens français.

« Ces jeunes iront dans les nouvelles unités de langue française et ils rediront à tous qu'il n'y a pas de différence entre les Anglais et les Canadiens français dans l'armée.

« Et au front, dans la 7e division, nous aurons les éléments d'une brigade entièrement canadienne-française, qui comprendra un régiment, une compagnie de génie, des sections de signaleurs, trois bataillons d'infanterie, un bataillon de mitrailleuses, un corps d'ambulance de campagne, un corps d'intendance et un corps de magasins militaires. Cette brigade est sous le commandement du brigadier-général J.A. Leclaire, un autre Canadien français, qui est revenu d'Angleterre récemment avec un excellent dossier. »

La veille, le brigadier-général Georges Vanier, s'adressant aux représentants de toutes les associations représentatives de l'élément de la population francophone de Montréal, réunis à l'Auditorium du Plateau dans le cadre d'un grand ralliement en faveur de l'armée de réserve, avait lancé un appel vibrant : « Que ceux qui sont les continuateurs des vaillants miliciens de notre glorieuse histoire française et anglaise décuplent leur nombre. Que nos milices de réserve, fortes et bien entraînées, tiennent en échec l'ennemi de nos biens, de notre langue, de notre foi. Que l'esprit de Carillon qui est resté vibrant dans nos régiments inspire des vocations militaires innombrables. Que notre Canada trouve pour le garder des Canadiens dignes de ceux d'autrefois. »

Pour sa part, Mgr Philippe Perrier, vicaire général du diocèse de Montréal, déclara au nom de l'Église catholique : « Nous nous unissons avec joie au gouvernement du pays pour appeler les hommes à la défense de notre patrie, en prévision d'attaques possibles. La constitution d'une armée de réserve rappelle le souvenir de ces soldats laboureurs, qui ont été les pierres d'assise de notre nation. Ce sont là nos meilleures traditions et nous sommes heureux d'y collaborer. »

Quelques jours auparavant, Ottawa avait fait savoir que « la province de Québec reste au premier rang » et que « la mobilisation y donne de meilleurs résultats qu'ailleurs ».

Par ailleurs, le brigadier-général Edouard de Bellefeuille Panet, commandant du district militaire de Montréal, promit de créer, selon le nombre et l'importance des recrues francophones dans les régiments de langue anglaise, des centres autonomes de langue française, avec leurs propres officiers et sous-officiers. Plus précisément, dans un communiqué, Panet s'engagea en ces termes :

« Si un nombre suffisant de Canadiens français désirent s'inscrire dans des unités de réserve autres que celles d'infanterie où il existe déjà un certain nombre de régiments canadiens-français, on formera en temps opportun des unités et des compagnies, confiées à des officiers et sous-officiers de langue française.

« Ainsi, par exemple, si un groupe de Canadiens français, assez important pour former une troupe, se joignait à l'artillerie, ces hommes seraient groupés ensemble ; s'ils étaient suffisamment nombreux pour faire une batterie, un régiment ou une brigade, on ferait de même et on leur donnerait des officiers de leur langue dès que le nombre suffisant aura été recruté.

« On a déjà pris des mesures pour nommer un officier commandant d'une batterie canadienne-française dans le 2e régiment de la Royal Canadian Artillery.

Le 27 juin, à l'occasion de la Semaine de l'armée, c'était au tour du lieutenant-général Andrew G.L. McNaughton de rendre justice aux Canadiens français, en publiant la déclaration suivante :

« Je vous assure que les troupes canadiennes-françaises sont bien trempées et qu'elles acquièrent le fini militaire d'une façon merveilleuse. Il va de soi qu'au début certains Canadiens de langue française éprouvaient quelques difficultés à s'exprimer en anglais et à bien comprendre ce qui leur était enseigné ; mais de part et d'autre, nous nous sommes adaptés à cette situation. Ainsi, l'enseignement militaire supérieur se donne en anglais, mais quand il s'agit d'un militaire canadien-français qui parvient difficilement à comprendre l'instruction, nous lui faisons donner un entraînement préparatoire afin qu'il puisse se tirer d'affaire aussi facilement que son collègue anglophone. Sous ce rapport, je tiens à vous dire que nous avons reçu de part et d'autre toute la sympathie et l'encouragement nécessaires.

« Évidemment, nous ne pouvons pas du jour au lendemain, former chez les Canadiens français autant de chefs que nous le voudrions, mais graduellement leur nombre augmente dans les postes responsables. J'ai toujours eu en tête un projet auquel je tiens fermement : celui de compter dans les cadres du commandement, un nombre d'officiers canadiens-français proportionnel au nombre des Canadiens français qui sont dans l'armée canadienne. »

C'est McNaughton lui-même qui avait suggéré à l'agence Presse Canadienne, qui s'est empressée d'acquiescer, de donner en français les nouvelles concernant le Canada français dans le bulletin hebdomadaire d'information canadienne distribué aux troupes. Cet hebdomadaire bilingue accordait beaucoup d'importance aux nouvelles du Québec.

Le bilan de juin 1942
À la fin de juin 1942, à l'occasion de la Semaine de l'armée, *La Presse*, en collaboration avec le service des relations publiques de l'armée, publia sur plusieurs pages un cahier spécial faisant le point sur la participation des Canadiens français à la vie de l'armée canadienne après trois ans de guerre.

Le major général Léo Richer La Flèche, présenta des chiffres démontrant que d'octobre 1940 à avril 1942, le nombre de mobilisés qui s'étaient présentés aux centres d'instruction militaire sur avis du ministre des Services nationaux de guerre et qui avaient été jugés aptes au service avaient été de 120 305 hommes. De ce nombre, 35 831 avaient été formés par des officiers et instructeurs de langue française.

On avait dressé un bilan à peu près complet de la place occupée par les Canadiens français au sein de l'armée. On faisait remarquer qu'à l'École d'officiers de Brockville, en Ontario, là où se donnaient pendant trois mois des cours d'officiers, 45 des 175 instructeurs étaient des Canadiens français, à commencer par le commandant en second du camp et chef instructeur francophone, le lieutenant-colonel E.-A. Blais, Croix militaire (MC), adjoint du commandant, le colonel M.F. Gregg, Croix de Victoria (VC). Le lieutenant-colonel Blais devait être par la suite promu brigadier-général durant les hostilités.

Les candidats de langue française venaient d'un peu partout au Canada, autant des provinces de l'Ouest que des Maritimes, mais le plus grand nombre provenaient bien sûr des districts militaires de Québec et Montréal. En juin 1942, on estimait que près de 600 officiers francophones étaient passés par Brockville avant d'avoir été brevetés. Beaucoup d'entre eux avaient auparavant séjourné deux mois à l'école de cadets-officiers de Saint-Jérôme, commandée par le lieutenant-colonel Georges Francœur, Décoration d'ancienneté des officiers (VD).

Par ailleurs, à Mégantic, en Estrie, un officier canadien-français, le lieutenant-colonel L.-P. Cliche du régiment de la Chaudière, commandait la seule école de sous-officiers du Canada, qui recevait des candidats de toutes les parties du pays. Soixante pour cent des instructeurs de cette école étaient de langue française.

Enfin, dans chacun des 31 centres d'instruction supérieure du pays, où s'enseignaient quinze spécialités différentes, on avait désigné un instructeur bilingue par spécialité.

Un officier avait pour fonction principale de diriger l'instruction bilingue, de s'assurer qu'il y aura un nombre suffisant d'instructeurs bilingues proportionnellement au nombre de recrues de langue française, de conseiller le commandant dans tout ce qui avait trait au français, de servir d'intermédiaire entre le groupe francophone, les autorités militaires et le groupe anglophone. Un officier du Royal 22e Régiment, ancien combattant de la Première Guerre mondiale, le major Jean Lafontaine, remplissait un rôle analogue à celui joué par la direction de l'instruction au quartier général de la Défense nationale à Ottawa.

Les autres instructeurs en chef de langue française étaient alors :

— le major H. Bastien, de la liste spéciale d'officiers de Montréal, le lieutenant-colonel L.-P. Cliche du régiment de la Chaudière et le lieutenant-colonel E.-A. Blais, du Royal 22e Régiment, futur brigadier-général, qui étaient respectivement instructeurs-chefs à l'École spéciale de North Bay, en Ontario, à l'École de sous-officiers de Mégantic et à l'École d'officiers de Brockville ;

— le major C.-H. Gagnon, de la 59e batterie de Québec, instructeur-chef de l'artillerie au camp de Petawawa ;

— le major A.-V.-G. Laverdure, de la 30e compagnie de réserve, à Ottawa, instructeur-chef pour le génie à Petawawa ;

— le major Paul Sauvé, des Fusiliers Mont-Royal, futur brigadier-général et futur premier ministre du Québec, instructeur-chef de l'infanterie au camp de Farnham ;

— le major C. Lavallée, du régiment de Châteauguay, instructeur-chef des mitrailleurs à Trois-Rivières ;

— le major J.-E.-R. Roberge, du corps canadien de l'intendance, instructeur-chef de l'intendance à Lévis ;

— le major S. Perron, du corps médical à Montréal, instructeur-chef pour le corps médical au camp Borden ;

— le major C. Perron, de l'artillerie à Québec, instructeur-chef de la défense côtière à Halifax, en Nouvelle-Écosse ;

— le capitaine C.-L. Grégoire, des Fusiliers de Sherbrooke, instructeur-chef des armes particulières à Long Branch, en Ontario ;

— le capitaine de La Plante, du régiment de Maisonneuve, instructeur-chef des véhicules automobiles à Woodstock, en Ontario ;

— le capitaine H. Dandurand, de la liste générale des officiers à Montréal, instructeur-chef des métiers militaires à Hamilton, en Ontario ;

— et enfin le major V. Harton, du régiment de Montmagny, instructeur-chef de l'administration, à Sainte-Marguerite ;

Le poste d'instructeur-chef des magasins militaires à Barriefield en Ontario, restait à combler.

Au 1er juin 1942, plusieurs officiers canadiens-français étaient attachés aux quartiers généraux de la Défense nationale à Ottawa, à commencer par le major-général T.-L. Tremblay, inspecteur général de l'Est du Canada.

Dans la plupart des domaines, les Canadiens français étaient toutefois nettement minoritaires. Ainsi, aux bureaux du juge-avocat général, ils n'étaient que 2 sur 11, à ceux du chef de l'état-major, 18 sur 110, à ceux de l'adjudant général et du directeur général de l'armée de réserve, 18 sur 211, à ceux du quartier-maître général, 2 sur 47, à ceux du maître général de l'artillerie, 4 sur 149. Le major-général Tremblay, quant à lui, n'était que l'un des 6 inspecteurs généraux de l'armée canadienne.

Aux bureaux du ministre et du sous-ministre, on retrouvait le major A. Lemay et le lieutenant J.-C. Sarault.

À ceux du juge-avocat général, le capitaine P.-L. Belcourt et le lieutenant O. Godbout.

Aux bureaux du chef de l'état-major, les lieutenants J.-P.-G. Dunn, J.-G.C. Smits, H. Champagne, R. Robichaud, Y. Guérin, C.-T. Veniot et C.-L. Charbonneau, les capitaines R.-M. Séguin, L. Lamontagne, R. Duchesne et R. Ste-Marie, les majors A. Leduc, W.-A. Croteau, C.-E. Brisette, J. Lafontaine, Pierre Daviault et P. Bousquet et le colonel J.-H. Chaballe.

Aux bureaux de l'adjudant général et du directeur général de l'armée de réserve, les lieutenants M. Bordet, R.-G.-M.-J. Paules, C. Bernard, J.-W. Drolet et J.-M. Poirier, les capitaines J.-E. Crows, L.-A. Duhamel, Y. Bernier, L.-C. Archambault, J. Martin et C.-E. Gernæy, les majors H.-D. Saint-Pierre, C.-E. Trépanier, C. Bouthillier et C. Lavigne, le lieutenant-colonel C.-L. Laurin et le colonel P.-A. Piuze.

Aux bureaux du quartier-maître général, le major E. Desjardins et le brigadier-général E.-J. Renault.

Aux bureaux du maître général de l'artillerie, le lieutenant J.-P. Dorion, les capitaines W.-R. Pacaud et G.-A.-E. Couture et le brigadier-général A. Thériault.

Le lieutenant-colonel J.-Gustave Raymond était, quant à lui, attaché au bureau des administrateurs des allocations aux personnes à charge.

Par ailleurs, certains officiers occupaient des fonctions vraiment militaires, bien qu'ils aient été soumis à une autorité autre que celle des forces armées. C'était notamment le cas du major-général Léo-Richer La Flèche, sous-ministre des Services nationaux de guerre, du brigadier-général A. Thériault, directeur des arsenaux fédéraux, du lieutenant-colonel Henri Desrosiers, sous-ministre de la Défense nationale et du major Georges Benoît, directeur de la mobilisation ainsi que du capitaine G.-A.-E. Couture, des arsenaux.

Le major-général P.-E. Leclerc, alors âgé de 49 ans, fier de ses origines françaises et parlant d'ailleurs l'anglais avec un léger accent français, était le premier Canadien français à commander une division, la 7ᵉ division, dont la devise était « efficacité et ardeur ».

Engagé comme volontaire en 1915, Leclerc était simple sergent dans le corps des ingénieurs, dans les Flandres, lorsqu'il gagna la Médaille militaire (MM) avec un détachement du 22ᵉ bataillon canadien-français. Il termina la Première Guerre mondiale avec le grade de capitaine.

Leclerc aimait rappeler qu'il avait commencé sa carrière militaire comme simple soldat dans le génie, et sa carrière civile de simple apprenti électricien au salaire de 8¢ l'heure, ce qui ne l'avait pas empêché d'atteindre les plus hauts sommets.

À l'été 1940, Leclerc avait conduit la 5ᵉ brigade d'infanterie de la 2ᵉ division en Angleterre avec le grade de brigadier-général. Il en resta le commandant pendant toute la période des menaces d'invasion du sol britannique par les Allemands, qui suivit la chute de Dunkerque.

« LES CANADIENS FRANÇAIS SONT TOUT SIMPLEMENT PARTOUT »

Dans un texte publié le 27 juin 1942 et rédigé en Angleterre, le lieutenant Placide Labelle des services d'information de l'armée écrit que parmi les soldats canadiens en Angleterre il y en a des milliers et des milliers qui s'expriment mieux en français qu'en anglais. Ces jeunes gens venaient de la ferme, de l'usine, du bureau.

« Nous avons voulu savoir l'opinion des volontaires canadiens-français, sur la partie idéologique du conflit. On nous avait dit que la plupart de nos jeunes compatriotes s'étaient enrôlés pour voir du pays et courir l'aventure, beaucoup plus que pour défendre la liberté. Dans certains cas, on avait partiellement raison, c'est-à-dire qu'on trouve des Canadiens français qui profitent de la guerre pour se payer un peu d'impressions fortes et vivre pleinement. Mais ceux-là même qui sont venus se battre de ce côté-ci de "l'eau" refuseraient tout net de porter les armes si on leur demandait de le faire pour Hitler, pour Mussolini, ou encore pour tel fils du soleil qui a le dos rond et porte des verres.

« Il y en a une foule qui sont venus par pur patriotisme, qui ont laissé un emploi lucratif et confortable pour n'écouter que leurs convictions. D'aucuns qui étaient malingres au début et qui était tout juste acceptables aux yeux des médecins militaires ont pris du poids et de la vigueur. Ils se trouvent aujourd'hui vigoureux et rudes comme des écoliers.

« En certains milieux, nous ne l'ignorons pas, on semble croire que les nôtres sont à peu près tous dans l'infanterie. Rien de moins vrai. Si nos quatre principaux régiments outre-mer appartiennent à l'infanterie, nous sommes aussi en majorité dans certaines unités d'ambulances de campagne, dans des batteries d'artillerie, dans plusieurs détachements motorisés. Les Canadiens français sont tout simplement partout. On en trouve dans des régiments de Toronto, de Vancouver, de Halifax, dans toutes les unités anglophones de la province de Québec. Au cours d'une tournée récente, nous avons constaté que les Canadiens d'expression française venaient de toutes les régions du pays. Les neuf provinces du Dominion sont représentées chez eux.

« Qu'on ne nous demande pas quelle est la proportion des nôtres dans l'Armée canadienne. Selon nous, cette proportion ne pourra jamais être établie avec exactitude qu'au lendemain de la victoire. La raison principale en est que vous ne pouvez pas toujours déterminer l'identité ethnique d'un Canadien par son nom. Tel soldat qui se nomme John Smith éprouve mille difficultés à s'exprimer en anglais et vice-versa. Tel autre qui s'appelle Jos Tremblay parvient tout juste à baragouiner quelques mots de français. Dans les circonstances, la proportion canadienne-française de l'Armée canadienne (ou encore de l'Aviation et de la Marine) est difficile à établir nettement.

« Au reste, l'arrivée de renforts en Angleterre et le retour au Canada de nombre de volontaires qui étaient déjà outre-mer rend le calcul à peu près impossible. Il faudrait continuellement rétablir les proportions.

« Chose certaine, c'est qu'il nous arrive fréquemment d'entendre des soldats de l'Île-du-Prince-Édouard, de l'Ontario, de l'Alberta ou de quelque autre province anglo-canadienne converser en français entre eux dans les unités anglophones. Ils ne constituent évidemment pas la majorité, mais ils sont tout de même assez nombreux.

« Pour terminer, une distinction : Quand nous parlons de l'effort de guerre canadien-français, n'oublions pas les nôtres qui habitent les provinces anglophones. Si la province de Québec fournit un effort magnifique, il ne faut pas oublier que les Canadiens français de l'Ontario, du Manitoba et de l'Ouest ne se font pas tirer l'oreille pour accomplir leur devoir. C'est par groupes compacts que nous comptons en Grande-Bretagne les Canadiens français qui ont jalousement gardé leur langue et leurs coutumes mais qui viennent d'ailleurs que du Québec. Ils ont droit à leur part de mérite dans l'effort de guerre canadien-français. »

À la fin de mars 1942, d'ailleurs, de passage à Québec, le lieutenant-général Andrew G.L. McNaughton avait affirmé que les soldats canadiens-français servant outre-mer figuraient parmi les meilleurs régiments de tout l'Empire britannique.

Dans les unités anglophones

Outre les Royal Rifles of Canada, basés dans la vieille capitale et considérés comme une unité bilingue et qui devait être à Hong Kong la première unité québécoise engagée dans la bataille contre l'ennemi (en l'occurrence les Japonais), les services d'information de l'armée établissaient ainsi à l'été 1942 la proportion de Canadiens français servant alors dans des régiments anglophones outre-mer :

20 % environ dans le Royal Montreal Regiment ;
25 % dans les Victoria Rifles ;
10 % dans les Grenadiers Guards ;
20 % dans les Black Watch ;
50 % dans les Fusiliers de Sherbrooke qui,
fusionnés avec le Sherbrooke Regiment constituaient
dans les faits une unité bilingue ;
50 % dans les unités médicales et 40 % dans l'intendance.
De même, les unités mobilisées du district militaire du
Nouveau-Brunswick comptaient en moyenne 50 % de
Canadiens français dans leurs effectifs.

Il y avait même un régiment du Nouveau-Brunswick, le North Shore Regiment, alors en service outre-mer, qu'on avait placé sous le commandement d'un officier acadien, le lieutenant-colonel J.-A. Léger.

Enfin, on trouvait une forte proportion de Canadiens français dans les unités du district militaire de Winnipeg ainsi que dans celles de la région d'Ottawa.

Au début de mars 1942, le député de Témiscouata à la Chambre des communes, Jean-François Pouliot, avait souligné que lors du départ d'un régiment de Windsor, en Ontario, pour outre-mer, 35 % des effectifs étaient francophones alors que la population canadienne-française des trois circonscriptions entourant la ville de l'automobile n'était que de 18 %.

Soulignant le fait pour démontrer que les Canadiens français de tout le pays continuaient de s'enrôler volontairement « malgré les désavantages dont ils sont l'objet », Pouliot avait réclamé du ministère de la Défense qu'il divulgue le nombre de francophones servant dans les unités anglophones, et surtout que les Canadiens français servant dans ces unités aient droit au même pourcentage d'officiers que le pourcentage de francophones au sein de chaque unité.

Le corps-école d'officiers canadiens (COTC)

En plus de l'École d'officiers de Brockville et de l'École préparatoire de cadets-officiers de Saint-Jérôme, les différents contingents du Corps-école d'officiers canadiens (COTC) des universités de McGill, Laval et de Montréal et des Collèges Jean-de-Brébeuf, Mont-Saint-Louis et Loyola constituaient une véritable pépinière d'officiers canadiens-français.

Les brevets d'officiers obtenus au COTC n'étaient valides que pour la réserve, mais en moins de trois ans, plus de 550 officiers d'active avaient suivi un entraînement au COTC. De ce nombre, une dizaine sont passés de l'armée à la marine et une cinquantaine à l'aviation. C'est le lieutenant-colonel Paul Ranger qui a succédé au colonel J.-Redmond Roche comme commandant du COTC de l'Université de Montréal. Des anciens de ce COTC, 72 sont devenus par la suite officiers du régiment de Maisonneuve et 71 officiers des Fusiliers Mont-Royal, tandis qu'une dizaine servaient dans les rangs du Royal 22e Régiment.

À l'Université Laval, c'est le lieutenant-colonel Ernest Légaré qui commandait le COTC de cet établissement universitaire. Au 1er mai 1942, on estimait que 175 des anciens du COTC de l'Université Laval servaient comme officiers d'active.

De fondation récente, le COTC du Collège Jean-de-Brébeuf avait néanmoins déjà formé, lui aussi, une douzaine d'officiers pour l'armée active. C'est le lieutenant Jean Lamontagne qui le commandait à l'été 1942.

Au Mont-Saint-Louis, le collège, qui possédait également un des meilleurs corps de cadets du Québec, avait fourni plusieurs officiers à l'armée. Plusieurs anciens élèves servaient également dans les forces armées. C'est le major Lauréat Saint-Pierre qui commandait le COTC de ce collège.

Enfin, le contingent de Loyola, commandé par le lieutenant-colonel John W. Long, avait formé une cinquantaine d'officiers canadiens-français et celui de l'Université McGill, commandé par le lieutenant-colonel J.M. Morris, tout autant sinon davantage.

Par ailleurs, en vertu de la décision du ministère de la Défense nationale d'augmenter la représentation des jeunes Canadiens français dans l'armée, le brigadier-général Édouard de Bellefeuille Panet, commandant du district militaire de Montréal, annonça fin de janvier 1942 la création du Comité civil pour le choix des candidats-officiers canadiens-français. Ce comité, formé de jeunes hommes d'affaires et de professions libérales en vue de Montréal était présidé par le brigadier-général Panet ; il était aussi composé d'Antoine

Desmarais, Bernard Couvrette, Louis Trudel, Albert Beaulieu et Paul Leblanc.

Fait important à noter, et souligné par le vice-président Desmarais, on n'exigerait plus de diplômes universitaires ou de titres scolaires des candidats aux postes d'officiers en mesure d'établir leurs qualifications et leurs aptitudes à la satisfaction du comité de sélection.

Bref, à compétence et équivalence reconnues, on leur permettrait de subir un entraînement particulier de deux mois au camp de Saint-Jérôme avant d'aller suivre le cours régulier à l'École d'officiers de Brockville, en Ontario.

Craignant toutefois d'être mal interprété, le Comité civil pour le choix des candidats-officiers canadiens-français précisa le 30 janvier que les candidats devaient avoir des qualifications nettement définies et que leur instruction devait être assez complète.

En fait, les qualifications des candidats devaient être semblables à celles qu'exigeaient les écoles spécialisées, telles l'École technique de Montréal ou l'École des Hautes Études commerciales ou encore les classes préparatoires de l'École technique. Il fallait aussi, que le candidat ait une « connaissance pratique » de la langue anglaise.

« Au camp de Saint-Jérôme, où ils devaient faire deux mois avant de se rendre à l'École d'officiers de Brockville, il sera donné des cours d'anglais, mais la durée de l'entraînement et des cours à Saint-Jérôme n'est pas assez longue pour donner une connaissance de l'anglais à un jeune homme qui ignore totalement cette langue.

« Le Comité souligne aussi que les candidats doivent posséder les éléments de l'algèbre et de la géométrie, et rappelle qu'il y a un besoin urgent d'officiers dans l'artillerie et les unités de mitrailleuses. Les candidats qui désirent se joindre à ces unités doivent posséder la trigonométrie. »

Au Kingston Royal Military College, la pépinière des officiers de carrière de l'armée canadienne, un francophone, Jean-Pierre Cordeau, ancien élève du Mont-Saint-Louis de Montréal, alors âgé de 19 ans, était proclamé « le plus brillant cadet jamais passé à ce collège ».

Le jeune Cordeau avait battu tous les records connus de cet établissement et s'était classé le premier partout, recevant la Médaille d'or du gouverneur général, la plus haute récompense qui pouvait se donner à Kingston. Non seulement le caporal Cordeau abaissait tous les records et arrivait premier au classement général, mais il décrochait le premier rang dans les onze matières du cours militaire.

Entré au Kingston Royal Military College à l'été 1940, Cordeau en sortait avec son diplôme d'officier à l'été 1942.

Le régiment de la Chaudière

Si l'accent a été surtout mis jusqu'ici dans cet ouvrage sur les activités outre-mer de trois régiments canadiens-français, les Fusiliers Mont-Royal, le régiment de Maisonneuve et le Royal 22e Régiment, une autre unité, qui devait se rendre célèbre quelques années plus tard comme la seule unité canadienne-française engagée dans les opérations du débarquement en Normandie le « jour J » (6 juin 1944), le régiment de la Chaudière, se trouvait cantonné en Angleterre en même temps qu'eux.

Par ailleurs, si nous avons surtout parlé d'un régiment montréalais, le régiment de Châteauguay, comme unité de réserve et de renforts pour les premiers, plusieurs autres régiments canadiens-français du Québec ont d'abord joué le rôle d'unités de réserve pour recruter et entraîner des hommes et servir de réservoir pour remplir les cadres de l'armée active avant d'être eux-mêmes, rappelés bien souvent sous les drapeaux en 1942.

Les origines du régiment de la Chaudière remontent à l'ancienne milice du seigneur Charles-Antoine Taschereau durant le Régime français.

C'est la tradition de cette vieille milice qui s'est conservée dans le régiment provisoire de Beauce de 1869, dans le 23e bataillon d'infanterie de 1871, dans le 92e bataillon de 1900, dans le régiment de Beauce de 1921, dans le régiment de Beauce et de Dorchester de 1932 et dans l'unité de mitrailleurs du régiment de la Chaudière de décembre 1936.

Mobilisé comme unité de mitrailleurs sous les drapeaux en septembre 1939, le régiment fut ensuite versé dans une autre division comme unité d'infanterie.

Le premier commandant du régiment provisoire de Beauce était justement Charles-Antoine Taschereau, descendant du seigneur Charles-Antoine Taschereau qui servit sous les ordres de Louis-Joseph de Montcalm et de Gabriel-Elzéar Taschereau qui combattit James Wolfe en 1759 et du colonel Gabriel-Elzéar Taschereau qui reçut son brevet de colonel de milice du gouverneur Guy Carleton.

Plusieurs autres membres de la famille Taschereau ont commandé le régiment sous ses diverses appellations au cours des années, notamment le lieutenant-colonel T.-J. de Montarville-Taschereau, de retour de la Guerre des Bœrs en Afrique du Sud, de 1902 à 1904, le lieutenant-colonel G.-A. Taschereau, de 1904 à 1908, et le lieutenant-colonel G.-T. Taschereau, de 1927 à 1929.

De 1939 à 1941, le régiment de la Chaudière fut commandé par le lieutenant-colonel G.-R. Bouchard qui eut comme successeur le lieutenant-colonel J.-J. Chouinard.

Il est intéressant de noter que le régiment de la Chaudière, qui était en garnison avec les Fusiliers Mont-Royal, le Royal 22e Régiment et le régiment de Maisonneuve en Angleterre depuis le début de la guerre, était composé exclusivement de ruraux.

Le régiment de Lévis

Le régiment de Lévis, qui venait d'être mobilisé sous le commandement du lieutenant-colonel A. Leclerc, avait été fondé en 1862 par le lieutenant-colonel J.-G. Blanchet, président de la Chambre des communes et de l'Assemblée législative en 1867. Il était alors désigné sous le nom de 17e batterie d'infanterie. Il devait regrouper au début six compagnies de Lévis et de quelques endroits environnants.

Lors de la Première Guerre mondiale, le 17e bataillon ne fut pas mobilisé, mais il fournit à l'armée active nombre d'officiers et de soldats. En 1920, dans le cadre de la réorganisation de l'armée, il devint le régiment de Lévis et fut transformé en régiment de ville. On abolissait ainsi l'éparpillement des compagnies dans les centres ruraux pour centraliser toute l'unité à Lévis même.

Au début de la Deuxième Guerre mondiale, le régiment de Lévis a joué une part active dans l'organisation de l'armée canadienne. Plus de 60 officiers du régiment passèrent à l'armée active.

En juin 1942, plusieurs de ces officiers servirent outre-mer, tandis que les autres se consacraient à l'instruction des soldats dans divers centres d'instruction du pays. Le lieutenant-colonel J.-N. Turgeon, ancien commandant du régiment de Lévis, fut le fondateur et l'organisateur du Centre d'instruction de Lauzon à titre de commandant du camp. On estimait par ailleurs que quelque 250 officiers et sous-officiers de l'armée active étaient sortis des rangs du régiment de Lévis.

Les Fusiliers du Saint-Laurent

L'histoire des Fusiliers du Saint-Laurent remonte à 1867. À cette époque, deux compagnies d'infanterie avaient été formées dans la région de la Matapédia et de Rimouski ; elles servirent de noyau à la formation de bataillons qui devinrent en 1883 le 89e bataillon d'infanterie Témiscouata-Rimouski. Le lieutenant-gouverneur du Québec, le major-général Sir Eugène Fiset, issu des rangs de ce régiment, en fut le colonel honoraire en 1942.

Durant la Première Guerre mondiale, les Fusiliers du Saint-Laurent, désignés sous le nom de 189e bataillon, furent mobilisés pour faire partie du Corps expéditionnaire canadien, sous le commandement du colonel P.-A. Piuze, le grand prévost de l'armée canadienne durant la Guerre de 1939-1945.

Outre-mer, les soldats du 189e bataillon furent envoyés en renfort aux autres unités, surtout au 22e bataillon canadien-français, auquel il fournit ses deux plus grands héros, le lieutenant Jean Brillant et le caporal Joseph Keable, tous deux titulaires de la Croix de Victoria (VC), la plus haute décoration militaire de l'Empire britannique.

En juin 1942, les Fusiliers du Saint-Laurent, en garnison au camp de Valcartier, étaient placés sous le commandement du lieutenant-colonel Paul-H. L'Heureux.

Les Fusiliers de Sherbrooke

L'histoire des Fusiliers de Sherbrooke remonte au 1er avril 1910, date à laquelle furent créés les Carabiniers de Sherbrooke. Leur premier commandant fut le Dr J.-P. Pelletier avec le grade de lieutenant-colonel.

Lorsque les Fusiliers de Sherbrooke furent mobilisés sous les drapeaux le 27 mars 1942 sous le commandement du lieutenant-colonel Aimé Biron, ils avaient déjà fourni 40 officiers, 60 sous-officiers et plus de 250 soldats à l'armée active.

Un ancien commandant du régiment, le lieutenant-colonel Johnny Bourque, devint plus tard ministre des Finances dans le gouvernement de l'Union nationale de Maurice Duplessis.

Le régiment de Joliette

Fondé en 1871, cette unité de langue française s'établit à Joliette et prit le nom de 83e infanterie, régiment de Joliette. Le lieutenant-colonel J.G. Shepherd en fut le premier commandant.

À l'été 1942, sous les drapeaux, le régiment de Joliette était commandé par le lieutenant-colonel G.-V. de Bellefeuille.

Le 83e formé comme un régiment d'infanterie, l'était toujours soixante-dix années plus tard. Cette unité rurale couvrait le plus grand champ de recrutement de tout le district militaire de Montréal.

La mobilisation sous les drapeaux se fit le 26 janvier 1942. Cependant, avant de devenir une unité d'active, le régiment de Joliette avait fourni, durant les années 1939-1940, un grand nombre d'officiers et de soldats (600 au total) à l'armée active.

Dès sa mobilisation, avant d'être dépêché dans les Provinces maritimes, le régiment de Joliette eut ses quartiers pendant deux mois à Westmount.

Plusieurs officiers supérieurs sont issus du régiment de Joliette dont le major-général P.-E. Leclerc, commandant de la 7e division et ancien commandant du régiment ; le colonel Édouard Tellier, commandant de la 11e brigade d'infanterie (réserve) ; le lieutenant-colonel E.-E. Mackay Papineau, officier recruteur à Montréal et le lieutenant-colonel Louis Chicoine, officier responsable du corps de cadets du district militaire de Montréal.

Le régiment de Trois-Rivières

Le régiment de Trois-Rivières avait été fondé en 1871 par le lieutenant-colonel A. Dame, médecin de Louiseville. Le régiment faisait partie de la milice rurale, en ce sens qu'il possédait différentes compagnies, chacune ayant son quartier général dans une des paroisses de la région, comme par exemple Yamaska, Louiseville, Maskinongé, Berthier et Saint-Justin.

En 1902, le régiment de Trois-Rivières établit ses quartiers généraux à Joliette et les compagnies rurales furent absorbées par le régiment de Joliette. Pendant la Première Guerre mondiale, le régiment de Trois-Rivières ne fut pas mobilisé comme unité distincte et son rôle consista à remplir les rangs des autres unités. En 1921, il fut réorganisé et devint The Three Rivers Regiment.

En 1936, nouvelle réorganisation. Le Three Rivers Regiment devint un bataillon de chars d'assaut. Dès le 1er septembre 1939, fut mobilisé et envoyé outre-mer comme unité blindée sous les ordres du lieutenant-colonel J.G. Vining, ancien combattant de la Première Guerre mondiale.

Le Three Rivers Regiment ne s'en est pas tenu là et, en avril 1940, un 2e bataillon, composé de 90 % de Canadiens français celui-là (le 1er bataillon, aux dires du général Jean-Victor Allard, fut de moins en moins une unité francophone et ne l'aurait été qu'à 50 % lors de son envoi en Angleterre), fut formé sous le commandement du lieutenant-colonel J.-R. Pellerin, autre ancien combattant de la guerre de 1914-1918.

En plus de son effectif, le Three Rivers Regiment avait aussi recruté plus de 800 hommes pour l'armée active de la région et aidé au recrutement de l'armée et de l'aviation.

Les Voltigeurs de Québec
C'est Charles de Salaberry, fils du héros de Châteauguay, qui avait organisé en 1862 le 1er bataillon des Voltigeurs de Québec. En 1884, deux membres du bataillon participèrent à l'expédition du Nil. Lors de la rébellion de Louis Riel et des Métis en 1885, tout le bataillon prit part à la campagne du Nord-Ouest.

La guerre de 1914-1918 mobilisa les Voltigeurs de Québec qui furent dépêchés pour défendre les côtes de Gaspésie et l'île d'Anticosti. Régulièrement, des détachements furent envoyés outre-mer et c'est ainsi que plus de 500 officiers, sous-officiers et soldats de ce régiment servirent au front, soit à Arras, sur la Somme, à la Côte 70, à Ypres et à Amiens dans les rangs du 22e bataillon canadien-français.

Depuis le début de la Deuxième Guerre mondiale, 58 officiers des Voltigeurs de Québec, commandé en juin 1942 par le lieutenant-colonel T.-M. Dechênes, étaient volontairement passés sous les drapeaux. Onze d'entre eux étaient en garnison outre-mer en tant que membres du régiment de la Chaudière et 27 autres en tant que membres du Royal 22e Régiment.

Le régiment de Québec
Le régiment de Québec était désigné autrefois sous le nom de 87e régiment. Lors de la Première Guerre mondiale, il fut appelé sous les drapeaux dès le 6 août 1914. En 1915, il se vit confier la garde des prisonniers enfermés à la caserne de Beauport. En 1916, fusionna avec deux autres bataillons pour former une unité du Corps expéditionnaire canadien.

En 1920, dans le cadre de la réorganisation de la milice canadienne, le 87e régiment prit le nom de régiment de Québec.

En septembre 1939, une partie du régiment de Québec, formée de mitrailleurs, fut appelée sous les drapeaux. Complètement mobilisé par la suite, le régiment de Québec, était commandé à l'été 1942 par le lieutenant-colonel LeBel.

Le régiment de Montmagny
À l'été de 1942, le régiment de Montmagny venait d'être mobilisé pour la première fois de son histoire. Il n'avait jamais subi le baptême de feu. Mais il avait fourni plusieurs hommes aux unités sœurs.

Quarante-neuf anciens officiers du régiment de Montmagny avaient d'ailleurs participé à la Première Guerre mondiale dont le major-général Joseph Landry, qui avait alors commandé une brigade d'infanterie outre-mer et qui commanda à son retour le district militaire de Québec.

Le ministre de l'Air, Charles Gavan Power, lui-même ancien officier du régiment de Montmagny avait pris une part active à la guerre 1914-1918. Le futur ministre de l'Union nationale et bras droit de Maurice Duplessis, Antoine Rivard, avait aussi été officier du régiment.

Plus de 30 officiers et quelque 280 hommes du régiment de Montmagny étaient passés sous les drapeaux entre 1939 et 1942. De plus, le régiment de Montmagny s'était de l'organisation du Centre d'instruction de Montmagny, sous la direction du lieutenant-colonel J.-P.-J. Godreau, ancien commandant du régiment et ancien combattant de la Première Guerre mondiale.

Le régiment du Saguenay
Le régiment du Saguenay avait été organisé en 1900 sous le commandement du lieutenant-colonel B.A. Scott.

Ce régiment avait ses quartiers généraux à Chicoutimi et des compagnies à Chicoutimi, Grande-Baie, Saint-Félicien et Roberval. Il recrutait surtout parmi les bûcherons et les flotteurs des régions de Chicoutimi, du Saguenay et du lac Saint-Jean. Il comptait aussi dans ses rangs une grande proportion de Montagnais de Pointe-Bleue, réputés pour être d'habiles tireurs. Il comportait également un groupe de Finlandais qui avaient presque tous servi dans l'armée du Tsar de 1904 à 1910 et qui avaient été emmenés de Russie comme bûcheron.

Des débris vainqueurs du 22e bataillon canadien-français sortis indemnes de la bataille de Courcelette, en 1916, dont seulement six officiers survivants des 25 partis à l'assaut quatre jours auparavant, trois de ceux-ci étaient des anciens des Francs-Tireurs du Saguenay. C'était le major-général Thomas Tremblay, alors lieutenant-colonel et ancien commandant en second des Francs-Tireurs du Saguenay, le colonel J.-H. Chaballe et le lieutenant Édouard Légaré.

Au cours de la Deuxième Guerre mondiale, le régiment du Saguenay, qui fut commandé par le lieutenant-colonel J.-A.-W. Labelle, continua de fournir hommes et officiers aux unités d'active du pays.

Le régiment de Saint-Hyacinthe
Le régiment de Saint-Hyacinthe avait été fondé le 27 mars 1871. Il avait fournit aux unités des soldats qui prirent part à la guerre des Bœrs en 1899 et à la Première Guerre mondiale.

Pendant quelques semaines en 1939, le régiment de Saint-Hyacinthe fut mobilisé pour prévenir le sabotage lors de la déclaration de guerre puis chargé d'organiser le Centre d'instruction de Saint-Hyacinthe.

L'ancien commandant du régiment de Saint-Hyacinthe, le brigadier-général J.-A. Leclaire, commandait désormais une brigade.

Après avoir été stationné quelques semaines à Sherbrooke, au moment de sa mobilisation, le régiment de Saint-Hyacinthe, qui était commandé par le lieutenant-colonel Robert Hamel, se trouvait à l'été 1942 en garnison dans les Provinces maritimes.

Le régiment de Hull
Commandé par le lieutenant-colonel Grison, le régiment de Hull était le seul régiment de langue française du Québec à relever d'un district militaire ontarien. En effet, bien que la ville de Hull soit située au Québec, dans l'Outaouais, son régiment dépendait du district militaire de Kingston.

Si les annales militaires de la ville de Hull mentionnent l'existence d'une compagnie de miliciens de 1884 à 1897, l'histoire du régiment remonte en fait en janvier 1914. Un groupe de citoyens de la ville-sœur d'Ottawa avait alors adressé des requêtes aux autorités du ministère de la Défense pour obtenir l'établissement d'un régiment canadien-français avec quartier général à Hull.

Durant la Première Guerre mondiale, plus de 2 000 officiers et soldats s'enrôlèrent dans ce régiment afin de servir de renforts aux autres unités. En 1916, sous le nom de 230e Voltigeurs canadiens-français, l'unité prit part aux combats en France.

En 1920, cette unité prit le nom de régiment de Hull.

Présents pas seulement dans l'infanterie
Traditionnellement, les Canadiens français qui servaient dans l'armée canadienne se sont toujours reconnus davantage dans leur

régiment d'artillerie que dans les autres secteurs de l'activité militaire. Mais en fait, ils ont été présents partout.

En février 1942, d'ailleurs, en faisant l'éloge des unités militaires canadiennes-françaises sous les drapeaux, le lieutenant-général Andrew G.L. McNaughton déclara que les bons résultats obtenus dans l'entraînement des unités canadiennes-françaises l'incitaient à désirer qu'elles soient de plus en plus à l'image du groupe ethnique qu'elles représentent avec des officiers de langue française à leur tête. « Nous ne serons pas satisfaits, dit-il, tant que nous n'aurons pas de commandants de divisions canadiens-français, dit-il. Je suis certain que le Canada français aura à cœur de fournir sa part d'officiers. »

L'éditorialiste de *La Presse* écrivait à ce sujet le 12 février : « Nos jeunes compatriotes qui désirent embrasser la carrière des armes pour de bon peuvent donc envisager des perspectives de succès et d'avancement comme il ne s'en est certes pas présenté d'aussi intéressantes au cours de la guerre 1914-1918. Les autorités fédérales et les chefs militaires semblent se donner la main pour que l'armée canadienne offre à tous des chances égales d'arriver aux premiers postes. Sage politique qui nous épargnera les ennuis du genre de ceux que le système de castes a causés en Grande-Bretagne au début de la présente guerre. »

Les parachutistes

Par ailleurs, en août, le premier contingent de parachutistes canadiens, au nombre de 26, partit pour Fort Benning, en Géorgie, afin d'y subir un entraînement intensif dans un camp ultra spécialisé de parachutistes américains.

À leur retour au pays, ces 26 hommes devaient constituer les cadres et instructeurs d'un détachement de parachutistes qu'on comptait entraîner au camp de Shilo, au Manitoba.

Parmi eux se trouvait le premier parachutiste canadien-français, le lieutenant Marcel Côté, de Montréal. Ancien membre du Corps-école d'officiers canadiens (COTC) de l'Université de Montréal et du 17e Hussards, il s'était ensuite joint aux Fusiliers Mont-Royal puis était entré dans la nouvelle unité de parachutistes, au moment où il était instructeur au camp de Farnham.

Un autre francophone faisait partie du groupe, le capitaine H.-A. Fauquier, frère du commandant d'escadre Jean Fauquier, héros de l'aviation, dont les victoires aériennes, disait-on, ne se comptaient plus.

Enfin, l'armée faisait savoir que deux frères canadiens-français, les frères Saint-Pierre de Saint-Hyacinthe, avaient failli faire partie du contingent envoyé à Fort Benning, mais qu'on avait dû les écarter, étant donné qu'ils ne parlaient pas l'anglais couramment.

De toute façon, il était prévu qu'une fois revenus les premiers instructeurs formés à Fort Benning et l'installation terminée au Manitoba, le tiers des parachutistes qui seraient alors formés seraient canadiens-français.

C'est le brigadier-général E.G. Weeks, assistant-chef de l'état-major-général, qui annonça que les Canadiens français formeraient 33 % de l'effectif du 1er bataillon canadien-français de parachutistes et que le personnel d'instructeurs et d'officiers de cette unité serait bilingue.

« Il est remarquable que partout où les Canadiens français sont mêlés aux Canadiens anglais pour leur entraînement, ils s'entendent parfaitement bien. Je crois que cette entente est beaucoup plus complète que le public ne se l'imagine », avait même ajouté Weeks.

L'artillerie

Pour donner suite à la déclaration du ministre de la Justice, Ernest Lapointe, selon laquelle des unités essentiellement canadiennes-françaises seraient formées dans l'armée active canadienne, les quartiers généraux annoncèrent la création du 20e régiment d'artillerie de campagne sous les drapeaux, unité composée de trois batteries francophones.

Cette unité devait notamment comprendre la 50e batterie de campagne de l'artillerie, sous le commandement du major Réal Gagnon, diplômé du Kingston Royal Military College en 1934 et qui avait fait partie auparavant du Montreal Royal Regiment.

Le major Gagnon avait été promu lieutenant en 1938, capitaine en 1939 et major en décembre 1940. Trois de ses frères servaient également comme officiers. O.-J. Gagnon, lieutenant de la Royal Canadian Navy était alors cantonné à Halifax. Paul et Gilles faisaient partie du COTC du Mont-Saint-Louis.

Neuf officiers, tous canadiens-français, assistaient le major Gagnon lors de la fondation de la 50e batterie de campagne qui devait être rattachée au 20e régiment d'artillerie de campagne.

La 77e batterie de campagne, commandée par le major M. Hallé, de Sherbrooke, ainsi que la 58e batterie de campagne du district militaire de Québec, commandée par le major Maurice Archer, faisaient partie du même régiment et se mettaient, elles aussi, à la recherche de volontaires canadiens-français sous les drapeaux dans l'artillerie.

Par ailleurs, à la fin de novembre 1941, arrivait en Angleterre la première batterie entièrement canadienne-française formée au Canada à être dépêchée outre-mer. Avec deux autres batteries, elle formait un régiment de défense contre avions dont le commandant était le lieutenant-colonel Harold Inns, de Montréal. Cet officier déclara que son unité était « assez différente des autres en ce qu'elle avait été recrutée dans différentes régions du Québec, de l'Ontario et de la Saskatchewan ». Ces hommes faisaient partie d'un corps de troupe et ne furent rattachés à aucune division spécifique en Grande-Bretagne.

Inns affirma que la tentative de réunir une batterie francophone avec des unités de l'Ontario et de la Saskatchewan avait été un véritable « succès ». Le commandant de la batterie du Québec était également anglophone. Le major Arthur Grier, de Montréal, était cependant bilingue.

Environ 80 % des hommes de cette batterie ne savaient pas parler anglais, ajouta Inns qui souligna que lors du passage de son unité à Rivière-du-Loup, en route vers les Maritimes d'où ils s'embarquèrent vers l'Angleterre, des centaines de personnes s'étaient rendues à la gare saluer un de ses hommes, un simple soldat.

Quelques semaines plus tard, le ministre de la Défense nationale, J.L. Ralston, approuvait la formation de la 17e batterie contre avions de l'Artillerie royale canadienne dans le district militaire de Québec. Commandée par Jules Plamondon, major de la 50e batterie d'artillerie lourde, cette batterie était formée d'effectifs essentiellement canadiens-français.

D'autres Canadiens français servaient dans l'artillerie, mais avec des unités anglophones, tel le capitaine Jacques-L. Déry, diplômé du Kingston Royal Military College, en service outre-mer depuis le début de 1940 et seul officier francophone du 1er régiment de reconnaissance de l'artillerie royale canadienne.

Le frère du capitaine Déry, le lieutenant Pierre Déry, servait quant à lui sur une corvette canadienne en tant que membre de la Royal Canadian Navy Volunteer Reserve.

Par ailleurs, le 19 août 1942, jour même du raid de Dieppe, les autorités militaires faisaient savoir que pour la première fois de l'histoire du Canada, un régiment d'artillerie entièrement canadien-français, le 4ᵉ régiment d'artillerie moyenne, était commandé par le lieutenant-colonel de Lotbinière Panet, neveu du brigadier-général Édouard de Bellefeuille Panet, assisté par le major Réal Gagnon, commandant en second et par le major Roland Codère, comme commandant de la 1ʳᵉ batterie.

Tous les hommes 4ᵉ régiment d'artillerie moyenne venaient de la province de Québec ou des provinces avoisinantes du Nouveau-Brunswick et de l'Ontario et, à une exception près, tous ses officiers étaient des Canadiens français.

Cette unité avait été mobilisée en septembre 1941 comme régiment d'artillerie de campagne, mais elle fut scindée plus tard en deux unités distinctes, soit un régiment d'artillerie de campagne et un régiment d'artillerie moyenne, qui était encore à l'entraînement à la mi-août 1942.

Le génie

En avril 1937 on organisa à Victoriaville la 4ᵉ compagnie de troupes d'armée du génie royal canadien sous le commandement du major F.-E. Alain. Un mois plus tard, une école provisoire avait été mise sur pied pour la préparation des officiers et sous-officiers.

Lors de la déclaration de guerre, en septembre 1939, la 4ᵉ compagnie de troupes d'armée du génie royal canadien fut mobilisée comme compagnie de construction de routes. Elle fut aussi appelée à former un détachement pour le corps de l'armée de sécurité territoriale. À la fin de l'automne 1939, la compagnie de construction de routes fut déménagée à Sherbrooke. À la fin du printemps 1940, la compagnie fut intégrée au Dépôt. Cependant, la plupart de ses officiers furent attachés aux quartiers généraux.

Le major Alain fut renvoyé à Victoriaville et, à la demande des quartiers généraux, réorganisa la 4ᵉ compagnie de troupes d'armée du génie royal canadien qui fut par la suite chargée de fournir des renforts aux unités de génie de l'armée active.

La 4ᵉ compagnie de troupes d'armée du génie royal canadien comptait déjà un héros dans ses rangs : le lieutenant Charles-Henri Tourville, premier officier du génie, originaire du district militaire de Montréal, à tomber au champ d'honneur. Après avoir débuté comme officier dans le génie, il était devenu aviateur et avait participé à plusieurs expéditions au-dessus des lignes ennemies et de l'Allemagne, avant d'être envoyé au front de Libye. Le 7 avril 1942, après un combat acharné contre l'ennemi dans le désert, Tourville perdait la vie au cours des opérations.

238

Dans les services de santé

De nombreux médecins, dentistes et pharmaciens canadiens-français décidèrent d'offrir leurs services aux forces armées canadiennes qui en avaient bien besoin.

Dans le corps médical, les Canadiens français étaient fort présents et avaient leurs propres unités.

Il y avait d'abord eu l'hôpital n° 1 pour convalescents commandé par le lieutenant-colonel Anatole Plante. Unité formée en majorité de francophones, mobilisée dès septembre 1939, elle fut envoyée en Angleterre en février 1940 et commandée à partir de juillet 1941 par le lieutenant-colonel Earl Wight, un anglophone.

Puis il y eut la 18e ambulance, première unité médicale canadienne-française à être mobilisée en septembre 1939. Elle était alors commandée par le lieutenant-colonel Petitclerc. Son commandant en second, le major Pierre Tremblay fut promu lieutenant-colonel en avril 1942 et prit le commandement de la 19e ambulance de campagne, unité médicale canadienne-française qui venait d'être mobilisée sous les drapeaux dans le district militaire de Québec. À partir du 1er septembre 1941, le commandement de la 18e ambulance fut assumé par le lieutenant-colonel Plante.

L'hôpital général n° 17 fut mobilisé en janvier 1942. C'est le premier hôpital général militaire canadien-français mobilisé durant la Deuxième Guerre mondiale sous le commandement du colonel C.-P. Gaboury.

Gaboury lançait justement un appel aux Canadiens français désireux de servir dans le corps médical de l'armée et surtout aux spécialistes des yeux, de la gorge et des oreilles, aux spécialistes de laboratoires, radiologistes et anesthésistes de même qu'aux infirmiers et cuisiniers et à quiconque serait disposé à accomplir le travail d'infirmier.

Premier hôpital composé exclusivement de médecins militaires de langue française à être mobilisé, l'hôpital de campagne n° 17 devait compter 900 lits. Son commandant, le colonel Paul Gaboury, était le premier Canadien français à avoir été promu à ce grade dans le corps médical canadien durant la Deuxième Guerre mondiale.

Au début des hostilités, Gaboury avait offert ses services aux Fusiliers Mont-Royal dans lesquels il avait servi en Islande puis en Angleterre, avant d'être versé au corps médical. Lors de sa nomination à la tête de l'hôpital général n° 17, il fut promu directement colonel de son grade de major, sans avoir d'abord été, lieutenant-colonel selon la coutume.

L'hôpital en question, une fois mis sur pied, devait compter dans ses rangs 54 gardes-malades, placées sous la direction de garde Suzanne Giroux, infirmière de grande expérience.

Parmi les chirurgiens, figurait le lieutenant-colonel Philippe Bélanger, qui avait servi dans l'armée canadienne durant la Première Guerre mondiale puis avec l'armée britannique en France, en Égypte, en Palestine et aux Indes. Son courage lui avait valu d'être décoré deux fois de la Croix militaire (MC) et de recevoir la Croix de guerre française avec palmes. En juin 1942, il commandait le Centre d'évacuation d'Ottawa.

D'autre part, le lieutenant-colonel Louis-Philippe Robert, du corps médical de l'armée canadienne, qu'on avait rappelé d'Europe, était nommé commandant de la 20e ambulance de campagne, unité canadienne-française, qui désirait recruter quelque 250 hommes pour le début de 1942.

Cette unité, faisait savoir son commandant, avait besoin d'un grand nombre d'hommes de diverses professions : pharmaciens, barbiers, menuisiers, cuisiniers, électriciens. La fonction d'une ambulance de campagne était, rappelait-on, de transporter les blessés directement du front au centre d'évacuation des blessés le plus proche d'où ils étaient acheminés vers les hôpitaux.

Au nombre des officiers qui étaient attachés à la 20e ambulance de campagne, on trouvait les capitaines A.-G. Thibault et J.-A.-M. Dubeau.

Entre autres médecins militaires de l'armée active il y avait notamment le capitaine G.-A. Séguin. Diplômé de l'Université Laval, celui-ci avait perfectionné ses connaissances à Paris avant de s'enrôler ; il était l'auteur de plusieurs articles fort appréciés dans des revues scientifiques sur les questions d'hygiène.

D'autres Québécois francophones connaissaient des carrières militaires extraordinaires. C'était le cas du capitaine-médecin Maurice Brunet.

Après des études à Montréal, Brunet avait d'abord pratiqué la médecine comme interne à l'hôpital Sainte-Jeanne-d'Arc, dans le centre-ville de Montréal. Puis en 1935, en pleine crise économique il quitta le Canada à destination de l'Angleterre afin de s'engager pour ce qu'il croyait être un contrat de cinq ans dans le corps médical de l'armée britannique.

Au terme d'un entraînement de six mois, Brunet fut dépêché à Multan, puis chez les Siks, à Amristar aux Indes. C'est d'ailleurs dans cette colonie qu'il rencontra sa future femme, fille d'un riche négociant grec.

Rappelé en Angleterre au début de la Deuxième Guerre mondiale, Brunet s'occupa surtout de soigner les blessés des bombardements allemands sur Londres. En 1941, âgé de 36 ans, il obtint la permission de revenir au pays pour quelques semaines avant de retourner en Angleterre.

Du côté du corps dentaire, sept dentistes qui avaient été diplômés ensemble à l'Université de Montréal en 1926 se sont retrouvés quinze ans plus tard au sein de ce corps dentaire de l'armée active et de la Royal Canadian Air Force (RCAF). Il s'agit des capitaines Alphonse-J. Décarie, A. Moison, E.-R. Delaney, G. Baillargeon et E. Laurence et des lieutenants Alfred Masson et Antoine Latour.

Pendant ce temps, en Angleterre, l'ex-directeur de la Clinique dentaire de l'Université de Montréal, le Dr J.-P. Lanthier, qui était parti outre-mer dès décembre 1939, avait été promu major. Ancien combattant de la Première Guerre mondiale, il était également un ancien président de la Société dentaire de Montréal.

Outre Lanthier, deux autres anciens professeurs de la Faculté de chirurgie dentaire de l'Université de Montréal se retrouvaient dans les forces armées, soient les capitaines Lucien Reeves et P. Lasalle.

Parmi les dentistes francophones de l'armée, mentionnons le major O.-A. Lefebvre, commandant de compagnie, et le major Gérard Baillargeon, les capitaines L.-J. Perron, René Lavallée, Paul Manseau, G.-E. Vanasse, R. Gouroff, A. Maranda, J.-R.-A.-A. Laurence et les lieutenants H.-M. Robichaud, J.-L.-L. Descheneaux, J.-G. Giguère, J.-M.-P. Lefebvre, Raoul Laurence, Jacques Lanthier, Jacques Venance, J.-L.-G. Boudreault, J.-T.-P. Boissonneault, J.-A. Pouliot et J.-G.-M. Sirois.

Aumôniers militaires de langue française
En plus de la santé physique, l'armée se préoccupait de la santé morale et spirituelle de ses soldats. Les représentants de Dieu parmi les soldats canadiens-français étaient d'autant plus nombreux qu'à

l'époque de la Deuxième Guerre mondiale, le Québec francophone était catholique et pratiquant à plus de 90 %.

Parmi les aumôniers catholiques de la marine on trouvait les abbés M. Langlois à Halifax et J. Lauzon à Esquimalt, en Colombie-Britannique et les abbés O. Plante et F. Boudreau comme aumôniers auxiliaires.

Dans l'aviation, le commandant d'escadre A. Charest agissait comme assistant de l'aumônier principal à Ottawa. Seize autres aumôniers francophones l'aidaient dans les différentes bases aériennes du pays. De plus, quatre autres aumôniers auxiliaires francophones faisaient partie de l'aviation.

En ce qui concerne l'armée, le lieutenant-colonel C.-E. Chartier était l'aumônier principal du district militaire de Montréal ; il y avait 41 autres aumôniers réguliers de langue française dans toutes les bases du pays ainsi que 16 aumôniers auxiliaires et 11 aumôniers attachés à la réserve.

Enfin, outre-mer, à l'été 1942, on retrouvait les aumôniers canadiens-français suivants : le lieutenant-colonel Maurice Roy, futur archevêque-cardinal de Québec et prélat de l'Église canadienne, le major J.-G. Côté, aumônier en chef de la 2ᵉ division canadienne, le capitaine T.-A. Kempf, aumônier de la 5ᵉ division blindée, le capitaine J. Delcourt, aumônier de la 3ᵉ unité de dépôt de l'infanterie, le capitaine J.-B. Cloutier à la 2ᵉ unité de dépôt de l'infanterie, le capitaine L. Gratton à l'artillerie de la 2ᵉ division canadienne, le capitaine Guy Laramée, aumônier du régiment de Maisonneuve, le capitaine J.-A. Sabourin, aumônier des Fusiliers Mont-Royal, le capitaine E. Turmel, aumônier du régiment de la Chaudière, le capitaine H. Charlebois, aumônier de l'artillerie de la 5ᵉ division blindée, le capitaine H. Déry, aumônier du dépôt de convalescence nᵒ 1, le capitaine W.-G. Chiasson, aumônier de la 2ᵉ unité de dépôt de l'artillerie, le capitaine J.-D. Marcoux, aumônier de la 3ᵉ division de génie, le capitaine C. Laboissière, aumônier du corps forestier, le capitaine A. Lapierre et le capitaine C.-E. Beaudry, aumôniers de l'unité de renforts et les lieutenants de section J.-E.-E. Doucet et D.-J. Barnabé, aumôniers attachés aux quartiers généraux de la RCAF en Angleterre.

Une unité féminine d'élite

En octobre 1941, le major Élisabeth Smellie, membre du corps médical de l'armée active, vint expliquer à Montréal qu'elle s'était vu confier la tâche d'organiser une « unité féminine d'élite » au sein de l'armée canadienne.

On recherchait notamment des sténographes, des cuisinières, des aides-dentistes, des chauffeures, des dessinatrices, des aides de laboratoires, des bibliothécaires, des mécaniciennes et des filles de tables. Les cours, promettait-on, seraient donnés dans les deux langues. Bref, il y aurait des cours en français pour les francophones.

Quelques jours plus tard, un groupe de jeunes femmes et jeunes filles, que *La Presse* décrivait comme « jolies, vivantes et pleines d'enthousiasme » partaient pour Toronto afin d'y commencer leur entraînement dans la Canadian Women's Auxiliary Air Force (CWAAF). « Elles sont décidées à tout, prêtes à tout, le service outre-mer ne les effraie pas », ajoutait-on.

La nouvelle unité comptait déjà 150 membres recrutés dans tout le pays, dont 12 Montréalaises de langue anglaise et deux francophones. Suzanne Masson-Simard et Madeleine Fortin « représentent avec avantage nos Canadiennes françaises », pouvait-on lire dans les comptes rendus du temps.

C'est à une Canadienne française, le major Cécile Bouchard, fille du sénateur Thomas-Damien Bouchard, de Saint-Hyacinthe, qu'on confia le commandement en second du corps auxiliaire féminin de l'armée canadienne (CWAC).

C'est ainsi qu'on vit des femmes en uniforme dans les bureaux de l'administration, dans les laboratoires, au volant des camions, à la conduite des motocyclettes, dans les cuisines, dans les mess.

Ces femmes permettaient aux hommes d'accomplir d'autres tâches, d'accepter des travaux demandant un effort physique plus grand.

Les recrues du CWAC suivaient un entraînement d'un mois à Sainte-Anne-de-Bellevue, où elles apprenaient les règlements, les traditions et l'étiquette de l'armée. Celles qui voulaient devenir officiers devaient suivre en plus un entraînement spécial et être soumises à une discipline des plus sévères.

Le sergent Marie Frémont donnait un cours de premiers soins en français. Le sergent Thérèse Mercier servait également comme instructeur, tout comme le sergent Yvonne Lantagne, responsable francophone du cours de cartographie. Le lieutenant Marcelle Delage commandait un peloton et le caporal Rose Roy agissait comme assistante du quartier-maître.

Toutefois il ne faudrait pas surestimer la participation des Canadiennes françaises aux unités féminines de l'armée. À la mi-avril 1942, dans un reportage sur le centre d'entraînement du CWAC à Sainte-

Anne-de-Bellevue, *La Presse* écrivait : « Actuellement, 172 auxiliaires du CWAC dont 12 Canadiennes françaises sont à l'entraînement au collège Macdonald. »

En outre, on retrouvait de nombreuses Canadiennes françaises œuvrant dans la Croix-Rouge et dans les diverses œuvres de guerre, et même comme femmes pompiers.

Avant même tous ces efforts de recrutement, quelques Canadiennes françaises avaient déjà laissé leur marque dans l'armée. Par exemple, au début de 1942, le lieutenant Bérangère Paré-Fuller était déjà arrivée en Angleterre pour se joindre au Women's Auxiliary Air Force.

La police militaire
Le grand prévôt de l'armée canadienne — le chef de la police militaire autrement dit — le colonel P.-A. Piuze, était un Canadien français. Dans l'armée, le grand prévôt a toujours été l'officier supérieur chargé du maintien de l'ordre et de la discipline.

Toute sa carrière prédisposait le colonel Piuze à remplir cette tâche.

À 28 ans, Piuze était le plus jeune lieutenant-colonel de l'époque au Canada. Après sa carrière militaire, il s'était toujours intéressé à l'administration de la police et des prisons. Il fut préfet du pénitencier de Saint-Vincent-de-Paul, commissaire de la Police provinciale et commissaire des prisons du Québec. Sous sa direction, la prévôté a été organisée de façon efficace.

On trouvait des officiers canadiens-français ailleurs. Comme par exemple le lieutenant-colonel Gustave-H. Rainville, qui avait été nommé en janvier 1942 commandant du 3e détachement du corps canadien de l'intendance, alors cantonné à Verdun.

Le Comité de protection civile
En septembre 1939, le Comité de protection civile de la province de Québec fut créé et Georges Léveillé en fut le premier directeur. En mars 1942, son directeur était le commissaire de la Police provinciale du Québec, Marcel Gaboury.

À sa création, le Comité de protection civile de la province de Québec relevait du ministre de la Défense nationale. À compter de juillet 1941, il fut placé sous la compétence du premier ministre du Québec. Ce comité était avant tout, comme son nom l'indiquait, un organisme essentiellement civil. Ses membres n'étaient pas des militaires, ce qui causa quelques problèmes lors de la campagne de recrutement de la réserve en 1942, le Comité de protection civile craignant de perdre des membres, mais des individus qui voulaient coopérer étroitement avec l'armée, l'aviation et la marine pour frustrer l'ennemi dans ses tentatives de détruire les villes.

L'établissement de ce comité ne se fit pas sans difficultés. Au début, l'initiative surprit. On se demandait ce que cet organisme pouvait accomplir d'utile. Les premiers problèmes naquirent du manque de coordination entre le bureau central, situé à Québec, et Montréal. Avec l'arrivée de Gaboury à sa direction, on réorganisa le comité et on décida de transférer ses bureaux à Montréal, ce qui accrût son efficacité.

À l'été 1942, le Comité de protection civile de la province de Québec comptait 45 000 membres, dont 70 % étaient des Canadiens français. Parmi eux se trouvaient des gardes civiques, des pompiers auxiliaires, des policiers et détectives et des pompiers professionnels. On songeait d'ailleurs, à l'été 1942, à y adjoindre 3 000 membres féminins, comme il en existait déjà en Angleterre.

Les cadets de l'armée

Par ailleurs, dans plusieurs institutions d'enseignement francophones du Québec, des corps de cadets de l'armée bénéficiaient d'un entraînement standardisé et coordonné dans le district militaire de Montréal par le lieutenant-colonel Louis Chicoine, ancien commandant du régiment de Joliette.

Dans le seul district militaire de Montréal, il y avait, après trois années de guerre, 125 corps de cadets différents dans les institutions catholiques d'enseignement, dont 112 de langue française.

Au Canada français, les corps de cadets les plus célèbres étaient ceux du Mont-Saint-Louis, à Montréal, de l'Académie commerciale de Québec, dans la vieille capitale et de l'Académie de LaSalle, à Ottawa. Ces trois établissements d'enseignement virent des centaines de leurs anciens élèves servir comme officiers lors de la Première ou de la Deuxième Guerre mondiale.

En plus de son corps de cadets, le Mont-Saint-Louis, comptait d'ailleurs également un contingent d'élèves-officiers, affilié au Corps-école d'officiers canadiens et commandé par le major Lauréat Saint-Pierre.

Outre le Mont-Saint-Louis, l'École supérieure du Plateau, l'École supérieure Saint-Stanislas, l'École supérieure Saint-Viateur et l'Académie Roussin possédaient les quatre principaux corps de cadets de l'armée de la région de Montréal.

Familles entières sous les drapeaux

Non seulement les Canadiens français furent nombreux à s'enrôler comme volontaires, mais ils s'enrôlaient souvent par familles entières. Ainsi, dès septembre 1939 les cinq frères Pérusse, de Québec, se sont engagés tous les cinq dans l'armée active et, à l'été 1942, ils étaient tous les cinq officiers dans cinq régiments différents.

Il s'agit de Roch Pérusse, du Royal 22e Régiment, Yves Pérusse, des Voltigeurs de Québec, de Jean-Paul Pérusse, du régiment de la Chaudière, de Gabriel Pérusse, du régiment de Québec et de Maurice Pérusse, des Fusiliers Mont-Royal.

Quatre des fils du juge Alfred Savard, de la Cour supérieure du Québec, étaient officiers : le capitaine Guy Savard et le lieutenant Édouard Savard, tous deux diplômés du Kingston Royal Military college, en Ontario, servaient dans l'armée outre-mer au sein des Royal Canadian Dragons ; le lieutenant de section Logan Savard servait en Angleterre avec la Royal Canadian Air Force (RCAF) ; et le lieutenant de marine Thomas Savard, également diplômé du Kingston Royal Military College, servait dans la marine canadienne.

Chez les Bédard, d'Alexandria, en Ontario, sept frères étaient sous les drapeaux : Robert Bédard, dans l'intendance militaire à Halifax ; Marcel Bédard, dans les Victoria Rifles à Victoria ; Aimé Bédard, dans les Stormont Dundas & Glengarry Higlanders outre-mer avec son frère Raymond Bédard ; Gérald Bédard, dans l'intendance outre-mer ; Adelbert Bédard, dans l'intendance à Kingston ; et Daniel Bédard, dans l'intendance à Huntingdon.

Une autre famille canadienne-française d'Ottawa, les Corrigan, dont le père, Denis Corrigan, avait fait partie du 22e bataillon canadien-français, avait été blessé à Arras durant la Première Guerre mondiale, comptait six fils sous les drapeaux et au moins un dans chacune des trois armes.

L'aviateur-chef Arthur Corrigan, l'aviateur-chef Léo Corrigan et le sergent Denis Corrigan faisaient tous les trois partie de la RCAF. Le sergent Maurice Corrigan faisait partie des gardes à pied du gouverneur général, une unité de l'armée ; et les matelots Henri et Roger Corrigan servaient tous deux dans la Royal Canadian Navy Volunteer Reserve.

Le général Lahaie et ses frères
Au début de 1941, les quatre frères Lahaie, Gaétan, Deguise, Marcellin et Rostand, servaient tous les quatre comme lieutenants instructeurs de l'armée active, les trois premiers dans des centres d'instruction militaire et le quatrième au Corps-école d'officiers canadiens (COTC) de l'Université de Montréal.

Les états de service de Marcellin Lahaie étaient les plus impressionnants.

Né à Montréal le 2 juillet 1913, Marcellin Lahaie fréquenta le Mont-Saint-Louis, l'Université McGill et l'Université de Montréal, où il étudia successivement les sciences appliquées et les sciences économiques.

Lahaie s'engagea dans l'armée comme élève-officier. Durant la Deuxième Guerre mondiale, il servit d'abord au Canada en qualité de lieutenant dans le 20e régiment d'artillerie de campagne, puis en Angleterre, de 1942 à 1944, dans le 4e régiment d'artillerie moyenne où il fut promu capitaine. Il participa à la campagne du nord-ouest de l'Europe et combattit en France, en Belgique, aux Pays-Bas et finalement en Allemagne.

De retour au pays à la fin de la guerre, Lahaie fut élevé au grade de major et nommé instructeur en chef du COTC. Il poursuivi des études au Collège d'état-major.

Muté à Ottawa en 1947, Lahaie fut affecté aux Services d'intelligence et d'instruction et attaché en tant que secrétaire au comité Bernatchez chargé d'étudier la situation des Canadiens français au sein de l'armée canadienne.

En juillet 1952, âgé de 39 ans, Lahaie fut appelé à présider à la fondation du Collège militaire royal de Saint-Jean. Lors de sa nomination à titre de commandant de cet établissement, avec le grade de colonel, il commandait en Allemagne le 79ᵉ régiment d'artillerie de campagne qu'il avait fondé en 1951 pour servir avec les forces de l'Organisation du traité de l'Atlantique Nord (OTAN). Il dirigea le Collège militaire royal de Saint-Jean jusqu'à l'été 1957.

Marcellin Lahaie, Ordre du Service distingué (DSO), Décoration des Forces canadiennes (CD), termina sa carrière militaire avec le grade de brigadier-général.

La famille Vautour et les autres
Par ailleurs, les journaux faisaient état, à la fin d'octobre 1941, d'un « beau cas de patriotisme » d'une famille canadienne-française du Nouveau-Brunswick, celle de Joseph Vautour, de la paroisse Sainte-Anne, dans la circonscription de Kent.

Les sept fils de Joseph Vautour, Éloi, Alfred, Donat, William, Léon, Gérard et Eusèbe, s'étaient tous enrôlés dans l'armée active, ainsi que ses deux gendres, Alex Richard et Sylvain Goguen.

Une autre mère canadienne-française du Nouveau-Brunswick, Mme Jude Fougère, de Shédiac, dans la circonscription de Westmoreland, avait également donné ses sept fils à l'armée active, nés de deux mariages.

Les deux fils du premier mariage de Mme Jude Fougère, William Petitpas et Georges Petitpas, servaient le premier dans le Carleton-York Regiment et le deuxième dans le Nova Scotia Regiment. Quant aux cinq fils de son second mariage, Albeni Fougère servait dans le régiment de la Chaudière, Howard Fougère et Armand Fougère dans les New Brunswick Rangers, Vital Fougère dans l'artillerie canadienne et Jude Fougère dans le régiment blindé du Nouveau-Brunswick.

Il y avait même une famille canadienne-française qui comptait pas moins de trois frères pilotes dans la RCAF : le lieutenant de section Léo Bourbonnais, le sergent-pilote Gaétan Bourbonnais et l'aviateur-chef Roland Bourbonnais.

L'aîné des Bourbonnais, le lieutenant de section Léo Bourbonnais, ancien agent de la Gendarmerie royale du Canada, assumait, à la Noël 1941, la responsabilité d'une escadrille à l'école de bombardements et de tir de Mont-Joli.

Le deuxième frère, le sergent-pilote Gaétan Bourbonnais était quant à lui un héros de l'air. Membre du premier groupe de volontaires à servir dans une escadrille de combat en Angleterre, il avait déjà abattu plusieurs avions ennemis lors de missions au-dessus du territoire britannique ou du territoire ennemi.

Son avion avait été tellement endommagé par le feu ennemi que Gaétan Bourbonnais avait dû sauter en parachute à quatre reprises. Trois fois, il fut chanceux et se posa sur la terre ferme, en territoire britannique. La quatrième fois, il plongea dans les eaux glacées de la Manche d'où il fut rescapé, après un bain forcé de quelques heures, par une vedette de sauvetage de la Royal Air Force (RAF).

Le troisième frère, l'aviateur-chef Roland Bourbonnais, reçut ses ailes de pilote le 19 décembre 1941.

Un quatrième fils Bourbonnais, demi-frère des premiers, l'officier-cadet Jean-Paul Bourbonnais, s'entraînait avec le COTC de l'Université McGill en attendant d'avoir l'âge légal pour se joindre, lui aussi, à la RCAF comme pilote.

De père en fils et filles
Dans certaines familles, on s'enrôlait non seulement de père en fils, mais de pères en filles.

Le colonel G.-E. Dupuis, commandant du 35e groupe de brigade du district militaire de Québec avait un fils, le lieutenant Yves Dupuis, qui servait outre-mer dans l'artillerie canadienne et deux filles, Pierrette et Françoise Dupuis, qui servaient toutes deux dans le corps féminin de l'armée canadienne, pour suivre ses traces.

Un autre colonel, retraité celui-là, le colonel R.-O. Grothé, conseiller législatif, avait trois fils officiers sous les drapeaux : le lieutenant L.-Ovide Grothé, instructeur à l'École d'officiers à Saint-Jérôme, le lieutenant Roger-O. Grothé, des Fusiliers Mont-Royal, attaché au dépôt du district militaire de Montréal, et l'officier-pilote P.-André Grothé, de la RCAF, qui était en garnison à Toronto.

Le colonel Paul Grenier, commandant de la 34e brigade de réserve et ancien commandant des Fusiliers Mont-Royal en Europe, faisait lui aussi partie d'une famille de nombreux militaires.

Les neveux de Paul Grenier, le lieutenant Jacques-E. Grenier et le capitaine Guy Grenier, tous deux des Fusiliers Mont-Royal, avaient servi outre-mer avec leur unité.

Le fils aîné de Paul Grenier, Robert Grenier, servait avec la Royal Canadian Navy Volunteer Reserve.

Un autre des neveux de Paul Grenier, le chef d'escadrille Jean Archambault, servait dans la RCAF, tandis que le frère de celui-ci, Pierre Archambault, servait dans les Fusiliers Mont-Royal. Enfin, leur sœur, le sous-lieutenant Suzanne Archambault, autre nièce du colonel Grenier, était attachée à l'École de télégraphie sans fil n° 1 de la RCAF.

Jacques et Guy Grenier étaient les fils de Joseph-J. Grenier, frère du colonel Paul Grenier et qui avait combattu avec celui-ci lors de la Première Guerre mondiale.

Quant à Jean, Pierre et Suzanne Archambault, ils étaient les enfants de la sœur des trois frères Grenier.

Tous étaient soit des petits-enfants, soit des arrière-petits-enfants de l'ancien maire de Montréal, Jacques Grenier.

Nous avons tout donné
À ceux qui prétendaient que les Canadiens français ne s'enrôlaient qu'en petit nombre, *La Presse* du 27 juin 1942 conseillait de se rendre à la maison de Louis-Jean-Baptiste Senez, comptable de Montréal.

Les neuf enfants de Louis-Jean-Baptiste Senez avaient offert leurs services volontairement aux forces armées et sept avaient été acceptés sous les drapeaux. Ce qui faisait dire à M. Senez : « Nous avons tout donné. »

Le frère de Mme Senez, née Agnès-Lydia Melanson, médecin de profession, avait servi comme officier durant la Première Guerre mondiale. En plus de ses sept fils militaires, Mme Senez avait également un neveu servant dans la RAF en Afrique du Nord.

Frédéric Senez, ancien membre du COTC de l'Université McGill, breveté officier dans la RCAF, avait cependant vu son appel sous les drapeaux différé pour des raisons de santé. Son frère, le lieutenant de section Bernard Senez, était attaché au Centre de recrutement de la RCAF à Montréal. Hector Senez était officier-cadet dans l'artillerie au Centre d'instruction des officiers à Brockville, en Ontario. Vincent Senez servait comme officier-cadet dans les Fusiliers du Saint-Laurent et était à l'entraînement à l'École préparatoire de cadets-officiers de Saint-Jérôme. François Senez était membre du COTC de l'Université McGill. Norbert Senez servait comme sergent-instructeur de culture physique dans la RCAF au dépôt d'effectifs de Lachine. Wilfrid Senez agissait comme sergent observateur de la RCAF en Angleterre. Charles Senez avait offert ses services plusieurs fois à l'armée et à l'aviation, mais il avait été refusé pour des raisons de santé. Quant à Roger Senez, il attendait d'avoir 18 ans révolus pour s'enrôler dans l'aviation en 1943.

Autres cas dignes de mention

Il y avait bien d'autres cas de familles canadiennes-françaises dont plusieurs membres étaient sous les drapeaux. Mentionnons entre autres les quatre frères Deschênes et leurs deux beaux-frères.

Plus précisément, le caporal Alvarez Deschênes était en service à Petawawa en Ontario, le sergent-instructeur Roger Deschênes était affecté au camp de Saint-Jérôme, le caporal Irénée Deschênes était en garnison à Valcartier et l'aviateur Marcel Deschênes, de la RCAF, était stationné à Winnipeg. Les deux beaux-frères, le sergent-major Arthur Beauchamp et le sergent Albert Turgeon, mari des sœurs Deschênes, étaient en garnison, le premier à Cornwall, en Ontario, le second à Valcartier.

Citons aussi les six frères Desjardins. Le sergent René Desjardins, les soldats Laurier Desjardins, Delma Desjardins, Robert Desjardins et Roger Desjardins et un sixième qui servait avec le grade de caporal étaient tous sous les drapeaux.

Mme Ulric Guertin, d'Ottawa, née Lusignan, avait quant à elle un frère, Eugène Lusignan, qui servait dans le corps des ingénieurs. Ses cinq fils servaient dans les forces armées canadiennes : Emmanuel Guertin dans le corps des ingénieurs, Léo Guertin en service outre-mer dans la 1ère division, Maurice Guertin dans les rangs de la RCAF, Ulysse Guertin dans les Cameron Highlanders outre-mer, tandis que le plus jeune, Gérard Guertin, faisait du service de patrouille en Nouvelle-Écosse. Enfin, trois des neveux de Mme Guertin étaient également eux aussi sous les drapeaux.

Nombreuses étaient les familles qui comptaient des frères sous les drapeaux en même temps. Par exemple, les quatre frères Mancion : Georges-Hector Mancion, opérateur télégraphiste, Roland Mancion, membre d'une unité motorisée, Armand Mancion servait dans le Perth Regiment outre-mer et Napoléon Mancion était membre de la marine canadienne.

Quatre des cinq frères Saint-Jacques, d'Ottawa, ont servi dans le corps des forestiers, le cinquième dans l'artillerie. Donat Saint-Jacques a servi outre-mer avec les Forestiers, Paul-Émile Saint-Jacques à Québec, Lucien Saint-Jacques servit dans le même corps avant d'être réformé et Fernand Saint-Jacques se trouvait avec les Forestiers outre-mer à l'été 1942. Quant à Henri Saint-Jacques, il se trouvait également en Angleterre, mais en tant qu'artilleur.

Les quatre frères acadiens Ernest Léger, des New Brunswick Rangers, Joseph-P. Léger, des St. John's Fusiliers, Albert F. Léger, en service outre-mer avec le Carleton-York Regiment et Roy F. Léger, à l'entraînement avec le même régiment, prouvaient bien que les francophones des autres provinces répondaient à l'appel tout aussi bien que ceux du Québec.

Enfin, trois frères, anciens combattants de la guerre de 1914-1918 se sont enrôlés à nouveau comme officiers lors de la Deuxième Guerre mondiale. Il s'agit du major A.-G. Routier, décoré de la Croix militaire (MC), du quartier général de Valcartier, et de ses frères, le lieutenant-colonel A.-E. Routier et le lieutenant-colonel C.-H. Routier, du Royal 22e Régiment.

UNE MEILLEURE PLACE
POUR NOS AVIATEURS

L' aviation canadienne tenta, elle aussi, de faire sa part dans cette « révolution » que disaient vouloir lancer les forces armées canadiennes pour attirer les Canadiens français.

C'est ainsi qu'à la mi-novembre 1941, le commodore de l'air (général de brigade d'aviation) J.-E.-A. de Niverville, alors le plus haut gradé d'origine canadienne-française au sein de la Royal Canadian Air Force annonça que les autorités de la RCAF venaient d'adopter une nouvelle politique en ce qui regardait l'entraînement des pilotes francophones, recrutés dans la province de Québec. Dans la mesure du possible, tout l'entraînement se ferait dans la province de Québec même dans les diverses écoles d'aviation que la RCAF possédait.

« C'est dire, pouvait-on lire dans *La Presse*, que l'adoption de cette politique éminemment sage fera par le fait même disparaître la crainte de se voir isolés dans des écoles de l'Ouest canadien, de l'Ontario ou des provinces maritimes qu'entretenaient les recrues dont la connaissance de l'anglais était insuffisante.

« De plus, les instructeurs aux cours de pilotage ou de navigation aérienne assignés à l'entraînement des pilotes canadiens-français de la province de Québec seraient tous bilingues, de telle sorte que nos jeunes aviateurs ne seraient plus handicapés par une connaissance imparfaite de l'anglais. Conséquence immédiate, faisait-on savoir : de plus grandes chances de promotion pour les nôtres. »

Le commodore de l'air de Niverville avait ajouté qu'à l'avenir toutes les recrues canadiennes-françaises de la RCAF — il faudrait cependant qu'elles soient originaires du Québec autant que possible — seraient dirigées vers les dépôts d'effectifs de Lachine ou de

Québec. Les jeunes aviateurs francophones devaient toutefois aller suivre un cours d'anglais à Toronto pour se familiariser davantage avec la conversation anglaise. De retour dans la province, ils recevraient tout leur entraînement de pilotes dans des écoles du Québec, jusqu'à l'obtention des « ailes» à l'École d'entraînement supérieur de l'air de Saint-Hubert.

« Cette nouvelle politique que tous s'accordent à louer, facilitera considérablement l'entraînement des pilotes canadiens-français, de telle sorte que l'escadrille canadienne-française promise par C.G. Power, ministre de l'Air (la future escadrille Alouette qui fut effectivement créée quelque temps plus tard), pourrait bien, dans un avenir rapproché, se doubler d'une seconde et même de plusieurs autres », avait précisé de Niverville.

« Le fait de pouvoir obtenir des explications en français de leurs instructeurs aidera beaucoup les candidats-pilotes canadiens-français dans leurs études autant que possible », avait souligné de Niverville.

Les débuts de l'escadrille Alouette
Justement, en ce qui concerne la formation de la première escadrille canadienne-française en Grande-Bretagne, le lieutenant de section H.-Émile Paquin, l'un des premiers officiers du 22e bataillon canadien-français lors de la Première Guerre mondiale, qui se joignit par la suite au Royal Flying Corps, venait d'être attaché au personnel du vice-maréchal de l'air Harold Edwards, commandant en chef de la RCAF outre-mer, avec pour mission de prêter une attention spéciale à l'organisation de cette escadrille canadienne-française.

Au début de novembre 1941, le ministre de l'Air, Charles Gavan Power, avait en effet profité de l'occasion lors d'une cérémonie à l'école d'aviation de l'Ancienne-Lorette, à laquelle assistaient le cardinal Rodrigue Villeneuve et le lieutenant-gouverneur du Québec, Sir Eugène Fiset, revêtu de son uniforme de major-général de l'armée, pour promettre la formation d'une escadrille exclusivement canadienne-française.

« J'ai le plaisir de vous annoncer que la formation d'une escadrille essentiellement canadienne-française est chose décidée. Il y a quelque temps, j'ai dit : donnez-moi un nombre suffisant de diplômés canadiens-français et je constituerai là-bas une unité canadienne-française. Or, nous disposons maintenant des hommes voulus.

« Quant au commandement, j'ai les yeux sur deux ou trois officiers. Sans doute leur faudra-t-il, grâce à un entraînement sur les lieux, acquérir l'expérience requise. C'est pourquoi il se pourrait qu'au début, cette escadrille soit placée sous l'autorité d'officiers de langue anglaise. »

En juillet 1942, l'escadrille Alouette, première escadrille canadienne-française de bombardement, placée sous le commandement du chef d'escadrille J. W. Saint-Pierre, de Saint-Eustache, promu commandant d'escadre, poursuivait son entraînement en Angleterre.

Le premier équipage complet de cette nouvelle escadrille était formé des cinq aviateurs francophones suivants : le sergent Théo Doucet, pilote, le sergent Léopold Desroches, observateur, le sergent Jacques Cholette, bombardier, le sergent Pierre-Paul Trudeau, mitrailleur, et le sergent Robert Bruyère, télégraphiste.

Par ailleurs, à la suite du déclenchement des hostilités dans le Pacifique et de l'entrée en guerre des États-Unis aux côtés des Alliés, les demandes d'emploi aux bureaux de recrutement de l'aviation canadienne à Québec et à Montréal doublèrent.

Il est à noter que si le nom de l'escadrille Alouette est passé à l'histoire, ses premiers officiers auraient préféré quelque chose de plus glorieux, estimant sans doute que si les Canadiens anglophones connaissent sans doute pour la plupart l'air populaire du refrain « Alouette, gentille Alouette », ils oubliaient d'ajouter qu'elle se faisait « plumer ».

Une dépêche de la Presse Canadienne, en provenance de Londres et reproduite dans *La Presse* du 13 août 1942 rapporte en effet que la majorité des officiers francophones formant les rangs de la première escadrille canadienne-française estimait que cet oiseau n'était pas assez « agressif » et demandaient qu'on trouve un autre nom.

Quoi qu'il en soit, c'est finalement le nom d'escadrille Alouette qui fut retenu et personne ne fit des gorges chaudes à son sujet.

Quelques jours plus tôt, *La Presse* et son président, le sénateur Pamphile DuTremblay, avaient annoncé que le journal acceptait d'être le parrain de l'escadrille en voie de formation.

« Sûr de l'appui que lui apportent le public canadien-français, et ses lecteurs, notre journal lance un cordial appel en faveur des "as" de chez nous déjà en Angleterre et dont le bien-être ne saurait laisser personne indifférent. »

Dans une lettre au sénateur DuTremblay, le ministre de l'Air Power félicite celui-ci de son initiative, rappelle qu'« il s'agit, comme vous le savez, d'une escadrille dont l'officier commandant est le commandant d'escadre J.-M.-W. Saint-Pierre qui a reçu le baptême de feu au-dessus de Cologne et ailleurs. De même, pour plusieurs officiers, notamment les chefs d'escadrille Logan, Savard et Georges Roy, qui furent de divers raids, du lieutenant de section J.-V.-F.-L. Saint-Pierre, qui a déjà de longs états de service, de l'officier-pilote P.-A. Faguy, qui en est à son vingt-quatrième raid au-dessus de l'Allemagne.

« Outre les pilotes, les observateurs, les bombardiers et les navigateurs, l'escadrille comprendra plusieurs centaines d'hommes d'équipage de terre, tous Canadiens français.

« La gloire attend cette première escadrille canadienne-française. Je souhaite avec vous et avec tous les Canadiens que Dieu protège ces vaillants aviateurs de langue française qui, avec leurs frères d'autres races, contribuent à hâter la victoire ».

D'autres Canadiens français en vue
Simultanément, désireux d'avoir à Saint-Hubert des chefs bilingues, le commodore de l'air de Niverville nommait le chef d'escadrille Baxton Richer, diplômé de l'École Polytechnique de Montréal, à la tête d'une escadrille de l'École d'aviation de Saint-Hubert.

Toujours dans la région montréalaise, de Niverville a fit rappeler le commandant d'escadre Marcel Dubuc de Saskatoon pour l'assister au quartier général de la RCAF à Montréal. Par ailleurs, en juillet 1942, un officier canadien-français, le chef d'escadrille Paul Rodier, était promu commandant d'escadre (lieutenant-colonel d'aviation) et nommé directeur adjoint du recrutement pour l'aviation.

Un autre aviateur canadien-français, pionnier de l'aviation dans l'Ouest canadien et parlant le français aussi bien que l'anglais, le capitaine de groupe (colonel d'aviation) R.-A. Delhaye, ancien combattant du Royal Flying Corps lors de la Première Guerre mondiale, était muté de la Saskatchewan à Montréal au poste d'officier d'organisation de la région d'entraînement de la RCAF. Delhaye était décoré à la fois de la Croix du Service distingué dans l'aviation (DFC) et de la Croix de guerre belge.

Enfin, parmi les recrues canadiennes-françaises qui se joignaient à la RCAF, on retrouvait le populaire champion de boxe poids mi-moyen et léger du Canada, Dave Castilloux, qui avait commencé ses cours en février afin de devenir instructeur de culture physique dans l'aviation.

La RCAF faisait d'ailleurs abondamment circuler à l'époque une photo officielle montrant la princesse Élisabeth, en visite avec le roi George VI dans un mess d'aviateurs en Angleterre et ajoutait à cette photo la légende « parlant en français » avec le caporal Roméo Blanchette, de Québec.

Toujours en juillet 1942, 17 aviateurs canadiens-français recevaient à Saint-Hubert leurs ailes de pilotes. C'était la première fois dans les annales de la RCAF qu'un groupe aussi nombreux de Canadiens français obtenaient leurs ailes en même temps à la même école. Le maréchal de l'air Sir Frederic Bowhill, commandant du service de convoyage (Ferry Command), de la Royal Air Force (RAF) avait présidé la cérémonie.

Le groupe de pilotes francophones ainsi brevetés était composé des aviateurs-chefs Paul-R. Daoust, Marc Montpetit, Éloi Bohémier, Joseph-Albert Lapointe, David-Charles Gonyla, J.-Rayond Lejeune, Raymond Sergent, Dionne-Roger Boyer, Maurice-J. Dugas Wilfrd-H. Régimbal, Charles-J. Vaillancourt, E.-A. Charbonneau, Harold Leblond, Joseph-Léopold Houle, Robert Lacerte, Charles-J. Vallée et Wilfrid Duplin.

L'aviateur-chef Robert Lacerte, originaire de la Saskatchewan, avait eu droit à une mention spéciale pour s'être comporté en héros en sauvant la vie d'un camarade lors de l'écrasement de leur avion d'entraînement qui faisait un vol de nuit dans l'État de New York.

Mais il n'y avait pas que des aviateurs. La RCAF comptait aussi des « aviatrices ». Et comme à l'époque on ne s'embarrassait pas de « rectitude politique », il était tout à fait normal, en juin 1942, qu'une photo officielle de l'aviation présenta « trente et une jolies jeunes femmes », qui venaient de quitter Montréal pour se rendre à Rockliffe, en banlieue d'Ottawa, afin de s'entraîner comme « aviatrices » de la section féminine de la RCAF. La moitié du groupe venait de Montréal et il y avait plusieurs francophones, soit M.-J.-L Hébert et M.-J.-I. Hébert, G.-M. Roy, M. Boisjoli, J.-M.-D.-H. Senéchal et A.-T. Dion.

L'incroyable odyssée du commandant d'escadre
Adélard Raymond

Plusieurs officiers canadiens-français brillaient déjà dans l'aviation canadienne. C'est ainsi qu'on profita, en novembre 1941, de la mutation du commandant d'escadre Adélard Raymond, du commandement du dépôt d'effectifs de la RCAF à Québec à celui du nouveau dépôt de Lachine et de son remplacement par un autre officier supérieur canadien-français, le commandant d'escadre S. Terroux, pour rendre publique l'extraordinaire odyssée qu'il avait vécue au début de la Deuxième Guerre mondiale.

Raymond comptait déjà de nombreuses années d'expérience dans l'aviation. Durant la Première Guerre mondiale, il avait servi dans le Royal Flying Corps et, dès son retour au Canada, en 1917, il avait organisé à l'aéroport de Cartierville un service aérien commercial qu'il avait dirigé jusqu'en 1926. En 1935, il aida à l'organisation de la 118e escadrille, dont la base aérienne était à Saint-Hubert. En 1936, il devint commandant de cette base, succédant au commandant d'escadre Marcel Dubuc.

Un mois après la déclaration de guerre, en octobre 1939, Raymond fut nommé commandant de la 118e escadrille qui faisait partie de la patrouille de la côte de l'Atlantique.

À l'été 1940, les États-Unis ayant décidé de fournir à la France envahie toute l'aide matérielle possible, Raymond fut nommé à la tête d'un groupe de la RCAF dépêché dans ce pays à bord du porte-avions français *Béarn*, afin de montrer aux Français comment se servir des avions américains.

Toutefois, avant que le porte-avions n'atteigne le port de Brest, sa destination, on apprit en pleine mer la chute de Dunkerque aux mains des Allemands. Le porte-avions se dirigea alors vers Bordeaux, mais encore là, vingt-quatre heures à peine avant son arrivée, cette ville tombait également entre les mains des Allemands.

Le capitaine du *Béarn* reçut alors l'ordre de gagner le Maroc, mais jugeant cette destination peu sûre pour les pilotes et la cargaison précieuse de 175 avions neufs que le navire transportait, il décida de faire demi-tour et de mettre le cap, après un long voyage, sur les Antilles françaises et la Martinique.

Raymond fut promu par la suite vice-maréchal de l'air (général de division ou major-général dans l'aviation).

Les avions purent être débarqués, mais Raymond devait revenir au Canada. Il embarqua d'abord sur un navire de guerre britannique qui le conduisit dans une île britannique des Antilles, d'où il comptait gagner rapidement le Canada. Mal lui en prit. Le transport maritime était tellement désorganisé en cette période troublée de guerre qu'il lui fallut monter à bord de 14 navires différents avant d'atteindre enfin le pays.

Quant au commandant d'escadre S. Terroux, il avait connu, lui aussi, une carrière peu commune, puisqu'avant de se joindre à l'aviation canadienne, il avait fait carrière dans l'armée où il avait gravi les échelons pour parvenir au grade de lieutenant-colonel d'artillerie.

En effet, c'est avec le Royal Canadian Horse Artillery, en 1916, que Terroux avait fait ses débuts militaires. Après avoir servi en Angleterre et en France dans son régiment, il était entré au Royal Flying Corps, mais la guerre se termina avant qu'il n'ait eu le temps de décrocher ses ailes de pilote.

De retour au pays, Terroux s'était joint au 17th Duke of York's Royal Canadian Hussards, dont il avait gravit rapidement tous les échelons pour en devenir le commandant avec le grade de lieutenant-colonel.

Retiré de l'armée, Terroux s'enrôla de nouveau en mars 1940, mais cette fois-ci dans la RCAF, d'abord avec le grade de chef d'escadrille (major d'aviation). Après avoir été posté d'abord à l'École de TSF à Montréal, puis à Moncton au Nouveau Brunswick, il fut promu commandant d'escadre, grade équivalent à celui qu'il avait détenu dans l'armée et il succéda à Adélard Raymond à Québec.

Durant cette période, d'autres officiers canadiens-français se mirent en évidence. Par exemple, le lieutenant de section Louis Gélinas fut promu officier commandant du centre de recrutement de la RCAF, tandis que l'officier-pilote Marcel Beauregard était nommé officier de liaison à la direction des relations extérieures de la RCAF à Ottawa.

« Robillard, Morin, vous êtes dignes de la patrie »
À la fin d'avril 1942, les médias firent grand état du retour au pays d'un « jeune héros canadien-français », l'officier-pilote Paul-Émile Morin, qui avait reçu en décembre 1941 la Médaille du service distingué dans l'Aviation (DFM) avec la citation suivante : « Pilote d'une remarquable habileté et d'un courage à toute épreuve. »

Morin avait été accueilli à Montréal avec tous les honneurs. Une fanfare, une garde d'honneur des cadets de l'air, le maire de Montréal Adhémar Raynault et le commodore de l'air J.-E.-A. de Niverville, s'étaient tous déplacés pour son arrivée d'outre-mer.

Morin avait reçu sa médaille à la fin d'un raid sur le port de Brest, où se trouvaient les cuirassés allemands *Scharnshorst* et *Gneisenau*. Une photographie a démontré qu'il avait porté un coup direct à l'un des navires, après s'être exposé au feu nourri de la DCA. Mais cet exploit n'était pas le seul. Au cours des 20 raids qu'il a fit au-dessus de l'Allemagne et de la France occupée à bord d'un bombardier Whitney et de douze autres raids à bord d'un gros bombardier Halifax, Morin, disait-on, eut à franchir tous les obstacles imaginables, mais sans jamais perdre un appareil.

La Presse écrivait alors que « ceux qui le connaissait attribuent ses succès à son esprit de discipline mais lui-même y voit la protection évidente de la Providence et de Sainte-Anne dont il porte toujours l'image sur lui».

Quelques jours plus tard, c'était au tour de l'officier-pilote Laurent Robillard de faire les manchettes en devenant le premier pilote canadien-français à être décoré personnellement par le roi George VI.

Revenu en héros à Montréal, Robillard jeune pilote de 21 ans, déclara d'ailleurs aux journalistes : « Je ne sais pas exactement ce que je fais ici. Les ordres veulent que je sois en "mission spéciale" au Canada. Si j'avais mon choix, j'aimerais mieux être encore en Angleterre où j'ai tellement de besogne à achever ! »

Le dossier de Robillard, qui avait obtenu la Médaille du Service distingué dans l'Aviation (DFM) en même temps que son brevet d'officier, est impressionnant : cinq avions descendus, quatre Messerschmitts et un Focke-Wulf 190, auxquels il faut ajouter neuf autres appareils de types divers inscrits sur une liste non officielle.

Racontant ses exploits, Robillard déclara : « J'ai descendu mon premier avion le 22 juin 1941. Je l'ai vu venant droit sur moi ; je l'ai évité de justesse ; j'ai tiré. Trois autres ennemis attaquaient en même temps mon chef d'escadrille. Enfin, on a pu s'en tirer ! »

Selon Robillard, tous ses combats se sont déroulés au-dessus du sol français. « Cela nous donne moins de chance, car si nous tombons nous sommes faits prisonniers, si on ne se casse pas le cou, bien entendu. Durant la bataille d'Angleterre, l'attaque se déroulait au dessus du sol britannique. Nous avions le choix des victimes tellement l'ennemi était nombreux et, en cas de malheur, on ne risquait pas l'internement dans un camp de concentration. »

Le 2 juillet 1941, quelques jours après avoir abattu trois autres avions ennemis au-dessus de la France, Robillard raconte que « tout à coup, j'entends derrière moi, le bruit des balles qui s'aplatissent sur la cloison protectrice. L'instant d'après, mon aile gauche se brise et c'est la spirale fatale qui commence sur une seule aile. Je perds conscience au moment où l'avion éclate en mille morceaux. Je suis lancé dans l'air.

« Le froid très vif m'a ranimé à temps ! Trente secondes à peine pour tirer la ficelle du parachute et j'atterris dans la banlieue de Lille, ville de la zone occupée. »

Pour le reste, la consigne empêchait Robillard de raconter comment il avait réussi son évasion, mais on savait que, le 27 août, il avait déjà rejoint son escadrille en passant par Gibraltar. Tout ce qu'il consentit à dire là-dessus c'est : « Soyez convaincus de l'intense sentiment pro-britannique des Français de la zone occupée. Je ne vous dirai que cela ! »

Mais Robillard ne cherchait pas à jouer les héros. Au contraire, il tenait à clamer que la chance l'avait aidé. « J'ai tiré le premier ou j'ai pensé plus vite. C'est tout. Automation pour une part, mais sang-froid aussi. Sans l'un et l'autre, je ne serais certainement pas ici à déguster mon petit déjeuner. Ce fut en tout cas de belles aventures. Un seul regret : n'y être plus. Une seule tristesse : la perte de mon appareil.

« Je dis que nous avons à peine le temps d'avoir peur. Quant à la supériorité du matériel, aucune discussion possible. Nos appareils valent plusieurs fois ceux de l'ennemi. Ils leur ont toujours été supérieurs. Nous avons le dessus, c'est incontestable. »

Lorsqu'il fut présenté à George VI lors de la cérémonie de remise de sa décoration, Robillard déclara au roi : « J'aimerais mieux être dans les airs qu'ici », voulant marquer par là qu'il se sentait mal-à-l'aise d'être ainsi honoré par son roi.

Quant au fait que Robillard avait sauvé la vie de son chef d'escadrille, il précisait que, quant à lui, il n'avait jamais pu se rendre bien compte de qui au juste il sauvait : « Il descendait en parachute et il était une cible vivante trop belle pour l'ennemi. J'ai foncé et j'ai sauvé la vie de cet ami. Qui était-ce ? Je n'en sais rien. D'ailleurs, comment vérifier ? Ce jour-là, fut une bataille terrible. Pour notre part, nous avons perdu 15 appareils. »

Le 28 mai 1942, la ville de Montréal recevait officiellement les deux héros canadiens-français décorés lors d'une cérémonie haute en couleur au Carré Dominion, en présence de nombreux détachements de l'aviation, de la marine et de l'armée.

Se laissant emporter par l'émotion, le président du Comité exécutif de Montréal, J.-A. Asselin, dont le fils, lui-même aviateur, était alors prisonnier en Allemagne, s'écria : « Officier-pilote Robillard, officier-pilote Morin, l'exemple de votre admirable carrière militaire, de vos brillants faits d'armes et de votre dévouement à la cause que vous défendez est une réponse éclatante aux dénigreurs de notre province et de notre race en même temps qu'une semence féconde de patriotisme et de vertu civique en la terre canadienne.

« La population de Montréal est heureuse de vous accueillir dans ses murs et de se joindre à la population de cette province et du Canada tout entier pour vous présenter ses hommages et vous remercier chaleureusement du lustre que vous jetez sur votre race et sur votre pays et des services signalés qu'en cette heure grave vous rendez à votre patrie. »

« Ces deux héros démontrent d'une façon éclatante que les vertus viriles de notre race sont encore bien vivantes dans notre peuple et qu'on peut compter sur sa culture, son patriotisme et son esprit de sacrifice pour défendre les causes et les institutions qui leur sont chères.

« Les différences d'opinions absolument légitimes qui peuvent exister entre les différents groupes de la population canadienne sur les méthodes et les modalités de notre effort de guerre ne justifient pas les attaques dont notre province est l'objet et n'autorisent personne à sous-estimer ou défigurer les contributions que le Québec et les Canadiens français en particulier, à travers tout le pays, fournissent à l'effort de guerre. »

Robillard interpréta l'honneur qui lui était rendu comme un honneur rendu à « tous ceux qui servent la patrie. C'est en somme une façon éloquente de proclamer à nos amis et à nos ennemis que la ville de Montréal et la province de Québec savent s'acquitter de leur devoir.

« Lorsqu'au-dessus de la France ou de l'Angleterre, je m'élançais sur l'ennemi, je savais que c'était pour mon pays, pour ma famille et pour les miens que je me battais. Mes camarades partagent le même idéal et luttent pour la même cause. En leur nom, qu'il me soit permis d'exhorter mes compatriotes à ne pas les oublier, à se souvenir qu'ils sont les dignes représentants d'une race qui s'est toujours levée pour défendre les causes justes ».

De son côté, Morin déclara qu'il ne se considérait que comme l'un des milliers de pilotes qui combattent pour la liberté du monde et qu'il ne voulait être rien d'autre. Les héros canadiens-français sont nombreux outre-mer, souligna-t-il.

« Au sein de l'escadrille, dit Morin, j'ai rencontré nombre de Canadiens français qui accomplissent chaque jour leur tâche le sourire aux lèvres et qui sont fiers de combattre pour la patrie, la sauvegarde de nos principes et la religion de leurs pères.

« Là-bas, en Grande-Bretagne, les Canadiens français font honneur au pays qui leur a donné le jour.

« En chrétiens, continua Morin, en braves, ils vont de l'avant, confiants en la victoire. Pour eux cette guerre est plus qu'un conflit mondial, c'est presque une croisade religieuse. Tous comprennent que l'ennemi cherche à détruire les valeurs spirituelles et morales en même temps que les valeurs économiques, afin de mieux asservir les nations. »

Pour sa part, le commodore de l'air de Niverville, déclara aux deux jeunes hommes : « Robillard et Morin, au nom du corps d'aviation royal canadien, je suis fier de vous dire que vous êtes dignes de votre pays et de l'uniforme que vous portez. En vous offrant en exemple à la jeunesse canadienne, je souhaite que tous comprennent comme vous l'avez comprise, la mission sacrée qu'ils ont à remplir dans la crise que nous traversons.

« Plus que jamais le pays a besoin d'hommes de cœur, d'hommes pour qui les mots "patrie" et "civilisation" ne sont pas des vains mots. C'est grâce à des milliers de jeunes cœurs courageux comme Robillard et Morin que l'Angleterre a su arrêter la marche triomphale des hordes germaniques. Mais il s'agit maintenant de passer de la défensive à l'offensive. Il faut vaincre à tout prix. »

Prenant la parole quelques jours plus tard devant le monument de Dollard des Ormeaux au parc LaFontaine, Morin lança un appel vibrant aux Canadiens français en affirmant que « mes compagnons de combat, à bord de bombardiers ou d'avions de chasse, livrent la grande bataille dont dépend le sort du monde. Ne soyons pas sourds à la voix de leur conscience. En hommes de cœur, ils se sont enrôlés sous les drapeaux ».

Quant à l'officier-pilote Laurent Robillard, Médaille du Service distingué dans l'aviation (DFM), évoquant la menace nazie, il ajouta à la même occasion : « Ce n'est certes pas à moi qui viens à peine d'atteindre ma majorité de mettre mes compatriotes en garde contre cette menace grandissante. Mais puisque, malgré mon jeune âge, et puisqu'en compagnie de camardes souvent plus jeunes que moi, j'ai lutté dans le ciel d'Europe pour la cause commune, je crois qu'il m'est permis d'exhorter la jeunesse de mon pays à ne pas demeurer sourde à la voix du devoir et de l'honneur. Les aviateurs, qui à l'heure actuelle sont déjà aux prises avec l'ennemi n'ont pas hésité. »

À la mémoire du sergent Béchard, tombé bravement

Un autre héros fut honoré, celui-là à titre posthume. Il s'agit du sergent-aviateur Raymond Béchard, tué en action le deuxième mercredi de février à l'âge de 21 ans, fils d'un industriel de Montmagny et à qui un ami, André Proulx, rendait hommage dans un article que *La Presse* publia sous le titre de « À la mémoire du sergent Béchard, tombé bravement ».

« C'était vraiment un jeune qui avait foi en l'avenir, cet avenir qu'il ferait à sa taille, et qui lui serait d'autant plus cher qu'il lui aurait coûté des sacrifices. Alors voilà pourquoi Raymond était entré dans les rangs de l'aviation canadienne. Il offrit ses forces au service de la patrie. L'audace était belle, et le risque grand aussi, j'admirais le geste de Raymond. Il avait répondu à l'appel qu'il avait entendu en lui, l'appel des espaces indéfinis, l'appel des profondeurs éthérées. C'était la réalisation d'un de ses rêves de jeunesse, dont il souhaitait depuis longtemps l'établissement.

« Mais les ailes de son ambition devaient se briser. Sa bravoure lui avait valu la mort. Ainsi le 2e mercredi de février (j'aurai longtemps cette date à la mémoire), les journaux annonçaient la mort de Raymond Béchard. Je n'en pouvais croire mes yeux. Raymond avait quitté le Royaume-Uni, royaume terrestre, pour le royaume de la paix éternelle. Il était allé grossir la phalange déjà nombreuse des héros de Courcelette et de Vimy, ces héros dont les exploits constituent les plus belles pages de nos annales canadiennes.

« Sacrifice sublime, que de mourir à vingt et un ans, alors que nous sommes au printemps de la vie, qui vient à nous, beau et attirant, rempli des plus beaux rêves. Sacrifice sublime, qui convenait bien à un cœur noble et généreux comme celui de Raymond. »

Cinq jours à la dérive en canot pneumatique

À la mi-juillet 1942, un radio télégraphiste et mitrailleur canadien-français d'Alberta, le sergent Gérard Phalempin, fit parler de lui après avoir passé avec quatre autres compagnons cinq jours en mer du Nord sur un radeau de caoutchouc. Il faisait de l'équipage d'un bombardier Wellington qui revenait d'un raid sur le territoire ennemi.

L'avion rentrait au bercail après avoir lâché ses bombes lorsqu'un moteur est tombé en panne.

Le pilote réussit à amerrir, mais la secousse fut si forte que le sergent Phalempin fut projeté par la porte de son compartiment. Ses compagnons lancèrent le radeau de sauvetage à la mer et aidèrent le pilote, tout étourdi, à l'atteindre. Il n'y avait pas d'eau potable sur le radeau, mais seulement des rations d'urgence et une lampe portative électrique.

Les naufragés, ballottés par les vagues de la mer du Nord, entendirent des avions passer au-dessus d'eux, mais il leur était impossible de faire des signaux dans l'obscurité. Ils se consolèrent en se rappelant qu'ils n'étaient qu'à environ 24 kilomètres de la côte britannique, dit Phalempin.

Les boîtes qui contenaient les aliments d'urgence furent utilisés pour ramer. Tous les jours des avions passaient et c'est en vain que les naufragés firent les signaux en usage chez les marins pour se faire remarquer. On pouvait manger, mais on ne pouvait pas étancher sa soif. Enfin, le cinquième jour, un avion Boston de la RAF les découvrit. Des avions Wellington arrivèrent, puis un bateau de sauvetage vint finalement les chercher. Les cinq hommes furent conduits dans un hôpital. « Nous y vécûmes comme des princes », dit Phalempin.

Service de convoyage (Ferry Command)

Par ailleurs, le seul pilote canadien-français du service de convoyage (Ferry Command) de la RAF, le capitaine Louis Bisson, de Hull, fut décoré par le roi au printemps 1942 pour avoir fait, dans des conditions très difficiles, le relevé du haut des airs d'une région tenue pour stratégique pour le compte de la RAF.

Bisson, alors âgé de 33 ans, était considéré comme l'un des meilleurs pilotes du Nord canadien et était bien connu dans les cercles canadiens de l'aviation. Durant de longs mois, c'est lui qui pilota le vicaire apostolique du district de Mackenzie, Mgr Breynat, dans ses tournées épiscopales.

Bien que faisant alors partie du service de convoyage depuis moins d'une année, Bisson détenait cependant le record du transport transatlantique des avions de bombardement américains qui partaient de Dorval à destination de la Grande-Bretagne en passant par Terre-Neuve.

C'est le maréchal de l'air Bowhill qui remit lui-même à la mère de Bisson la lettre de félicitations signée du roi George VI.

Héros en Libye

Il n'y a pas qu'en Europe que des pilotes canadiens-français se signalaient en abattant des avions ennemis.

En Libye, au début de décembre 1941, un jeune pilote de 26 ans, l'officier-pilote J.-J.-P. Sabourin, abattit trois avions ennemis dans la même journée. Cet exploit était d'autant plus méritoire que Sabourin, de Saint-Isidore de Prescott, en Ontario, ancien élève de l'Université d'Ottawa, avait été blessé à la tête quelque temps auparavant en sautant en parachute de son avion.

« Ce fut toute une journée, devait confier Sabourin aux journalistes. J'ai rencontré un groupe de dix avions et j'ai dû les affronter tous ensemble, tellement ils étaient près les uns des autres. Puis je me suis dirigé vers un "G-50" et je l'ai abattu dans une terrible descente en vrille. »

Outre cet avion, l'officier-pilote Sabourin devait abattre le même jour deux autres appareils ennemis : un « JU-87 » et un « ME-109 ».

Aviateurs canadiens-français en Asie

Selon la brochure *Les Canadiens en Asie 1945-1995*, préparée par le ministère canadien des Anciens combattants pour la commémoration des 50 ans de la capitulation du Japon, les aviateurs canadiens étaient sur le théâtre d'opérations du Sud-Est asiatique avant même les premières attaques nipponnes en décembre 1941.

Vers la fin de 1940, le Canada avait ajouté plusieurs centaines de sans-filistes bien entraînés aux effectifs de la RAF. Ces hommes avaient été envoyés en Angleterre suivre des cours qui en feraient des mécaniciens et des opérateurs de radar. Un certain nombre de diplômés en génie électrique avaient également reçu des brevets d'officiers et avaient été prêtés à la RAF, afin de commander ou d'administrer le flot d'unités de transmissions et de radar qu'on constituait sans cesse.

Nombre de ces hommes furent alors dépêchés outre-mer, au Moyen-Orient ou en Extrême-Orient. Vers décembre 1941, environ 50 officiers et 350 soldats de la RCAF servaient dans le commandement d'Extrême-Orient de la RAF. Un mois plus tard, au moins 35 Canadiens, membres d'équipages aériens, premiers diplômés du Programme d'entraînement aérien du Commonwealth britannique, furent également affectés à des escadrilles de la RAF dans le Sud-Est asiatique. Dès avril 1942, ce nombre avait plus que doublé, au moment où les Britanniques et les Néerlandais étaient chassés de la Malaisie, de Singapour, des Indes néerlandaises (aujourd'hui l'Indonésie) et de la majeure partie de la Birmanie.

L'attaque de Sumatra par les Japonais débuta le 14 février 1942 par la descente de parachutistes sur les terrains d'aviation de Palembang. Au cours de combats contre l'envahisseur, deux pilotes canadiens furent capturés, ils étaient alors à la tête d'une force improvisée d'équipage au sol de la RAF, d'artilleurs de la DCA de l'armée britannique et de fantassins coloniaux Néerlandais. Lorsque Java tomba aux mains de l'ennemi le 8 mars, un nombre indéterminé de Canadiens avaient été blessés et 26 avaient été faits prisonniers.

Les Japonais jouissant alors d'une supériorité aérienne et navale décisives, l'amiral britannique Sir James Somerville manœuvra avec beaucoup de précaution sa flotte composée de vaisseaux disparates et généralement désuets. Il se rendit compte que la défense du Ceylan, clef de l'océan Indien, serait mieux assurée par la puissance aérienne à partir de bases terrestres.

C'est alors que l'escadrille n° 413 de la RCAF, qui avait été affectée à la protection des convois au large des côtes de l'Écosse, reçut l'ordre de se rendre au Ceylan. Cette escadrille, qui comptait plusieurs Canadiens français dans ses rangs, fut la première unité canadienne à faire son apparition sur le théâtre d'opération du Sud-Est asiatique.

Le 29 mai 1942, *La Presse* publiait d'ailleurs la photo de plusieurs des membres francophones de l'escadrille n° 413 de la RCAF, tous originaires du Québec, qui venaient de quitter l'Écosse pour gagner l'Extrême-Orient : le sergent A.-R. Archambault, les caporaux J. Roy et P. Ferland, les aviateurs-chefs G.-O. Lavallée, L. Dion, G. Trudeau, C. Castonguay, A.-F. Dion, J.-P. Forgues et A.-G.-M. Flagole et les aviateurs G.-L.-G. Lamarche et J.-A. Ouellette.

Au fur et à mesure que la menace d'une invasion s'estompa, l'escadrille n° 413 fut affectée principalement aux patrouilles anti sous-marines et à l'escorte de convois et à l'occasion, à des vols de reconnaissance de grande distance vers l'Est. En novembre 1944, le Canada demanda le retour de l'escadrille au Royaume-Uni, afin de la transformer en unité de bombardement. Deux mois plus tard, au début de 1945, tous les effectifs devaient s'embarquer à destination de l'Angleterre, laissant leurs appareils et leur matériel au Ceylan.

À la fin de 1942, il y avait au moins 1 100 Canadiens en Inde et au Ceylan, mais comme les autorités canadiennes ne coordonnaient pas les opérations, personne ne connaissait leur nombre exact.

D'autre part, à peu près au moment de l'envoi d'une escadrille au Ceylan, une autre escadrille canadienne arrivait au grand complet au Moyen-Orient, celle-là, pour aider à l'écrasement des forces de l'Axe dans le désert, et plus particulièrement en Libye.

Déjà, un certain nombre d'aviateurs canadiens servaient en Libye et à Malte, mais il s'agissait de la première unité canadienne complète à se joindre aux forces du Moyen-Orient.

Les aviateurs G. Fortier, de Louiseville, le sergent-pilote Robert Leguerrier, de Montréal, et l'aviateur P.-M. Landreville, trois francophones, faisaient notamment partie de cette escadrille lorsqu'elle quitta l'Angleterre, où elle avait servi jusque-là, pour gagner le Moyen-Orient.

Par ailleurs, un jeune sergent de section, le sergent aviateur Edgar Ladéroute venait d'être cité à l'ordre du jour. La déroute avait servi sur le front européen avant d'être dépêché au Moyen-Orient et avait à son actif plus de 15 missions aériennes au-dessus du territoire ennemi avant d'avoir été présumément abattu.

Même la marine lorgne du côté des Canadiens français

Même la marine lorgna du côté des Canadiens français. À la veille de Noël 1941, on parla beaucoup du départ de 24 autres membres du *HMCS Cartier* pour poursuivre leur entraînement dans l'Est du pays sous la direction du sous-lieutenant Marcel Jetté. On soulignait alors que « se rappelant qu'ils sont descendants de Normands et de Bretons, les Canadiens français augmentent sans cesse en nombre dans les effectifs de la Royal Canadian Navy (RCN) ». On ajoutait qu'après une courte période d'entraînement pratique, ils servaient à bord des corvettes canadiennes, protégeant nos côtes et escortant les convois.

Incidemment, même si les Canadiens français étaient moins nombreux dans la marine que dans l'armée ou l'aviation, il arrivait là aussi qu'ils s'y engagent en famille. Ainsi, parmi les 24 marins qui partaient pour Halifax on retrouvait trois frères, les marins Paul, Raymond et Guy Paquette, de Montréal, qui exprimaient alors l'espoir de pouvoir servir ensemble sur le même navire.

Quatre autres jeunes Canadiens français, les frères Eugène, Roger, Philippe et Gilles Dupont, servaient comme matelots dans la Royal Canadian Navy Volunteer Reserve (RCNVR).

En juillet 1942, l'aumônier francophone de la RCN à Halifax, le père Mathias Langlois expliqua comment le moral des marins canadiens-français s'était amélioré. Le prêtre disait avoir constaté que beaucoup de recrues s'étaient enrôlées dans la marine avec un moral plus ou moins bon. Certains n'avaient pas travaillé depuis longtemps. D'autres avaient accepté des emplois peu rémunérateurs ou qu'ils n'aimaient pas. Et presque personne n'avait l'esprit de discipline.

Mais, dit le père Langlois, on leur a inculqué cet esprit et les marins canadiens-français devinrent alors des hommes nouveaux, qui ne reculaient plus devant les tâches les plus ingrates. Les récalcitrants étaient rares et c'étaient toujours les mêmes. La marine s'en débarrassait peu à peu, de sorte qu'un excellent esprit régnait parmi ses membres.

Selon le père Langlois, ses sermons n'étaient pas longs, mais ils avaient toujours trait à l'obéissance.

« C'est la plus grande qualité qu'un marin doit posséder : l'obéissance et ensuite la solidarité. Je ne cesse d'insister sur la soumission à l'autorité. La marine est le meilleur professeur de discipline qui soit. Mais il faut que les marins obéissent par conviction et non par crainte d'un châtiment quelconque. Ils savent bien d'ailleurs que la discipline est le meilleur gage de sécurité à bord d'un navire et qu'un seul acte de désobéissance peut parfois entraîner la perte de vies humaines. L'obéissance est également un gage de bonheur. Celui qui fait bien son devoir dans la marine est un homme heureux. »

L'ennemi à nos portes

Il faut dire que les Canadiens se rendaient compte que l'ennemi pouvait envoyer ses navires près de nos côtes et que la guerre pouvait nous atteindre.

C'est ainsi que, dès janvier 1942, les marins du balayeur de mines « *Red Deer* » se portèrent au secours des marins d'un cargo de 40 000 tonnes, coulé par les torpilles d'un sous-marin à seulement 96 kilomètres des côtes de la Nouvelle-Écosse. C'était l'attaque ennemie la plus proche des côtes canadiennes lancée jusqu'alors.

Malheureusement, les marins canadiens ne purent sauver que 90 des 181 marins (chinois pour la plupart) de ce navire marchand. Dans une chaloupe, d'ailleurs, on trouva 23 marins chinois, morts de froid et de fatigue, en plein mois de janvier, au large de la Nouvelle-Écosse.

Dans la nuit du 11 au 12 mai 1942, l'ennemi arrivait aux portes du Québec. Un sous-marin allemand torpillait alors deux cargos à seulement quelques kilomètres des rives du Saint-Laurent et la population de quelques villages fut même réveillée par les explosions. C'était la première fois que des citoyens québécois entendaient les bruits de la « vraie guerre ». C'était également la première fois que la guerre faisait des victimes sur le sol québécois, car ces tragédies firent des morts et des blessés, tandis que 87 personnes, échappées au naufrage, trouvaient refuge sur les rives du Québec après avoir ramé pendant quelques heures sur le Saint-Laurent dans des chaloupes de sauvetage.

Les 87 rescapés furent hébergés dans différentes localités du Bas-Saint-Laurent avant d'être évacuées ailleurs et, pendant plusieurs jours, les journaux publièrent témoignages et photos. Quelques-uns d'entre eux étaient blessés et au moins une des victimes eut droit à des funérailles ; elle fut enterrée en sol québécois à peine quelques jours après le torpillage. Parmi ces rescapés, on comptait même une femme et son bébé.

Il aurait été difficile de cacher le combat maritime, puisque les bruits des torpilles, des canons des navires qui tentèrent de se défendre ainsi que les explosions engendrées par les deux naufrages furent entendus sur une distance de 3 kilomètres et firent même trembler légèrement la terre. Plusieurs habitants, d'ailleurs, accourus aux nouvelles, purent très bien apercevoir les lumières des deux cargos s'enfonçant dans les flots.

Les journaux du temps firent remarquer que depuis un certain temps, des torpillages s'étaient succédés le long des côtes canadiennes de l'Atlantique, mais c'était la première mention officielle d'un torpillage dans le Saint-Laurent. Lors de la Première Guerre mondiale, des navires avaient été coulés au large de la Nouvelle-Écosse, mais aucun torpillage n'avait été enregistré dans le Saint-Laurent et les eaux québécoises.

Bilan officiel des premiers torpillages de la guerre sous-marine à survenir dans les eaux québécoises : 2 cargos coulés, 1 marin décédé et enterré en terre québécoise et 17 disparus, présumément noyés. En tout, il y eut 111 survivants (et non 87 comme les journaux canadiens l'avaient écrit au début ni seulement 41 comme le gouvernement du pays l'avait déclaré dans un premier communiqué).

Le gouvernement publia un communiqué officiel annonçant qu'un sous-marin ennemi avait attaqué un navire marchand (en fait, on apprit par la suite qu'ils étaient deux) et affirma que c'était la première fois qu'un navire se faisait couler par un sous-marin ennemi dans le Saint-Laurent depuis le début de la guerre.

Le communiqué ajoutait qu'on prêtait une grande attention à la situation du trafic et que des mesures avaient déjà été prises pour accorder une protection particulière aux navires marchands.

« Tout coulage de navires qui pourrait dorénavant avoir lieu dans le fleuve ne sera pas révélé immédiatement au public, afin de ne pas donner à l'ennemi une information qui pourrait lui être d'une grande valeur.

« Cependant, on conçoit qu'il est nécessaire que le public soit informé de la présence de submersibles ennemis dans les eaux territoriales du Canada, et le public peut être assuré que toutes les mesures nécessaires dans les circonstances ont été prises.

« On ne rapporte aucune activité de l'ennemi dans d'autres eaux territoriales canadiennes. »

Le communiqué concluait que si l'annonce du torpillage dans le Saint-Laurent avait réjoui l'ennemi, le gouvernement canadien s'était départi de son mutisme afin de faire prendre conscience aux Canadiens que la guerre se trouvait sans aucun doute à leurs portes.

Compte tenu de ce « mutisme » des autorités canadiennes, il est donc possible que les deux torpillages de mai 1942 n'aient pas été les seuls dans le Saint-Laurent et qu'il y en ait eut quelques autres par la suite.

Ces attaques firent grand bruit, si bien que, le 13 août, le ministre de la Marine, Angus L. Macdonald, déclara qu'il ne fallait pas ajouter foi aux rumeurs de débarquement d'équipages de sous-marins nazis sur les côtes du Saint-Laurent. « Dans aucun cas, ces rumeurs n'ont été soutenues par la moindre preuve », dit-il alors.

« Les sous-marins peuvent quitter leurs bases en Europe, dit Macdonald, continuer leurs opérations de ce côté-ci de l'Atlantique pendant plusieurs semaines et retourner à leurs bases sans avoir besoin de refaire leurs approvisionnements. Ces sous-marins peuvent opérer sur une distance de 12 000 à 15 000 milles sans être obligés de renouveler leur approvisionnement de pétrole. Ils n'ont donc aucun besoin de débarquer des hommes sur la côte canadienne pour refaire leurs approvisionnements. S'ils n'en ont pas besoin, les commandants de submersibles ne prennent certainement pas ce risque inutile. »

Macdonald admit toutefois qu'il était possible, que les sous-marins débarquent des hommes sur nos côtes, mais dans un but précis de sabotage, comme cela avait été le cas aux États-Unis. Mais à l'été 1942, aucun fait de ce genre n'avait été rapporté au Canada.

Quelques semaines plus tôt, à la veille de la Fête de la Saint-Jean-Baptiste, c'était au tour des Japonais de se manifester sur la côte ouest du Canada, semant la panique en Colombie-Britannique. *La Presse* du 22 juin 1942 avait même titré à la une que « Tokyo déclare le sol canadien en danger », par suite d'une attaque nipponne contre l'île de Vancouver.

En fait, il s'agissait d'un sous-marin japonais qui avait lancé des obus contre le poste de télégraphie du gouvernement canadien à la pointe Estevan. Les dommages matériels étaient insignifiants, personne n'avait été blessé et les Japonais ne réussirent jamais à répéter leur exploit. Mais l'impact publicitaire qu'ils voulaient créer en rappelant aux Canadiens que les Japonais et non seulement les Allemands étaient en guerre contre eux, avait été atteint.

D'autant plus que le même sous-marin fut soupçonné d'être l'auteur quelques heures plus tard d'une autre attaque sans conséquence, mais qui créa beaucoup de remous sur la côte de l'Oregon, un peu au sud de la Colombie-Britannique tandis que des troupes nipponnes envahissaient l'île de Kiska, dans les Aléoutiennes, au large de l'Alaska, et se rapprochaient ainsi du continent nord-américain.

La radio japonaise avait beaucoup parlé de ces attaques, lançant des avertissements aux États-Unis et au Canada et affirmant que c'était le premier coup porté à la terre ferme canadienne, mais non le dernier. Elle rappelait également que le Japon avait réussi à bombarder la côte californienne en février.

Par ailleurs, selon les statistiques officielles, 35 navires alliés avaient été coulés au large du Canada du 7 décembre 1941 au 20 juin 1942.

Une marine qui s'ouvre timidement aux Canadiens français
Au début de 1942, la RCN comptait déjà 27 000 hommes et on s'attendait à ce qu'elle en compte 40 000 en mars 1943. Cela signifiait que d'une taille artisanale et comptant moins de 2 000 hommes, trois ans auparavant, la marine canadienne avait durant cette courte période pris une allure professionnelle et multiplié par 20 ses effectifs.

À la fin d'avril, le gouvernement canadien annonçait la nomination de Jacques Trépanier, lieutenant de vaisseau de la RCNVR et ancien journaliste, au poste de rédacteur francophone au Service de l'information navale à Ottawa.

Trépanier était le fils de Léon Trépanier, directeur civil adjoint du recrutement de l'armée. Il fit des études de droit et fut reçu avocat. Il entra ensuite dans la marine marchande et fut nommé enseigne de vaisseau puis lieutenant de vaisseau. Il navigua en haute mer et, après plusieurs voyages sur l'Atlantique et le Pacifique, il entreprit une carrière de journaliste.

Cette nomination, précisait-on, s'imposait à cause du nombre croissant de Canadiens français dans la marine de guerre du Canada.

Le contre-amiral V.-G. Brodeur

Le plus prestigieux des marins canadiens-français était sans aucun doute le contre-amiral V.-G. Brodeur. Natif de Saint-Hilaire-sur-Richelieu, Brodeur était le fils de L.-P. Brodeur, ministre de la Marine et des Pêcheries puis lieutenant-gouverneur du Québec.

Brodeur s'engagea comme cadet dans la RCN à l'âge de 16 ans. Il gravit les échelons pour parvenir au grade de commandant des forces navales canadiennes sur la côte du Pacifique. Il servit comme attaché naval à la légation du Canada à Washington.

En 1942, à 50 ans, Brodeur fut promu contre-amiral (l'équivalent pour la marine de général de division ou major-général dans l'armée).

Par ailleurs, en août 1942, le lieutenant de vaisseau Maurice Lévesque, de Québec, devenait le premier officier canadien-français à se voir confier le commandement d'une corvette canadienne, la *Sherbrooke*.

Trois milles marins canadiens-français à faire connaître

Bien que les Canadiens français n'aient représenté environ qu'un dixième des effectifs de la RCA, ils étaient cependant au printemps 1942 plus de 3 000, dont 250 officiers.

À la fin de mai 1942, près de 200 marins, la très grande majorité des Canadiens français de la Montréal Division et de la division Cartier de la RCNVR se sont agenouillés pieusement dans la chapelle Notre-Dame-de-Bonsecours pour demander la protection de la Vierge Marie, l'Étoile de Mer, avant le départ sous les drapeaux sur les côtes du Canada.

À l'époque, le catholicisme faisait partie intégrante de la vie canadienne-française et les autorités militaires utilisèrent souvent les cérémonies religieuses pour promouvoir le patriotisme. L'Église du Québec semble s'en être fort bien accommodée.

Donc, en cette occasion dont les médias avaient largement fait état, ces 200 hommes, en présence de leur commandant, le lieutenant-commander R.M. Campbell, et sous les ordres du lieutenant Maurice Gagnon, assistèrent à une messe spéciale célébrée par le supérieur du Collège de Montréal, le sulpicien H. Boudreau, qui venait d'être nommé aumônier honoraire de la RCN à Montréal quelques semaines auparavant.

Étant donné la nomination du lieutenant de vaisseau Trépanier, on désirait que l'information navale puisse faire connaître davantage les exploits et les activités de ses marins intrépides à la population canadienne-française qui vivait en grande partie sur les deux rives du Saint-Laurent.

Comme l'armée et l'aviation, la marine avait elle aussi ses héros canadiens-français, même s'ils étaient moins nombreux.

C'est ainsi que le lieutenant William-Gaston Tellier, un Montréalais, fut décoré de la Médaille de Georges (GM) en mai 1942. Cette décoration lui fut accordée, pouvait-on lire dans sa citation, pour « le courage et le sang froid » dont il avait fait preuve en désamorçant une bombe.

Par ailleurs, de nombreux marins canadiens-français, soit de la marine de guerre, soit de la marine marchande, ont été victimes de torpillages et certains y ont laissé leur vie.

En mai 1942, les médias publièrent ainsi les photos des marins Alcide Pagé, Jean-Paul Charest, Roméo Dionne, Roger Dionne, Roger Vincent, Pierre Arcand et Maurice Caya, tous portés disparus par suite du torpillage de leur navire, ainsi que celles des marins Claude Marchand, Lionel Dann et Oscar Noël, qui, eux, avaient été tirés des eaux.

L'officier en second du *Calgaralite*, Marcel Frenette, un autre francophone porté disparu en mer après le torpillage de son navire, eut droit à sa photo dans les journaux lorsqu'il en sortit finalement sain et sauf.

D'autres marins canadiens-français commencèrent à faire parler d'eux, sans qu'on sache si cela était dû directement ou non à la nomination de Trépanier. Quoi qu'il en soit, il est certain qu'à compter de l'été 1942, le gouvernement canadien mit davantage en vedette les marins canadiens-français et fit davantage état de leurs exploits.

À la mi-juillet, la RCN mettait en évidence le lieutenant Georges Falardeau, qui après 25 mois de stage outre-mer, la plupart consacrés à des patrouilles maritimes dans la Manche, où il avait dû subir presque quotidiennement des attaques aériennes de nuit en 1940 et 1941 puis les bombardements massifs de Portsmouth, n'en affirmait pas moins que « tous ces incidents se ressemblent. Ils sont devenus une coutume de tous les jours à bord des vaisseaux de guerre en service outre-mer ».

Bien connu dans la vieille capitale, Falardeau, enrôlé dans la marine au printemps 1940, avait été envoyé, à sa demande, à Hove, en Angleterre, à bord du *HMCS King Alfred* pour y subir son entraînement.

C'était durant les tristes jours de l'évacuation de Dunkerque. À cause de la gravité de la situation, son entraînement n'avait duré que sept semaines au lieu des trois mois habituels.

Falardeau avait reçut ses premiers galons au moment où la France venait de tomber et, comme plusieurs navires de guerre français étaient venus se réfugier en Angleterre, sa connaissance du français lui avait valu d'être immédiatement placé à bord de l'un d'eux, un chasseur de sous-marins. Peu après en septembre, Falardeau avait été promu lieutenant.

L'Angleterre ne fut, heureusement, pas envahie, mais alors commença la longue et terrible bataille d'Angleterre. Sur les entrefaites, Falardeau avait été muté comme officier de liaison britannique à bord d'un contre-torpilleur de la France libre. Ce navire escortait des convois dans la Manche avec comme port d'attache Portsmouth et patrouillait dans la mer du Nord à la recherche de sous-marins allemand.

« Tous les soirs, durant un mois, nous dépensions de 100 à 150 rondes d'obus contre les avions ennemis. Les Messerschmitts et les Junkers allemands nous attaquaient continuellement. En plus de les repousser et de défendre les vaisseaux escortés, il nous fallait rescaper les survivants des navires alliés coulés par les Nazis. Dans les circonstances, ce n'était pas un ouvrage facile. »

Falardeau raconte qu'un jour, la visibilité étant très mauvaise, un avion allemand vola à fleur d'eau dans la brume et faillit se jeter contre son navire. « Quand il passa au-dessus de nos têtes, nous crachâmes tout ce que nous avions dans les magasins de nos mitrailleuses. C'était un Heinkel III. Nous l'avons descendu, mais il réussit à jeter ses bombes sur un navire marchand avant de piquer lui-même dans l'eau. »

« Ça encore, c'est un incident normal, un risque de guerre quotidien », de dire le lieutenant Falardeau. « C'est comme cette fois qu'à la recherche de survivants, son navire passa à quelque deux cents pieds d'une boule rouge qui flottait sur l'eau. C'était le détonateur d'une mine acoustique. Celle-ci sauta et causa des dommages au vaisseau et plusieurs marins furent blessés par le choc. Le vaisseau eut-il heurté la mine, il aurait sauté et aucun des membres de l'équipage n'aurait survécu.

« Sur le moment, nous ne réalisons pas le danger de la mort. Ce n'est que plus tard, qu'on y songe un peu légèrement. Mais on s'habitue facilement au danger constant, autrement nous ne pourrions pas vivre cette vie. »

Falardeau vécu alors des heures d'émotion intense mais, comme il disait, « c'est le danger de la guerre et vous raconter une bonne histoire, réellement, je n'en ai pas. Les moments que j'ai vécus, il y en a qui les vivent tous les jours dans l'océan Atlantique, la Méditerranée, dans le Pacifique et partout où flotte le drapeau de la Royal Navy (RN) et de la Royal Canadian Navy (RCN) ».

Une journée d'enfer

Un autre marin canadien-français, le matelot Alphonse Normand, entré dans la RCN au début de la guerre, avait pendant les deux années où il avait fait partie de l'équipage d'un contre-torpilleur canadien pris une part active au combat. Ses traversées en Angleterre et en Islande ne se comptaient plus.

Normand avait vu couler des navires marchands en convois. Son navire avait été attaqué autant par des sous-marins que par des avions allemands. Mais à l'été 1942, parmi tous les incidents qu'il avait vécus, il y en avait un qu'il disait ne devoir jamais oublier et qu'il aimait raconter : un combat entre quatre avions allemands et trois contre-torpilleurs alliés, dont un canadien, survenu en 1941 à quelque dix milles du port de Brest, au large de la France.

Ces navires se dirigeaient vers un port du Royaume-Uni, lorsqu'à 8 heures du matin, ils aperçurent quatre Junkers allemands. Le cri de guerre « *Action Stations* », étant lancé à bord, tout le monde se précipita à son poste et les mitrailleuses commençaient à cracher des balles vers les avions, tandis que ces derniers laissaient tomber des bombes que les navires ne purent éviter qu'en zigzaguant en tous sens et à toute vapeur.

Cependant, après deux heures et demie d'une lutte féroce, un des contre-torpilleurs anglais fut touché par une bombe ; ses machines furent atteintes, de sorte qu'il ne pouvait plus avancer. Le contre-torpilleur était devenu une proie facile pour les quatre avions qui ne manqueraient pas de l'atteindre de nouveau. Cependant, les canonniers ne quittèrent pas leur poste et tirèrent des centaines de balles contre les avions, chaque fois qu'ils s'approchaient du navire en dérive. Mais la lutte était trop inégale et le contre-torpilleur était de nouveau touché, cette fois par plusieurs bombes. Les équipages des deux autres contre-torpilleurs le virent lorsqu'il s'inclina sur le côté et roula lentement sur lui-même, entraînant avec lui plus d'une centaine de marins britanniques.

Cette misérable tâche accomplie, raconta Normand, les quatre avions s'enfuirent. L'autre contre-torpilleur anglais resta sur les lieux pour recueillir quelque 12 survivants qui se cramponnaient encore à la coque de leur navire torpillé et tirèrent ensuite plusieurs boulets dans l'épave pour la faire couler à fond. Quant au contre-torpilleur canadien, il poursuivit sa route seul vers son port d'attache. Il était alors 11 heures de l'avant-midi. L'affrontement avait duré deux heures et demie.

Le répit ne fut pas long. À 13 heures, les matelots achevaient à peine de manger lorsque le signal de combat fut à nouveau donné. Quatre Junkers firent leur apparition mais cette fois, le contre-torpilleur canadien était complètement seul pour leur faire face. La mer était toutefois plus calme, ce qui permit une manœuvre plus facile pour éviter les bombes et un tir plus précis contre les avions ennemis. Une heure plus tard effectivement, un avion ennemi était abattu et presque simultanément apparaissait dans le ciel un avion de combat britannique.

La lutte devenait alors plus égale. L'avion allié obligea les avions allemands à voler plus bas. L'un d'eux fut descendu par l'artillerie du contre-torpilleur et le troisième, un peu plus tard, par l'avion allié. Le combat ne cessa cependant qu'à 17 heures lorsque le dernier Junker plongea dans la mer.

Les membres de l'équipage ne purent se reposer beaucoup cette journée-là, ajouta Normand. Celui-ci travaillait dans l'un des endroits les plus dangereux du contre-torpilleur : la chambre des munitions ; trois matelots y approvisionnaient en obus et en balles les canons antiaériens et les mitrailleuses du navire.

« Il fallait continuellement voir à ce que les munitions ne se déplacent pas dans le magasin, ce qui aurait pu arriver parce que le vaisseau penchait fortement chaque fois qu'il virait à pleine vitesse. Les aviateurs allemands ne mitraillaient pas, mais lâchaient simplement des bombes. Ils voulaient absolument nous couler et ils ont laissé tomber une cinquantaine de bombes autour de notre navire dans l'après-midi. Si une seule était tombée sur ma tête, dans l'endroit où je me trouvais, non seulement j'aurais été anéanti, mais tout le vaisseau aurait sauté en miettes. »

LE ROYAL RIFLES OF CANADA DANS LA TOURMENTE DE HONG KONG

L'attaque japonaise contre Pearl Harbor le 6 décembre 1941 surprit des millions d'Américains. Bon nombre d'entre eux qui faisait rage ne voulaient pas que leur pays s'engage dans la guerre qui depuis plus deux années et qu'ils considéraient comme une « affaire strictement européenne ».

Au Canada, personne n'aurait pu prévoir non plus que les premiers soldats canadiens à affronter la mitraille seraient non pas les soldats de régiments qui depuis plusieurs mois, certains depuis deux années, attendaient de se battre sur le sol britannique, mais bien ceux de deux régiments canadiens, les Winnipeg Grenadiers, régiment manitobain, et les Royal Rifles of Canada, unité anglo-québécoise de la vieille capitale, deux semaines seulement après leur arrivée à Hong Kong, enclave britannique en territoire chinois.

Les Royal Rifles of Canada unité de Fusiliers fondée en 1862, était connue sous ce nom depuis 1920. Cette unité s'était illustrée contre les Féniens en 1866, lors de la rébellion des Métis du Nord-Ouest en 1885, lors de la guerre des Bœrs en 1899-1902 en Afrique du Sud ainsi que durant la Première Guerre mondiale, notamment à Ypres. C'est le lieutenant-colonel C.A. Young, Croix militaire (MC), Décoration d'ancienneté des officiers (VD) qui la commandait à Hong Kong.

Une bonne partie des effectifs des Royal Rifles of Canada provenait de la région de la vieille capitale et des villes des Cantons de l'Est — les 7e et 11e Hussards avaient été incorporés dans l'unité — mais au fond, le régiment contenait des éléments d'à peu près partout au Québec.

Les Royal Rifles of Canada s'étaient entraînés à Québec et en Nouvelle-Écosse avant d'aller en garnison à Terre-Neuve d'où on décida de les dépêcher à Hong Kong. Le régiment était composé tout autant d'anciens combattants de la Première Guerre mondiale que de jeunes recrues venant tout juste d'avoir l'âge réglementaire pour être admises dans l'armée.

Bon nombre de soldats des Royal Rifles of Canada étaient en fait des Canadiens français, originaires surtout de la Gaspésie. Ce sont eux qui en décembre 1941, au moment où ils n'étaient même pas adéquatement entraînés et que leur matériel ne s'était pas rendu, ont été les premiers soldats canadiens-français à affronter le feu ennemi, les blessures, la captivité, la mort.

Plusieurs mois avant que les Fusiliers Mont-Royal ne débarquent à Dieppe, pratiquement deux ans avant que le Royal 22e Régiment n'affronte le feu ennemi en Italie, deux ans et demi avant que le régiment de Maisonneuve et le régiment de la Chaudière ne se lancent dans la campagne de Normandie !

La nouvelle de l'arrivée des Royal Rifles of Canada et des Winnipeg Grenadiers à Hong Kong n'avait pas fait les manchettes et celle de leur départ encore moins. Toute l'attention se concentrait alors sur l'Europe. Dans l'imagination populaire de même que dans les discours des autorités politiques et militaires canadiennes, l'ennemi, c'était les nazis et Hitler. Et quand on parlait de nos troupes outre-mer, on pensait, au Québec, aux Fusiliers Mont-Royal, au régiment de Maisonneuve, au régiment de la Chaudière et au Royal 22e Régiment et à un degré moindre aux autres unités.

Bref, personne ne prévoyait que les Japonais seraient un ennemi, personne ne pensait que c'est en Extrême-Orient que le Québec déplorerait la mort de ses premiers fils soldats de l'armée canadienne tués par l'ennemi.

C'est ainsi que la nouvelle de l'arrivée des Royal Rifles of Canada et des Winnipeg Grenadiers à Hong Kong ne fut annoncée que le 17 novembre 1941. *La Presse* la publia à la une sous la manchette de « nos soldats en Chine » accompagnée de deux photos, elle ne lui accorda dans ses pages intérieures qu'un titre modeste de seulement deux colonnes de largeur. On mentionnait d'ailleurs que même à Hong Kong l'arrivée du détachement canadien était considérée comme « inattendue ».

La première photo montrait des militaires du Québec, membres des Royal Rifles of Canada, dont le sergent francophone A. D'Avignon, de Marieville, au moment de s'embarquer à Vancouver. La deuxième photo montrait l'état-major du contingent canadien de Hong Kong autour du brigadier-général J.K. Lawson, son commandant.

Le 18 novembre, le gouvernement canadien déclarait qu'« on n'a jamais entendu dire qu'une garnison était trop forte, en temps de guerre, et qu'elle n'avait pas besoin de renforts. Hong Kong a une garnison britannique et le Canada lui fournit un contingent ».

Selon *La Presse* de ce jour-là, l'arrivée inattendue du contingent canadien fut saluée avec joie, surtout par la population chinoise, à mesure que la nouvelle du débarquement se répandait dans la ville.

On ajoutait que Hong Kong, qui était la deuxième place forte britannique après Singapour en Extrême-Orient, se trouvait sur la côte sud de la Chine, à 1 200 kilomètres au nord-ouest de Manille et avait une très grande valeur stratégique pour la flotte américaine en cas de guerre dans le Pacifique.

Le commandant des troupes canadiennes, le brigadier-général J.W. Lawson, avait révélé que ses hommes étaient des « volontaires du Manitoba et du Québec » et que le voyage avait été long mais très calme. « Nous n'avons même pas entrevu un navire ennemi, la marine y a vu », avait dit Lawson. Il avait ajouté que son contingent était surtout composé de soldats d'infanterie « mais nous avons autre chose aussi ».

On ajoutait que le secret avait été bien gardé et que seuls quelques officiers supérieurs savaient que le Canada envoyait des troupes en Orient pour la première fois. On estimait de façon générale parmi le Corps expéditionnaire canadien en Angleterre que c'était une chance pour les hommes des Royal Rifles of Canada et des Winnipeg Grenadiers d'être ainsi envoyés en Asie, mais on espérait bien qu'ils ne combattraient pas avant ceux qui bivouaquaient en Angleterre depuis une année ou deux.

Lawson, qui devait trouver la mort au combat un mois plus tard, avait déclaré à la British United Press que « ses hommes étaient bien entraînés et qu'ils avaient servi ailleurs ». On sait maintenant qu'à part quelques anciens combattants de la Première Guerre mondiale, ce n'était pas le cas, et qu'ils n'avaient été en garnison qu'à Terre-Neuve ou à la Jamaïque selon le cas.

À Ottawa, deux jours plus tôt, le premier ministre du Canada William Lyon Mackenzie King, avait déclaré que « la défense contre l'agression actuelle ou menace d'agression dans n'importe quelle partie du monde fait aujourd'hui partie de la défense de tout pays qui jouit encore de la liberté » et que c'est en vertu de ce point de vue que le gouvernement canadien avait décidé de faire sa part et d'envoyer des troupes à Hong Kong, suivant en cela les autres pays du Commonwealth qui avaient envoyé des troupes en Orient.

Une cause perdue d'avance

Préfacier du *Journal d'un prisonnier de guerre au Japon* de Georges Verreault, caporal suppléant du Canadian Signal Corps, jeune signaleur francophone de Montréal dont les mémoires de combattant à Hong Kong et, surtout, de prisonnier des Japonais durant près de quatre ans, furent publiés à titre posthume aux Éditions du Septentrion en 1991, l'historien en chef de la Défense nationale, Serge Bernier, se demande : « Comment les autorités canadiennes ont-elles pu engager près de deux mille Canadiens dans cette cause perdue d'avance ? Cela reste encore un mystère.

« Notre histoire militaire, depuis 1867, est constellée de victoires et de bons coups. Le raid contre Dieppe reste une des exceptions dont on parle le plus souvent. La bataille des Canadiens à Hong Kong est très rarement mise à l'avant-plan.

« Comment a-t-on pu croire, à l'automne 1941, que ces soldats, dont la vaste majorité avait servi de garnison en Jamaïque et à Terre-Neuve, iraient remplir le même rôle en Chine alors que les tensions avec le Japon augmentaient de jour en jour ? »

Durant les mois qui avaient précédé l'invasion japonaise, la tension avait monté dans le Pacifique et la vulnérabilité du poste de Hong Kong devenait de plus en plus apparente. On était d'accord pour reconnaître que, dans le cas d'une guerre avec le Japon, on ne pourrait réussir ni à garder la colonie ni à la secourir. Hong Kong, peut-on lire dans un document du ministère des Anciens combattants du Canada rédigé en 1995, était donc considéré comme un avant-poste à être protéger le plus longtemps possible, mais sans qu'on ne puisse fournir aucun renfort.

Cette décision fut annulée à la fin de 1941. On soutint alors que la situation en Orient avait changé, que la défense de la Malaisie avait été renforcée et que le Japon montrait une certaine faiblesse en face des États-Unis et de la Grande-Bretagne. On crut donc que les renforts envoyés à Hong Kong serviraient à décourager des actions hostiles du Japon et qu'ils auraient également un effet moral important partout en Extrême-Orient en rassurant les Chinois sous les ordres de Chiang Kai-Shek sur les intentions de la Grande-Bretagne de garder la colonie.

À cette fin, on demandait au Canada de fournir un ou deux bataillons devant servir à Hong Kong, accompagnés de quelques membres d'unités auxiliaires comme, par exemple, le corps des signaleurs.

Les deux bataillons choisis par le Canada, à Hong Kong les Royal Rifles of Canada et les Winnipeg Grenadiers, étaient récemment revenus au Canada après avoir été en garnison à l'étranger, dans des endroits relativement calmes par rapport à ce qui se passait en Europe. Les Winnipeg Grenadiers, sous le commandement du lieutenant-colonel J.L.R. Sutcliffe, avaient servi à la Jamaïque, tandis que les Royal Rifles of Canada sous la direction du lieutenant-colonel W.J. Home étaient allés renforcer la garnison de Terre-Neuve.

D'après la brochure *Les Canadiens en Asie 1945-1995*, préparée par le ministère des Anciens combattants du Canada à l'occasion du 50e anniversaire de la capitulation japonaise en 1995, les Canadiens, sous la direction du brigadier-général Lawson, quittèrent le port de Vancouver le 27 octobre 1941 à bord de l'« *Awatea* », accompagné du navire d'escorte de la Royal Canadian Navy (RCN), le « *Prince Robert* ». L'effectif de la formation comptait 96 officiers (plus deux directeurs des services auxiliaires) et 1 877 gradés et hommes de troupe.

Par ailleurs, le 19 novembre, une dépêche de la Presse Canadienne précisait que les Canadiens français constituaient environ 20 % des effectifs. « La plupart de ces troupiers sont d'anciens cultivateurs, pêcheurs ou bûcherons qui n'ont commencé à voyager que depuis la guerre et qui considèrent leur mission en Extrême-Orient comme une aventure.

« Les troupes canadiennes arrivées à Hong Kong ont dû mettre au rancart leurs vieilles idées sur la vie militaire comme elles s'établissaient dans des quartiers luxueux. Ces soldats considéraient avec étonnement les éventails électriques au plafond, la caserne en béton et les serviteurs chinois.

« Un officier d'état-major dit que c'était la plus belle caserne qu'ils avaient eue en ces derniers temps, bien qu'ils eussent occupé 10 postes différents. Un soldat s'exclama : "Finies les corvées de cuisine" en voyant les serviteurs chinois commencer à peler les pommes de terre.

« L'officier ajouta que jusqu'au milieu du Pacifique, nul soldat ne savait où le contingent allait. Nous savions seulement que nous nous rendions quelque part entre Hollywood et Singapour. Nous sommes tous contents que ce soit Hong Kong. »

La santé et le moral des troupes étaient excellents. Elles

attendaient cependant avec impatience le courrier du pays natal.

« Nous sommes une bande de Marco Polo », ajoutait un soldat en regardant des petits Chinois qui réclamaient des sous de l'autre côté de la clôture du camp. Parmi les Canadiens, il y en avait un qui avait fait partie des troupes impériales à Hong Kong et trois sergents qui avaient servi aux Indes. Les autres voyaient l'Orient pour la première fois.

Sans entraînement et matériel adéquats

En arrivant à Hong Kong, les soldats canadiens, ne se considéraient pas en vacances, mais ils se trouvaient dans un lieu exotique où ils auraient tout le temps voulu pour s'entraîner de façon à être prêts à rencontrer l'ennemi, fort probablement ailleurs et sous d'autres cieux. On prévoyait qu'ils profiteraient de leur séjour dans cette colonie pour parfaire leur formation militaire. La meilleure preuve que la situation n'était pas considérée comme urgente, c'est que le matériel n'avait même pas été acheminé en même temps que les troupes et ne devait arriver que plus tard. Ce sont donc des troupes canadiennes sous-équipées qui arrivèrent en garnison à Hong Kong, le 17 novembre 1941, trois semaines à peine avant d'être sournoisement attaquées par des Japonais qu'elles n'avaient pas vu venir.

On sait maintenant que les 212 véhicules dont les troupes canadiennes avaient besoin pour leurs déplacements dans la colonie quittèrent le port de Vancouver quelques jours plus tard à bord du cargo « *Don José* ». Ces véhicules ne devaient jamais atteindre Hong Kong et les troupes canadiennes en furent privées lors de la terrible bataille qu'ils livrèrent aux Japonais.

Le « *Don José* » avait en effet à peine rejoint Manille lorsque les États-Unis déclarèrent la guerre au Japon, et l'équipement canadien, fut utilisé, avec l'autorisation d'Ottawa, par les Américains pour défendre les Philippines.

Quant à « *l'Awatea* », il aborda à Hong Kong le 16 novembre et les troupes canadiennes furent accueillies en grande pompe par le gouverneur, Sir Mark Young et le général en chef des troupes britanniques en Chine, le major-général C.M. Maltby.

Dans *Les Canadiens en Asie 1945-1995*, on écrit que « le détachement canadien n'avait pas reçu la formation jugée souhaitable pour des troupes de première ligne, mais la guerre avec le Japon n'était pas considérée comme imminente. On croyait que les troupes se rendaient à Hong Kong pour y tenir garnison et qu'elles auraient tout le temps voulu pour poursuivre leur formation. Pourtant, à peine trois semaines plus tard, ces soldats allaient être les premiers, parmi les unités canadiennes de la Seconde Guerre mondiale, à se battre ».

Le 23 janvier 1942, dans une causerie prononcée devant la Chambre de commerce de Kingston, le ministre de la Marine, Angus L. Macdonald, fit des aveux pour le moins surprenants de la part d'un membre du cabinet. Parlant de l'affaire de Hong Kong, il déclara en effet :

« Il me semble que l'on peut y distinguer les trois points que voici : Aurait-on dû envoyer des troupes à Hong Kong ? Il ne saurait y avoir qu'une réponse à cette question, c'est "oui". Le gouvernement britannique avait demandé au gouvernement canadien, par la voie régulière du temps de guerre, d'envoyer deux bataillons en renfort à la garnison de Hong Kong. Connaissant toute l'étendue de l'effort de guerre britannique, et croyant que le peuple du Canada nous encouragerait dans notre décision, nous nous rendîmes à la demande britannique.

« Certains de nos soldats envoyés à Hong Kong n'étaient-ils pas insuffisamment entraînés ? La réponse à cette question doit encore être "oui". Quelques-uns des soldats, un très petit nombre proportionnellement à l'ensemble, n'étaient pas entraînés. Il y avait 140 hommes sur environ 2 000 qui n'avaient pas subi un entraînement complet.

« Il faut déclarer franchement qu'il y avait au Canada des hommes entraînés qui auraient pu être envoyés. Mais tout se fit rapidement, et c'est la hâte qui fit passer des soldats insuffisamment entraînés avec les autres. Mais il n'y eut aucune tentative délibérée de faire partir des hommes non entraînés. Ce fut une inadvertance. Pour tout mettre au pis, on pourrait dire que quelqu'un a commis une erreur.

« Les troupes envoyées à Hong Kong avaient-elles tout l'équipement suffisant ?

« La réponse, c'est que le transport n'est pas arrivé à temps. Il faut se rappeler que les navires transportant du matériel sont ordinairement plus lents que les navires qui portent des troupes. Avant que le navire transportant le matériel mécanisé puisse atteindre Hong Kong, la situation causée par les Japonais obligea d'envoyer le bateau à Manille. De fait, il ne put jamais atteindre Hong Kong.

« Il est plus facile d'être sage après les événements. Mais lorsque ces soldats sont partis pour Hong Kong personne ne prévoyait que nous serions en guerre avec le Japon au début de décembre. Bon nombre de gens pensaient que ces deux bataillons canadiens demeureraient à Hong Kong, peut-être durant des années, sans combattre. La tricherie du Japon, qui déclara la guerre alors que ses envoyés discutaient la paix à Washington, a indubitablement surpris le continent nord-américain qui ne s'y attendait pas. »

Au début de 1942, une commission royale d'enquête, présidée par le juge Lyman Duff, juge en chef de la Cour suprême du Canada, fut formée pour enquêter sur l'envoi de troupes canadiennes à Hong Kong. Le rapport révéla qu'environ 138 à 148 soldats du contingent canadien n'avaient pas subi le minimum d'entraînement requis de 16 semaines. De plus, il confirma que de l'équipement destiné aux troupes canadiennes n'est jamais arrivé à Hong Kong.

L'invasion surprise
S'il faut en croire *Les Canadiens en Asie 1945-1995*, l'attaque des Japonais, lancée le 7 décembre 1941, « ne prit pas la garnison par surprise, car malgré l'optimisme qui régnait, rien ne fut laissé au hasard. Les forces de défense furent mises en état d'alerte ».

Mais ce n'est pas ce que rapporte une source bien plus fiable, Georges Verreault, qui vécut toutes ces horreurs, dans le *Journal d'un prisonnier de guerre au Japon* écrit :

« Boom ! Boom ! Boom ! La guerre se déclara lundi le 8 décembre. Voilà, nous sommes en guerre avec les jaunes cochons. Lundi matin vers 9 heures, nous étions à nous étirer sur le balcon quand soudain Walt aperçut une trentaine d'avions au-dessus du camp. *Look at all the planes, Blackie*, me dit-il *isn't nice ?* Puis soudain : *Shy, they are dropping something... Christ they're bombs coming Blackie*, s'exprima-t-il et il demeura là, la bouche béante, les yeux levés vers le ciel. La première bombe anéantit la *guard house*, la seconde fit un énorme trou dans notre *parade ground*, la troisième emporta un coin de notre logement et la quatrième tomba au beau milieu de la bâtisse. Quel choc ! Nous en fûmes culbutés et nous faillîmes passer par-dessus le rempart. Alors nous fûmes certains qu'il ne s'agissait pas de quelque démonstration britannique. Je fis mes petits et sautai dans un camion qui nous amena vers les montagnes.

« Nous n'avons pas de répit, les bombardiers nippons volent au-dessus de la ville continuellement. Je m'y fais vite cependant. Les premières bombes me donnèrent la chair de poule, car ce fut si inattendu, personne ne nous ayant avertis que la guerre était déclarée. »

Les Royal Rifles of Canada furent le premier bataillon canadien à se battre contre l'ennemi au cours de la Deuxième Guerre mondiale. Et contrairement à ce que tous croyaient depuis septembre 1939, cet ennemi n'était pas constitué des Allemands mais bien des Japonais !

Pendant toute la nuit du 18 décembre la compagnie « C » , en réserve dans une zone proche du lieu du débarquement japonais, contre-attaqua et infligea des pertes importantes à l'ennemi. D'autres pelotons des Royal Rifles of Canada engageaient le combat sur le flanc ouest du mont Parker et subirent de lourdes pertes du fait que les Japonais s'était déjà retranchés.

À la tombée de la nuit, le 19 décembre, les Royal Rifles of Canada étaient épuisés. Privés de repas chauds depuis plusieurs jours, ils dormaient dans les trous de tirailleurs quand ils le pouvaient, puisqu'ils devaient combattre sans relâche. Pourtant, au cours des trois jours suivants, les soldats tentèrent vaillamment d'avancer vers le nord à travers un relief rude et accidenté pour rejoindre les Winnipeg Grenadiers, dont ils étaient coupés ou pour déloger les Japonais des hauteurs.

Les Royal Rifles of Canada réussirent à déloger l'ennemi d'une zone qui s'étendait autour de l'hôtel de la baie Repulse. Cependant, ils ne purent chasser les Japonais de leurs positions dans les collines avoisinantes et durent se replier. Une compagnie fut laissée sur place pour occuper la zone et, le 21 décembre, elle tentait de nouveau de briser la ligne ennemie. Malgré l'opposition violente de l'ennemi, les Royal Rifles of Canada réussirent à déloger les Japonais de certaines de leurs positions et à détruire un groupe de soldats nippons.

Une fois de plus, malheureusement, l'attaque ne put être poursuivie. Les compagnies avaient dû se séparer et n'avaient plus de munitions pour les mortiers de huit centimètres.

Après le 21 décembre, aucune tentative ne fut faite pour avancer vers le nord, car les troupes étaient décimées et épuisées, et les Japonais qui avaient obtenu des renforts attaquaient sans interruption.

Le 22 décembre, à midi, les Japonais s'emparaient de la colline dite du Pain de sucre, mais des volontaires de la compagnie « C » progressaient et reprenaient la position avant la nuit. Toutefois, une autre compagnie fut délogée de la butte Stanley.

Le 23 décembre au soir, on ordonna aux troupes canadiennes de se replier sur la péninsule Stanley. Les Royal Rifles of Canada, épuisés, furent installés au fort Stanley, loin dans la péninsule, pour se reposer. Toutefois, ils furent bientôt rappelés au combat.

Les Royal Rifles of Canada célébrèrent à Noël 1941 en retournant au front. Ils tentèrent une contre-attaque pour regagner le terrain perdu le soir précédent et la compagnie « D » accomplit sa mission, mais subit de lourdes pertes.

Une autre compagnie avançait sous le feu de l'ennemi lorsqu'une voiture portant pavillon blanc arriva. On annonça que le gouverneur avait cédé la colonie.

Le jour de Noël, à 15 heures 15, le major-général Maltby prévenait le gouverneur qu'il était inutile de poursuivre la lutte. On hissa le drapeau blanc. Après dix-sept jours et demi de combat, la défense de Hong Kong se terminait.

Ceux des Royal Rifles of Canada qui étaient encore vivants furent faits prisonniers. Il s'agissait du premier groupe de soldats québécois à tomber ainsi entre les mains de l'ennemi durant la Deuxième Guerre mondiale.

Georges Verreault, quant à lui, avait vécu une guerre un peu différente, puisqu'il était monteur de lignes avec le Canadian Signal Corps, chargé de tenter de maintenir les communications téléphoniques constamment détruites, bien sûr, par le feu ennemi.

Mais les remarques consignées par ce signaleur canadien-français dans son carnet traduisent assez bien l'esprit qui animait les nôtres pendant ces jours fatidiques.

Qu'un soldat puisse rédiger ses impressions sous le feu ennemi intriguait fort les Britanniques. Comme l'écrivait Verreault le 16 décembre 1941 : « Ils ne peuvent pas comprendre notre nonchalance. C'est sans doute une particularité du Canadien, très utile en guerre. Tenez, hier après-midi, j'écrivais mon journal et les œufs tombèrent du ciel. *"Comme on down, Blackie, the raid is on"*, me hurlèrent-ils d'en bas. *"Just this sentence to finish and I'll be right there"* répondis-je. »

Toutes les remarques de Verreault pendant les trois semaines de combat n'étaient pas aussi humoristiques et surtout guère tendres pour les officiers qui les commandaient. En voici quelques exemples.

« Réellement la guerre habitue un homme à être brave quand elle ne le tue pas. En vérité, j'aurais cru être plus énervé que cela. Chaque bombe, chaque explosion ou sifflement d'obus me donnent la sensation d'un "tour de *scinic*" (montagnes russes). Évidemment si j'étais trop près d'une de ces explosions, je ferais du *scinic all right !*...

« Nous sommes pris comme des rats, aucun espoir d'en sortir.

Nos autorités nous ont déclaré que les Japonais ne prenaient pas de prisonniers. Tout de même, c'est triste de crever comme cela, j'ai le cœur gros, je ne reverrai sans doute pas mon vieux Montréal. Pourtant, ce n'est pas possible que je meure aussi stupidement...

« Je crois que si nous gagnons cette guerre — je commence à en douter — ce ne sera pas dû à l'esprit présent de nos dignes officiers. C'est absolument honteux ; jamais je ne les aurais imaginés aussi excités. Ce matin quelques Japonais sont apparus à une distance d'un mille à peu près. Un lieutenant anglais est avec nous depuis hier soir. L'idiot à leur apparition devint "fou comme brac". Un peu plus il nous faisait tirer à cette distance. Ce fut pitoyable de le voir courir d'un groupe à l'autre nous demandant : "*Are you nervous, now keep cool boys ?*". Finalement l'ennemi disparut et nous le revîmes plus...

« Je ne sais pas si nous aurons du secours mais nous sommes à bout ; sales, affamés, fatigués, exténués. Il ne nous reste plus que l'énergie du désespoir et nous voudrions en finir ; je voudrais tomber au milieu d'un groupe de jaunes et frapper, éventrer, avec fureur tant qu'un coup ne me serait pas donné...

« Maintenant, "*every man is for himself*", car il ne faut plus compter sur nos officiers. À cause de leur inutilité nous nous faisons infliger des pertes immenses. Les gars sont résignés à leur sort, mais je ne peux pas arriver à perdre tout espoir. Il me semble qu'il est impossible que je meure. Je demande à maman là-haut de nous aider. Cette défaite est honteuse ! Ah ! Mais cette bande d'idiots à notre tête ! Que le diable les pulvérise ! Si nous avions été organisés, bien commandés, nous aurions pu résister plus longtemps du moins... »

Et finalement : « Jour de Noël ! Quatre heures de l'après-midi : nous avons capitulé. Nous nous sommes rendus à ces maudites miniatures d'hommes. Quelle honte ! »

L'inquiétude gagne les parents

Dès que la nouvelle de la chute de Hong Kong fut connue, l'inquiétude gagna les parents des quelque 1 800 soldats canadiens engagés dans cette fournaise sans espoir d'en sortir.

Toutes les communications ayant cessé depuis que Hong Kong était passée aux mains de l'ennemi, Ottawa n'attendait aucun rapport direct de source britannique sur le sort de ses troupes.

Le 26 décembre, *La Presse* titrait sur toute la largeur de la une : « Hong Kong a déposé les armes à midi ». Avec en sous titre : « Le manque d'eau a désarmé la défense. »

Le ministre de la Défense nationale, J.L. Ralston, déclara pour sa part à Ottawa que la chute de Hong Kong représentait une page sombre mais combien glorieuse dans les annales de l'armée canadienne. Rendant hommage à la bravoure des soldats des Royal Rifles of Canada et des Winnipeg Grenadiers, il ajouta que la nouvelle que le feu avait cessé à Hong Kong marquait la fin de l'un des plus glorieux épisodes dans l'histoire de l'armée canadienne.

Comme le dit le premier ministre du Canada William Lyon Mackenzie King, au lendemain de Noël, le gouvernement canadien faisait tout son possible pour atténuer l'inquiétude des parents des Canadiens qui s'étaient si vaillamment battus à Hong Kong.

Dès le 19 décembre, Mackenzie King avait déclaré que les nouvelles de la reddition de Hong Kong allaient émouvoir le cœur de tous les Canadiens et qu'elles toucheraient particulièrement les parents et les amis des membres des forces armées canadiennes qui y étaient stationnés depuis cinq semaines.

« Dès le début, le sort de Hong Kong tenait dans la balance. Sa sécurité dépendant grandement de la puissance navale dans le Pacifique. La situation est pour le présent complètement changée par suite des pertes qui ont suivi la perfide attaque des Japonais contre Pearl Harbor et les Philippines et par suite de la perte du "*Prince of Whales*" et du "*Repulse*". Par suite de ces pertes, la défense de Hong Kong devenait une question de temps.

« Il est évident que Hong Kong a été vaillamment défendu, si l'on considère le fait que sa capture a occupé des forces japonaises formidables pendant deux longues semaines. Sa résistance a épargné aux défenseurs des Philippines et de la Malaisie de plus violents assauts dans ce théâtre des hostilités à un moment où gagner du temps constituait un facteur de première importance. Comme telle, la défense de Hong Kong peut avoir de profondes répercussions sur toute la campagne en Extrême-Orient.

« L'on doit aussi se souvenir que la défense contre l'agression dans n'importe quelle partie du monde constitue aujourd'hui une partie de la défense de chaque pays qui bénéficie encore de la liberté.

« Chaque Canadien qui connaît l'histoire de notre pays se souvient de la bravoure de Dollard et de ses compagnons qui ont sauvé la colonie naissante de Montréal en se rendant rencontrer les Iroquois du Long-Sault. Il se peut aussi que de la même façon, les défenseurs canadiens, australiens, britanniques, indous, américains et hollandais de Hong Kong et d'autres avant-postes de la liberté et dans la mer de Chine et des Indes soient plus tard rappelés comme partie de l'avant-garde de la liberté de notre continent et de l'hémisphère occidental.

« Le Canada peut être fier de ses fils qui se sont acquittés si héroïquement de leur mission. Nos pensées vont particulièrement à la population du Québec et du Manitoba dont des régiments ont livré le lourd combat. Les familles et les amis de ceux qui ont donné leur vie auront la sympathie et la gratitude de toute la nation.

« Le fait que les troupes canadiennes devaient d'abord connaître le combat au large des lointaines côtes de Chine constitue un constat frappant de la nature et de l'étendue du combat. Sans exagération, les hôtes de Satan sont aux prises avec les défenseurs de la liberté et de la justice à travers le monde entier. »

Par ailleurs, d'après l'éditorialiste de *La Presse* qui commentait la chute de Hong Kong, « ce sera une page sombre mais glorieuse dans les annales de l'armée canadienne. Ce sera le jugement qu'enregistre l'histoire. Un bon nombre de familles canadiennes seront jetées dans le deuil par suite des combats livrés dans cette île d'Asie. Leur douleur sera adoucie par la pensée que les morts de la bataille ardente livrée là-bas ont admirablement servi la cause qu'ils avaient accepté de défendre au péril de leur vie. On conservera précieusement le souvenir de ces vaillants disparus ».

Le même jour que la déclaration de Mackenzie King, on publiait la liste complète des défenseurs canadiens de Hong Kong. Sur cette liste figurent les noms de Georges Verreault, Roger Cyr et Lucien Brunet. En ce qui concerne les Cyr, famille originaire de Gaspésie où Roger Cyr et tous ses cousins s'étaient engagés ensemble comme volontaires, on retrouve pas moins de sept soldats Cyr parmi les membres des Royal Rifles of Canada engagés dans la bataille de Hong Kong.

Le 23 décembre, on annonçait que le brigadier-général J.Y. Lawson et son adjoint le colonel P. Hennessy avaient trouvé la mort au combat. On ajoutait que les pertes canadiennes durant la bataille de Hong Kong avaient été lourdes.

Le 24 décembre, les autorités du district militaire de Québec, d'où venait les Royal Rifles of Canada, en publiant une liste partielle des membres du régiment alors à Hong Kong, avaient déclaré que parmi les défenseurs de Hong Kong, environ 175 étaient d'origine canadienne-française.

D'ailleurs, sur une photo montrant six militaires des Royal Rifles of Canada s'embarquant sur la côte ouest du Canada pour Hong Kong, on apercevait deux Canadiens français, les soldats Royer et Lévesque. On en comptait cependant peu parmi les officiers des Royal Rifles of Canada. Les exceptions étaient le capitaine W.C. Leboutillier, diplômé du Kingston Royal Military College, le lieutenant J.E. Ross, gendre du lieutenant-gouverneur du Québec, le major-général Sir Eugène Fiset, le lieutenant J.R.E. D'Avignon et le lieutenant Donald Languedoc, dont le père, le major B. Languedoc, était alors attaché au quartier général du district militaire de Montréal.

Le 27 décembre, le War Office donnait un compte rendu de la brave mais vaine défense de Hong Kong où les troupes canadiennes s'étaient particulièrement distinguées.

On y disait notamment que « la géographie de la colonie, son isolement et le fait que son seul aéroport est sur le continent avait rendu impossible l'appui de l'aviation à la garnison ».

On y rapportait également que dès le 13 décembre, l'ennemi avait envoyé une délégation entamer des pourparlers de reddition, mais que celle-ci avait essuyé un refus glacial de la part du gouverneur. Le 17 décembre, l'ennemi avait envoyé dans l'île un groupe d'officiers arborant un drapeau blanc et porteurs d'un deuxième message contenant les conditions de la capitulation. Cette demande fut de nouveau rejetée.

Mais le 23 décembre, il était impossible de cacher que la situation était devenue extrêmement grave. Les troupes qui avaient combattu furieusement durant des jours étaient épuisées mais, ajoutait le communiqué du War Office, « le moral demeurait excellent car les hommes comprenaient que chaque jour de résistance était autant de gagné pour la cause des Allié ». L'approvisionnement en eau et en nourriture était presque tari. Finalement, le jour de Noël, les autorités civiles et militaires informaient le gouverneur qu'il était inutile et impossible de continuer à résister.

Le communiqué mentionnait, sans plus de précision, que « les Canadiens perdirent 100 hommes ».

Le ministère des Affaires extérieures avait déjà commencé à prendre des mesures pour obtenir des renseignements par une puissance neutre, la Suisse, qui était chargée de protéger les intérêts canadiens. De plus, le premier ministre Mackenzie King avait fait mener des recherches par l'intermédiaire des États-Unis.

Mais à la veille du Nouvel An, le ministère de la Défense nationale faisait savoir qu'il y aurait un délai inévitable avant d'obtenir au Canada des listes exactes des pertes et des prisonniers de guerre.

Selon les documents officiels du ministère des Anciens combattants, les pertes canadiennes de la bataille de Hong Kong se soldaient par un lourd bilan : 23 officiers et 267 hommes tués, 28 officiers et 465 sous-officiers et soldats blessés.

Mais le nombre des morts continua d'augmenter malgré la reddition. Les Canadiens furent emprisonnés dans des conditions révoltantes et subirent des traitements brutaux et souffrirent du manque de nourriture. De nombreux soldats moururent.

L'évasion de Ben Proulx

Les évasions furent très rares. Mais il y en a eu au moins une. Un sous-officier de marine canadien-français, Ben. A. Proulx, d'Ottawa, qui servait depuis l'âge de 21 ans à Hong Kong dans la Royal Navy lorsque les Japonais envahirent l'île, capturé lors de la capitulation de Noël 1941, avait réussi à s'évader et à rejoindre les forces chinoises de Chiang Kai-Shek.

Malheureusement pour Proulx, sa femme et ses enfants étaient, eux, demeurés prisonniers des Japonais. À l'été 1942, celui-ci était venu visiter sa famille au Canada et raconter ses aventures.

Photographié par les médias dans son uniforme de l'aviation chinoise où il avait servi pendant un mois avant de revenir au Canada, Proulx, rencontré en compagnie de ses deux frères qui, eux, étaient demeurés au pays, confia que c'est sa connaissance des coutumes et des pays d'Extrême-Orient qui lui avait permis de s'évader d'un camp d'internement japonais après la chute de Hong Kong.

« Si j'avais la permission de parler, je pourrais vous raconter des aventures assez intéressantes. » Mais il devait garder secret le stratagème qu'il avait employé pour s'échapper, à cause du danger que cette révélation aurait pu faire courir aux autres prisonniers qui auraient voulu s'évader de la même façon.

De plus, la femme de Proulx, Florence, fille d'un ancien fonctionnaire du gouvernement anglais à Hong Kong et ses deux enfants, Roger et Michel, alors âgé respectivement de 8 et 14 ans, étaient toujours détenus par les Japonais. C'était donc par suite d'ordres reçus et par crainte de représailles de la part de l'ennemi que ce Canadien français évadé de Hong Kong, le seul croyons-nous, refusait de raconter plus avant ses aventures.

Le drame des prisonniers

Pour Georges Verreault et ses camarades, une fois que Hong Kong eut capitulé, le vrai combat commençait. D'abord interné dans la colonie, Verreault fut ensuite transféré au Japon, où il connut les camps de Yokohama, Shinagawa et Ohasi. La libération ne vint qu'avec la capitulation du Japon en août 1945. Réembarqué le 15 septembre, il devait arriver à Montréal le 16 octobre quatre ans après avoir quitté.

Le témoignage de Verreault est unique. Certains de ses amis, d'ailleurs mentionnés dans son *Journal d'un prisonnier de guerre au Japon*, comme Roger Cyr, président des Anciens combattants de Hong Kong et surtout Lucien Brunet, lui ont survécu et faisaient partie, en décembre 1995, du pèlerinage officiel organisé par le gouvernement canadien pour commémorer le 50e anniversaire de la reddition des Japonais.

Le voudrait-on, on ne pourrait résumer ici tout l'enfer vécu par Verreault et ses camarades. Dès le 7 janvier 1942, d'ailleurs, Verreault écrivait dans son carnet : « Tous les jours, je perds des forces, je me sens aller. La faim ! La sinistre faim, dont on lit dans les romans, nous lui "goûtons" ! »

Le 27 septembre : « Durant les quelques derniers mois, la mort a fait un nombre incalculable de victimes. Partout dans le camp les tombes se multiplient. Notre ancien camp est devenu un cimetière »

Le 2 octobre : « Nous sommes à bout de forces, nous avons un pied dans la tombe et l'autre sur une pelure de banane ; nous ne sommes plus qu'une bande de loques humaines, de squelettes ambulants pour le peu qui peuvent se transporter sur ce qui leur reste de jambes. »

Plusieurs autres militaires francophones étaient emprisonnés avec lui. Le 2 avril, Verreault écrivait : « Je ne croyais pas que nous étions si nombreux de Montréal : Allister et Normand, du centre de la ville, Brunet, de la rue d'Aragon, Charron de Côte St-Paul, Lalonde de Verdun, un sergent de Pointe-Saint-Charles, Dawson, Bissonnette et Warren du centre, et votre serviteur de Ville-Émard. Environ une douzaine de cette glorieuse cité si appréciée ! »

Le 3 novembre : « Un autre de mes camarades, Eugène Lavoie est mort hier de dysenterie. Sa femme et son petit garçon à Saint-Jean d'Iberville attendront son retour en vain. Je dois chanter son service après-midi, mon dernier geste d'amitié avant que le cadavre soit emporté dans la boîte de bois rugueux. »

Le 28 septembre 1944 : « Je viens de passer quelques instants avec un individu des Royal Rifles, Roger Cyr. C'est un Canadien français qui eut la même éducation que moi. Il fit beaucoup de lectures françaises et fait très intéressant, il a lu le même genre d'auteurs que moi. Nous parlâmes de littérature, d'école. Ma foi je suis enchanté de l'avoir découvert, car nous avons les mêmes goûts. »

Mais ce dernier commentaire, le 14 septembre, résume bien tout le désespoir que vécurent ces hommes, malgré toute leur bonne volonté et leur désir d'entraide : « Je devrais parler un peu plus de mes camarades mais j'en suis tellement blasé. Chaque individu ne cherchant que des moyens plus ou moins honnêtes de satisfaire un pauvre estomac affamé. Bande de malheureux, ils en sont à un tel point d'apathie qu'ils ne réalisent pas du tout la gravité de leurs actions !

« Mais peut-on s'attendre à meilleur de la part d'un groupe d'hommes qui endura durant bientôt trois ans les tortures de la faim et du froid, passa en revue toutes sortes de maladies affreuses et restera marqué d'une manière ou d'une autre après cette misérable expérience ? Non, mille fois non.

« La vie du soldat en action est définitivement meilleure que la nôtre. Il risque sa vie continuellement oui, mais il ne connaît pas les affres continuelles de la faim. Il jouit de la douce chaleur d'un feu de temps en temps. Il est encouragé par des nouvelles certaines. Il est gratifié de congés et lorsqu'il est malade ou blessé, d'adorables mains de femmes pansent ses blessures, ou s'intéressent à sa convalescence. On le comble de toutes sortes de conforts, de douceurs. Il a tout ce qu'il veut en fait de musique, de lecture et même de cinéma.

« Un prisonnier de guerre des Japonais n'a jamais connu la satisfaction d'un bon repas. À chacun, il sent qu'il pourrait manger une montagne et cela tous les jours depuis trois ans !

« Il tombe malade, il ne peut pas manger. On se bat pour avoir sa ration. Il gît sur son grabat et ses camarades sont trop affligés eux-mêmes pour même penser à sympathiser.

« On le soigne automatiquement. Il n'a pas la jouissance d'une convalescence, car aussitôt qu'il peut se tenir debout, on le flanque à l'ouvrage. On n'y peut rien, il le faut, car du nombre d'hommes envoyés à l'ouvrage dépend ses conditions de vivre.

« Il flotte au milieu de bruits indécis, d'espérances vagues, de déceptions continuelles, rien n'aboutit et tous les jours il lui faut endurer le contact d'une bande de gorilles qui ne connaissent que des grognements pour l'interpeller.

« Il couche sur une paille pourrie de puces. En été, les insectes volants l'accablent. En hiver, il est gelé continuellement. Il n'a pas le courage de se laver, il fait trop froid et rien n'aboutit.

« Comment est mon père, ma mère, mon épouse, mes enfants, pense-t-il tristement. Sont-ils vivants ? Comment se tirent-ils d'affaire ?

« Et cette tension mentale qui le grippe continuellement, la peur qu'un garde le surprenne à manger quelque chose qu'il trouva ou vola, la crainte d'être pris à fumer dans les toilettes, la crainte que l'officier japonais au *tanco* ne soit pas de bonne humeur !

« Les conversations sont les mêmes, il a entendu la même histoire mille fois, il répète la sienne mille fois : rien de nouveau, la même routine, qui ne finira jamais, semble-t-il.

« Et cependant, désespérément, il s'agrippe à la vie, l'espoir fou d'être libre bientôt le fait marcher, agir. Chaque jour le rapproche de la fin bienheureuse, pense-t-il, et il rugit d'impatience dans son âme, d'une impatience torturée, lentement, affreusement.

« Le prisonnier de guerre, dit-on, bah ! Il n'a qu'à attendre. Il n'a pas à craindre les dangers du champ de bataille. Oui, il attend. Il décrépit petit à petit. Que peut-il, sinon attendre ? »

Jusqu'au début de 1943, les Canadiens furent détenus dans des camps situés à Hong Kong. Quatre officiers, y compris le commandant des Winnipeg Grenadiers, le lieutenant-colonel Sutcliffe, et 125 soldats et sous-officiers y moururent en captivité.

Après 1943, un officier et 1 183 sous-officiers et soldats furent amenés au Japon où on les força, contrairement aux clauses de la Convention de Genève, à travailler dans diverses industries, surtout dans les mines. Une fois de plus, les conditions étaient extrêmement mauvaises et quelque 135 autres prisonniers canadiens y moururent.

En tout, 550 des 1 975 Canadiens qui étaient partis de Vancouver en octobre 1941 à destination de Hong Kong ne revinrent jamais et la majorité des autres revint bien mal en point.

Actuellement, un mémorial du cimetière de guerre de la baie de

Saiwan, dans l'île de Hong Kong, porte les noms de 2 000 soldats alliés, dont 228 Canadiens, qui sont morts à Hong Kong et qui n'ont aucune sépulture connue.

Deux cent quatre-vingt-trois autres soldats canadiens reposent au cimetière de guerre de la baie de Saiwan, y compris 107 hommes qui n'ont jamais été identifiés. Vingt autres Canadiens sont enterrés au cimetière militaire de Stanley, dont un n'a jamais été identifié.

Au Japon, 137 Canadiens reposent au cimetière de guerre du Commonwealth britannique, à Yokohama.

Par ailleurs, même si les noms de 199 Canadiens sont inscrits sur le mémorial de Singapour en témoignage de ceux qui n'ont pas de lieu de sépulture connu, et que trois Canadiens sont inhumés dans le cimetière de guerre de Kranji, à Singapour, le ministre de la Défense nationale, J.L. Ralston, avait déclaré en février 1942 qu'il n'y avait pas de troupes canadiennes à Singapour (alors partie intégrante de la Malaisie).

« Il peut y avoir, et de fait il y a, des citoyens canadiens qui servent individuellement dans la force aérienne et la marine et tout probablement dans les forces britanniques. Mais il n'y a pas de forces canadiennes », avait alors déclaré Ralston.

Selon *Les Canadiens en Asie 1945-1995*, certains pilotes de chasse canadiens accompagnèrent les 50 Hurricanes de la société de construction d'avions Hawker, en provenance du Moyen-Orient, qui arrivèrent à Singapour le 13 janvier 1942.

On s'attendait à ce que les Hurricanes dominent le ciel, mais leur capacité d'égaler la vitesse de l'ennemi et leur armement plus lourd, ne leur permirent pas pour autant de suivre les Japonais dans les virages abrupts des duels aériens et un système de contrôle au sol insuffisant ajoutait à ces handicaps.

Singapour capitula le 15 février 1942, mais des 70 000 militaires du Commonwealth qui furent alors faits prisonniers, seulement deux techniciens canadiens de radar étaient du groupe.

LE PLÉBISCITE SUR
LA CONSCRIPTION

Plusieurs ouvrages ont été écrits sur ce qu'on a appelé la « crise de la conscription » et ce n'est pas mon intention de reprendre tout ce débat, qui continue de déchirer Canadiens de langue anglaise et Canadiens de langue française plus d'un demi-siècle plus tard.

Je vais donc tâcher de démontrer que le Canada français n'était pas nécessairement unanime, que tous les opposants à la conscription n'étaient pas nécessairement antimilitaristes ou contre un appui massif à la cause des Alliés sur une base volontaire et que, surtout, le gouvernement fédéral qui réclamait en quelque sorte un chèque en blanc pour « avoir la permission de recourir à la conscription », tout en clamant bien fort qu'« il n'avait pas l'intention d'y recourir » était, c'est le moins qu'on puisse dire, malhonnête intellectuellement.

D'ailleurs, comme en firent foi des sondages de l'époque, même au Canada anglais, où l'on appuyait massivement la conscription, la majorité de l'électorat considérait toutefois que le plébiscite arrivait à un bien mauvais moment et se serait volontiers passée de cette consultation. En un mot, toute cette crise a peut-être été déclenchée prématurément et rien ne prouve que le volontariat pour service outre-mer n'aurait pas suffit encore un temps.

Officiellement, le débat commença le 22 janvier 1942. Le gouverneur général du Canada, le comte d'Athlone, qui lisait le discours du trône, annonça alors que le gouvernement canadien tiendrait un plébiscite pour demander au peuple de le dégager « de toute obligation résultant d'engagements du passé et de nature à restreindre les méthodes de recrutement pour le service militaire ».

« Le gouvernement estime que, à cette époque la plus critique de l'histoire du monde, il devrait, sous la seule réserve de sa responsabilité envers le Parlement et sans égard pour tout engagement antérieur, jouir d'une complète liberté d'agir selon qu'il le jugera utile d'après les nécessités du moment. »

Là où tout devenait ambigu c'est lorsque le gouvernement King demandait ni plus ni moins un chèque en blanc, ce qui avait pour effet d'effrayer ceux qui ne voulaient pas de la conscription, tout en ne faisant pas l'affaire non plus des plus radicaux qui, eux, craignaient que le gouvernement tarde trop à appliquer cette mesure et, pire à leurs yeux, n'y recoure même pas.

Quelques jours plus tard, dans son discours à l'occasion de la discussion sur l'adresse en réponse au discours du Trône, le premier ministre du Canada, William Lyon Mackenzie King, maintint lui-même l'ambiguïté :

« Le gouvernement ne fait pas appel au peuple par voie de plébiscite pour se décharger de la responsabilité qui accompagne une décision d'ordre militaire. Je demande au peuple de donner au gouvernement tous les pouvoirs et de lui permettre de prendre toute la responsabilité des décisions militaires qu'il juge nécessaires à la lumière des connaissances qu'il possède.

« La question que le gouvernement se propose de poser à la population est tout simplement celle-ci : "Consentez-vous à libérer le gouvernement de toute obligation résultant d'engagements antérieurs qui restreignent les méthodes de recrutement pour le service militaire ?" »

Le gouvernement, confirma Mackenzie King, était d'avis que ni des élections générales ni un plébiscite sur la conscription n'étaient opportuns ou nécessaires.

Dans son intervention à la Chambre des communes, Mackenzie King déclara que « la raison la plus forte pour laquelle le gouvernement devait avoir la liberté subordonnée à sa responsabilité envers le Parlement de recourir aux mesures qui lui paraissaient nécessaires en temps de guerre, c'est que le gouvernement peut seul connaître les circonstances et les raisons qui les motivent.

« Le recours aux méthodes plus coûteuses et plus compliquées de la contrainte se limitera aux domaines de notre effort de guerre où l'on a lieu de croire que solution obligatoire se traduira par un plus fort rendement.

« Il n'a pas encore été nécessaire et il n'aurait pas été utile auparavant d'imposer à la nation des sacrifices tels que ceux que le gouvernement a en vue. Ces mesures influenceront directement sur le mode d'existence d'un grand nombre d'hommes et de femmes. Elles influent aussi sur la vie nationale. Elles diminuent encore d'une façon très sensible les privilèges que nous avons pu conserver jusqu'ici.

« En présence du désarroi dans le monde, alors que l'ennemi se présente de tous côtés et que nul ne saurait prédire ce que l'issue de la bataille dans d'autres partie du monde pourra comporter de péril immédiat et accru pour notre propre pays, le gouvernement croit devenir tout à fait libre de recommander au Parlement la ligne de conduite jugée essentielle à la sécurité de notre propre pays et à la sauvegarde de la liberté dans le monde.

« Cette liberté d'action, le gouvernement ne l'a pas présentement, non pas en raison de limitations particulières imposées au Parlement (car la volonté du Parlement fait toujours loi), mais en raison d'engagements antérieurs pris par le gouvernement et sans distinction de parti par la plupart des députés de cette Chambre.

« Si en conséquence, il est à souhaiter que le gouvernement, assujetti uniquement à son obligation envers le Parlement, jouisse de la liberté complète d'agir selon son jugement, quels qu'aient pu être ses engagements antérieurs, la nécessité impose évidemment de trouver un moyen de relever le gouvernement de ses obligations découlant d'engagements précis, restreignant ses méthodes de recrutement militaire.

« Un plébiscite diffère d'un référendum en ce sens qu'un plébiscite se tient pour connaître les vues de la population et qu'un référendum demande à la population de prendre une décision sur tel plan ou projet.

« Le gouvernement est d'avis qu'il ne serait guère juste de demander à la population de prendre des décisions d'ordre militaire. Il n'est pas possible, je le répète, de divulguer, en temps de guerre, tous les renseignements qu'il faudrait pour décider sagement de ces questions ».

Le 24 février, intervenant à nouveau dans le débat, et tout en continuant de réclamer son chèque en blanc, Mackenzie King affirma que la conscription ne serait peut-être jamais nécessaire au Canada.

« Est-ce que quelqu'un peut dire qu'à l'heure actuelle, si nous en avions le pouvoir, la conscription serait appliquée ? Personne ne le dira, car la conscription n'est pas nécessaire, n'est pas devenue nécessaire et peut n'être jamais nécessaire. Le gouvernement décidera de la conscription outre-mer et de la conscription des richesses au moment voulu et pas avant. »

Tout en soulignant toute l'importance de libérer le gouvernement de sa promesse anticonscriptionniste, Mackenzie King refusa toutefois de prédire quelle attitude prendrait le gouvernement à l'issue du plébiscite sur la conscription.

Pro-Mackenzie King et anticonscriptionniste

La meilleure preuve de la confusion qui régnait alors nous vint sans doute du premier ministre du Québec Adélard Godbout.

Invité d'honneur à la réunion annuelle de l'Association libérale de la conscription de Saint-Denis-Dorion, Godbout déclara qu'il était et demeurait anticonscriptionniste et que c'était la raison pour laquelle il appuyait son homologue fédéral Mackenzie King dans sa démarche :

« Tous savent que d'ici quelques mois se jouera peut-être le sort des Canadiens français, déclara Godbout le 26 janvier 1942. Et c'est pourquoi chacun de nous aura à prendre ses responsabilités. D'ici quelques mois se décidera même, peut-être, le sort du monde entier. Aussi bien, devons-nous nous entendre, nous écouter avant que de nous répondre, puis rester calmes pour être forts. Les principes que j'ai défendus, en ce qui a trait à la guerre notamment, je ne les ai pas mis dans ma poche.

« J'étais anticonscriptionniste et je le suis encore. J'irai plus loin. J'estime que la conscription pour service outre-mer, aujourd'hui, serait un crime.

« Nous sommes en ce moment en présence de deux groupes d'hommes. L'un, dirigé par le très honorable Mackenzie King, qui est contre la conscription et l'autre, qui a à sa tête le père même de la conscription.

« Le premier ministre actuel du Canada ne vient pas aujourd'hui nous demander si nous sommes pour ou contre la conscription, mais réclamer un nouveau témoignage de confiance qu'il saura interpréter comme il convient.

« Comme on le sait, l'Angleterre n'a pas besoin de soldats, mais de munitions, de vivres, de soutien matériel que l'industrie et l'agriculture peuvent lui procurer. Bref, nous pouvons être assurés que le très honorable Mackenzie King n'exposera pas nos vies pour autre chose que pour la défense de notre propre pays. À nous donc de rester calmes, de garder notre dignité et de donner ainsi un exemple de véritable patriotisme à toute l'Amérique. »

Quelques jours plus tard, le ministre québécois des Affaires municipales, du Commerce et de l'Industrie, Oscar Drouin, demanda au contraire à ses concitoyens de répondre « *non*» au plébiscite.

Organisateur en chef de la campagne de Louis Saint-Laurent, successeur d'Ernest Lapointe dans la conscription de Québec-Est et nouveau ministre de la Justice, Drouin déclara néanmoins qu'« en prenant part à cette campagne, je suis logique avec moi-même, fidèle à mes principes anticonscriptionnistes ».

Drouin appuyait cependant Saint-Laurent, convaincu qu'en refusant d'appuyer les libéraux de Mackenzie King « un gouvernement dont le chef s'est prononcé contre la conscription pendant les derniers 25 ans », on empêchait l'élection des conservateurs qui, eux, préconisaient la conscription immédiate.

Mais, précisa Drouin, « quand viendra le moment du plébiscite, je demanderai à mes électeurs et je m'y engage d'avance, de répondre non. Voilà mon attitude ».

Comme on le voit, il se trouvait des gens qui voteraient *oui* au plébiscite, croyant ainsi faire confiance à un adversaire de la conscription ; des gens qui voteraient *non* parce qu'ils étaient convaincus que dire *oui* au gouvernement immédiatement signifiait lui donner le droit de recourir à la conscription selon son bon vouloir et d'autres qui voteraient *non* parce qu'ils ne croyaient pas en la volonté du gouvernement de vouloir effectivement recourir à une conscription qu'ils jugeaient nécessaire.

Si les historiens ont largement fait état des assemblées des anticonscriptionnistes comme Henri Bourassa, le vieux chef nationaliste et fondateur du *Devoir*, sorti de sa retraite pour l'occasion, Maxime Raymond et Jean Drapeau, le futur maire de Montréal, en février 1942 et de leur appel, on n'a pas assez expliqué l'ambiguïté du vote et le fait que des Canadiens français aient appuyé le *oui* tout en étant anticonscriptionnistes ni l'ambiguïté du débat qui était loin d'être aussi clair qu'on tâche de le faire croire aujourd'hui.

Contre le plébiscite pour des raisons différentes
Dès la fin de janvier, la bataille parlementaire s'était engagé à fond

sur la proposition du gouvernement, contenue dans le discours du trône, de tenir un plébiscite sur la politique de guerre. Même certains députés libéraux, tels Édouard Lacroix, de la circonscription de la Beauce et Ross Gray, de celle de Lambton-Ouest en Ontario, s'y opposèrent, mais pour des raisons différentes, ce qui montre bien l'ambiguïté du débat.

Lacroix voyait dans la mesure gouvernementale une terrible concession à ceux qu'il qualifiait « d'extrémistes ». Bref, pour lui, dire *oui* au plébiscite, c'était permettre la conscription. Tandis que Gray, au contraire, y voyait une mesure dilatoire et réclamait la conscription immédiate.

Pour sa part, le député libéral de la circonscription de Champlain, Hervé Brunelle, profita du débat pour dire qu'« on a l'impression que les nôtres n'ont pas leur part dans le fonctionnarisme ni dans les industries de guerre. Les sous-ministres devraient avoir l'ordre absolu d'accorder aux Canadiens français le quart des positions, peu importe les décisions de la Commission du service civil. Si les nôtres gardent l'impression qu'ils ne peuvent avoir leur part du gâteau, ils pourraient conclure que ceux qui se partagent seuls ce gâteau devraient aussi le défendre seuls ».

Nous pouvons manquer de compétences, précisa Brunelle, mais personne nous fera croire qu'il s'agit de l'unique argument. « Si l'on veut avoir l'unité nationale en ce pays, il importe de faire disparaître de telles causes de friction.

« Un semblable état de choses existe dans les camps d'entraînement militaire du pays où il y a de nombreux redressements à effectuer. Les nôtres y sont comme perdus au contact de militaires qui ne comprennent pas le français. Ils ont l'impression de n'être plus chez eux.

« Dans bien des cas, les officiers en charge ne parlent pas le français et nos gens, surtout ceux qui ne connaissent pas l'anglais, doivent recevoir leurs ordres au moyen de gestes ou par l'intermédiaire d'interprètes. Pourquoi alors les envoyer dans de tels camps ? Bien que nos jeunes gens du Québec ne soient, ni par nature ni par l'enseignement reçu, portés vers la vie militaire, ils ont accepté et acceptent encore de bon gré le sacrifice qu'on leur demande de faire. »

Brunelle lança un nouvel appel aux autorités militaires en faveur de l'établissement d'un collège militaire au Québec et exprima la conviction que nos jeunes sauraient encourager une telle institution et

justifier ainsi la décision que pourraient prendre les autorités en ce sens.
« Ne videz pas les usines pour remplir les casernes »

Pour ajouter davantage à la confusion, le ministre fédéral des Munitions et des Approvisionnements, C.D. Howe, déclara, au début de février 1942, qu'« envoyer des soldats outre-mer au détriment de notre production de guerre peut ne pas être le bon moyen de remporter la victoire ».

Selon Howe, « nos camps sont remplis pour des mois à venir ». Et, dit-il, « il n'y a rien que je sache à présent qui montre que la conscription sera nécessaire ».

Des chiffres fournis à la Chambre des communes par le ministre de la Défense nationale, J.L. Ralston, démontraient que depuis le commencement de la guerre jusqu'au 31 décembre 1941, 424 605 hommes s'étaient enrôlés dans les forces armées du Canada. Deux cent quatre-vingt dix-neuf mille cinquante-neuf d'entre eux servaient dans l'armée ; 26 141 dans la marine et 99 405 dans l'aviation. Quelque 125 000 des membres de l'armée servaient en dehors du pays. On ignorait le chiffre exact quant aux aviateurs et marins servant outre-mer.

Enfin, on estimait que plus de 18 000 autres recrues s'étaient enrôlées en janvier 1942.

Ce qui faisait dire à *La Presse* en éditorial, le 11 février : « Il est difficile de dire que le volontariat n'a pas donné satisfaction. »

Et l'éditorialiste conclut : « En face de ces précisions, qu'il communiquait avec plaisir à la Chambre des communes, le ministre de la Défense nationale, l'honorable M. Ralston, conclut légitimement qu'il a confiance dans le mode de recrutement adopté par le Canada, qu'il le préfère comme plus conforme aux traditions du pays. Il ne peut être question de l'abandonner quand il nous apporte toujours, actuellement comme auparavant, de si bons résultats. »

À la mi-février, Ralston exprima donc sa confiance dans le succès du volontariat « si chacun fait sa part ».

« En tenant compte de l'histoire et des traditions de ce pays — et ce serait d'ailleurs folie de les ignorer — je préfère le volontariat s'il réussit. Et je ferai tout en mon pouvoir pour en assurer le succès.

« Par ailleurs, nous ignorons ce que l'avenir nous réserve. Et je suis forcé de dire — je ne parle d'ailleurs que pour moi-même — que si le volontariat ne suffit pas aux besoins des jours décisifs qui nous attendent, je considérerai de mon devoir de prendre la responsabilité de demander l'adoption d'un autre mode de recrutement. »

Selon Ralston, le volontariat devait toutefois suffire aux besoins de l'armée en 1942, « si l'enrôlement se maintient au niveau des quatre derniers mois ». Il exprima sa confiance dans le succès de cette méthode pour combler les besoins futurs, « si chacun fait sa part ».

De son côté, le ministre de l'Agriculture John J.C. Gardiner, déclara que sans aller jusqu'à dire que peu importe les circonstances il n'appuierait jamais la conscription, il assurait que tant qu'il ne serait pas convaincu que nous ne pourrions pas avoir au Canada, en pratiquant le volontariat, une armée plus efficace qu'en imposant la conscription, il serait contre la conscription.

Le testament politique d'Ernest Lapointe

Par ailleurs, on sait que l'ancien ministre de la Justice, Ernest Lapointe, bras droit québécois de Mackenzie King, était farouchement opposé à la conscription et qu'il avait promis à ses concitoyens que jamais elle ne leur serait imposée.

Malheureusement, Lapointe mourut à la fin de 1941. Nombreux sont ceux qui croient que s'il avait vécu, il aurait persuadé Mackenzie King de procéder autrement et de ne pas recourir au plébiscite et encore moins, plus tard, à la conscription.

Quoi qu'il en soit, le fils d'Ernest Lapointe, le lieutenant Hugues Lapointe, qui était lui-même député de la circonscription de Lotbinière et servit outre-mer comme lieutenant dans le régiment de la Chaudière avant de gravir les échelons jusqu'au grade de lieutenant-colonel et de devenir lieutenant-gouverneur du Québec, intervint dans le débat pour affirmer que « c'est la gloire des forces canadiennes de servir volontairement. Chaque Canadien sur le sol britannique ou ailleurs y est de son libre arbitre et non pas parce qu'on l'a mobilisé ou conscrit. Il en a ainsi agi comme citoyen libre d'un pays libre. Ce serait une grave erreur de priver les soldats de notre armée de cette juste fierté ».

Hugues Lapointe, qui prononçait son discours revêtu de son uniforme de lieutenant du régiment de la Chaudière, en profita pour dénoncer les méthodes des partisans de la conscription qui avaient tout fait pour faire échouer le volontariat. Les qualifiant de « démagogues de guerre », il ajouta qu'« ils ont ridiculisé les campagnes d'enrôlement. Ils veulent la cœrcition, mais ils font mine de se scandaliser quand on demande aux jeunes de s'enrôler volontairement. Malgré ces journaux et ces gens, le volontariat a réussi ».

C'est d'ailleurs en invoquant la mémoire d'Ernest Lapointe que le député libéral de la circonscription de Québec-Montmorency, Wilfrid Lacroix, s'opposa, au plébiscite à la Chambre des communes.

« Lapointe était un homme honnête. Lapointe n'a jamais trahi sa race. Lapointe n'a jamais renié sa parole. Lapointe n'a jamais changé de principes. Durant quarante ans de vie politique, Lapointe a toujours eu comme principe "le volontariat", principe qu'il apprit à l'école de Laurier, fondateur de la vraie doctrine libérale canadienne.

« Lapointe, continua Lacroix, a dénoncé la conscription de 1917 et durant 25 ans. Lapointe est venu dans la province de Québec, en 1939, demander au peuple de faire confiance à sa politique de guerre, lors de l'élection provinciale. Lapointe est venu en 1940, lors de l'élection fédérale, toujours avec le même principe : le volontariat. Et je suis convaincu qu'il ne serait pas question de plébiscite dans le discours du trône, parce que Lapointe aurait convaincu le cabinet qu'avec une mesure semblable l'unité nationale serait en danger.

« Son grand jugement aurait prévu ce qui se passe actuellement dans le pays. Sera-t-il vrai qu'à peine deux mois après sa disparition, personne à Ottawa ne respectera les principes ni la mémoire de Lapointe ? »

Il me semble encore entendre sa voix puissante dire : « Je sortirai du cabinet et je dénoncerai même ceux qui voudraient imposer la conscription pour outre-mer à mes compatriotes. Ceux qui prêchent la conscription pour outre-mer sont contre l'unité nationale. Les fils du Canada ne seront jamais envoyés de force au dehors des frontières du pays, aussi longtemps que je ferai partie du cabinet. »

Lacroix rappela ensuite que c'est aussi grâce à ce principe de volontariat que le gouvernement en place à Ottawa s'était fait élire ainsi que celui d'Adélard Godbout à Québec. « Le chef du gouvernement actuel de Québec déclara, en 1939, qu'il dénoncerait même son parti, si celui-ci voulait imposer la conscription pour outre-mer. Voilà les principes libéraux de Lapointe pour lesquels nous nous sommes battus et pour lesquels nous combattons encore.

« Je voterai contre le plébiscite imposé au cabinet par les impérialistes, parce que cette mesure est le premier pas vers la conscription. Je respecterai la mémoire de Lapointe.

« Lapointe est mort au devoir. Lapointe est mort après avoir lutté particulièrement pendant deux ans contre l'organisation financière qui veut imposer la conscription pour outre-mer. Le Canada tout entier, pour lequel Lapointe a donné sa vie, nous demande de respecter sa mémoire. »

Se faisant prophète, Lacroix conclut son harangue en disant que « la situation que l'on fait actuellement aux Canadiens français dans tous les domaines les convaincra de plus en plus que cette guerre n'est pas la guerre du Canada mais celle de l'Empire anglais. En conséquence, il n'y aura rien de surprenant si après la guerre, la population canadienne s'oriente vers l'indépendance totale du pays ou encore vers l'annexion aux États-Unis ».

Quant à Maxime Raymond, qui siégeait encore comme député de la circonscription de Beauharnois-Laprairie à la Chambre des communes en février 1942 avant de rompre avec les libéraux et de diriger le Bloc populaire, citant lui aussi Ernest Lapointe pour s'opposer au plébiscite, il déclara que « cette partie très importante du pays dont parlait M. Lapointe, est entrée en guerre pour toute la durée de la guerre et elle n'aurait jamais consenti à participer à la guerre sans cette condition expresse qui est : pas de conscription pour service outre-mer durant la durée de la guerre. C'est donc un compromis pour toute la durée de la guerre, et l'on ne peut mettre de côté cette condition avant la fin de la guerre ».

Le député libéral de Québec-Ouest et Québec-Sud, Charles Parent, fit lui aussi appel à la mémoire d'Ernest Lapointe : « Lapointe avait une grande expérience politique. Il avait un sens juridique averti, il connaissait le sens et la portée des mots. Jamais cependant il n'a laissé de porte ouverte dans ses déclarations sur la conscription. Il avait siégé avec Laurier en 1917. Il avait appuyé Laurier sur le référendum. Mais l'expérience de 1917 lui servit de leçon. Il connaissait tous les modes de consultation propres aux démocraties au sujet de la conscription. Il a toujours brûlé ses ponts. Il a fait tous les sacrifices, mais il ne voulait pas laisser à la majorité l'arme du plébiscite pour qu'elle puisse servir à vaincre la minorité.

« Lapointe n'a pas dit : "Je n'accepterai pas la conscription tant qu'elle n'aura pas été votée par le peuple dans un plébiscite ou par un référendum." Il a dit bien affirmativement et catégoriquement : "Je n'accepterai jamais la conscription ni ne serai membre d'un gouvernement qui voudrait l'imposer."

« Le 18 juin 1940, il a dit à la face de tout le pays que la province de Québec était opposée au service obligatoire au-delà des mers et qu'il combattrait cette mesure si elle était proposée par le gouvernement et qu'il cesserait de faire partie de ce gouvernement. Les engagements de Lapointe contre la conscription pour servir outre-mer constituent son testament politique : respectons-le. »

Les Acadiens

Pour sa part, le Dr J.-C. Veniot, député libéral de la circonscription de Gloucester, disant parler en tant que représentant des 225 000 Acadiens qui formaient environ un cinquième de la population des Provinces maritimes et qui étaient les descendants directs des 5 000 Acadiens qui avaient été « expatriés, déportés par le gouverneur Charles Lawrence en 1755 et éparpillés sur le rivage inhabité de la côte de l'Atlantique à partir de Boston jusqu'au golfe du Mexique », exprima l'opposition des descendants des déportés à la conscription.

« Avec notre passé historique de persécution, d'expulsion et de souffrances, déclara Veniot, nous nous opposons avec force à la conscription pour service outre-mer, tant qu'on ne nous en prouvera pas le besoin. Nous affirmons notre devoir et notre droit de choisir entre la conscription et l'enrôlement volontaire pour service outre-mer.

« Durant la dernière guerre, nous avons fait pleinement notre part avec le volontariat. Il est encore vrai que nous nous sommes opposés à la conscription, mais nous l'avons fait parce que l'on se servait de méthodes injustes pour l'appliquer dans nos paisibles villages. Le sang a coulé parmi nous et nous ne voulons pas la répétition de ces atrocités. »

Veniot affirma que les Acadiens reconnaissaient que le meilleur moyen pour battre l'ennemi était de le tenir en dehors du Canada et de l'empêcher d'atteindre nos rivages.

« À cette fin, nous sommes prêts à donner librement nos vies jusqu'à la limite de nos ressources humaines et de nos maigres moyens. Mais nous ne voulons plus de baïonnettes pour stimuler nos jeunes et les traquer comme des bêtes sauvages de nos cultures et de nos forêts. Nous avons l'esprit ouvert à la conviction, mais le moyen de nous convaincre n'est pas de nous faire avaler de force la conscription »

L'ambiguïté du vote

Le 4 mars 1942, la Chambre des communes approuva finalement le projet de loi du plébiscite sur la conscription ainsi que le libellé de la question.

La question, à laquelle les Canadiens devaient répondre, le 27 avril, par un *oui* ou par un *non*, se lisait ainsi : « Consentez-vous à libérer le gouvernement de toute obligation résultant d'engagements antérieurs restreignant les méthodes de recrutement pour le service militaire ? »

Il est évident que ceux qui votèrent *non* à la question posée étaient opposés à la conscription (et pas nécessairement à la participation canadienne à la guerre, comme certains ont tenté de le faire croire ni même à ce que les volontaires puissent être nombreux pour le service outre-mer).

Mais il n'est pas assuré, contrairement à ce qu'on a aussi dit que ceux qui ont voté *oui* à l'extérieur du Québec comme ici, étaient nécessairement favorables à la conscription. Le moins qu'on puisse dire, c'est qu'il s'agissait d'un plébiscite fort ambigu.

Ainsi, le premier ministre du Québec Adélard Godbout, devait déclarer devant l'Assemblée législative qu'il demeurait toujours opposé à la conscription pour service outre-mer.

« Je suis contre la conscription pour service outre-mer. J'ai toujours été opposé à la conscription pour outre-mer et je le resterai même si le peuple du Canada libère M. King de ses engagements de ne pas l'imposer. »

Et pourtant, Godbout suppliait ses commettants de voter *oui* parce que, selon lui, « si le Canada répond non au plébiscite, c'est le pouvoir à l'opposition dans deux semaines ». Et selon lui, cela signifierait automatiquement la conscription que les conservateurs prônaient sous tous les toits en reprochant à Mackenzie King de ne pas l'avoir appliquée plus tôt.

« Ce n'est pas le moment de faire de la politicaillerie. Dans une situation comme la nôtre on devrait tenter un effort ultime pour gagner la guerre. On devrait dépenser jusqu'au dernier sou pour protéger nos libertés, mais cela ne signifie pas que l'on doive imposer la conscription. La conscription est un fait accompli au Canada. Personne n'est contre la conscription en Amérique. Mais pour outre-mer, jamais ! »

Selon le correspondant parlementaire de *La Presse* à Québec, le discours de Godbout aurait incité plusieurs députés à voter *oui*.

« Tous semblent convaincus qu'il convient de faire confiance au gouvernement King, notamment ceux-là qui sont et demeurent farouchement contre la conscription pour service militaire outre-mer. On admet que le service militaire obligatoire à l'étranger deviendra peut-être nécessaire, mais on ajoute que, dans les circonstances, il serait préférable que la conscription soit appliquée par le premier ministre actuel du Canada, lequel s'y est toujours opposé en principe et ne s'y résoudra que contraint par les événements. »

Un tel raisonnement peut avoir influencé le vote de plusieurs autres partisans du *oui* non seulement au Québec mais aussi ailleurs. Ce qui rend difficile, par conséquent, l'interprétation du vote.

Deux jours avant le scrutin, dans un dernier appel à la population, Mackenzie King, nia qu'une réponse affirmative à la question posée engageait le gouvernement à adopter la conscription pour le service outre-mer. Il précisa même que le gouvernement s'engageait à ne pas la promulguer en vertu de la *loi des mesures de guerre*, par arrêté en conseil, si le plébiscite était accepté.

« Sauf en cas d'urgence, si le gouvernement vient à juger qu'il y a lieu d'apporter des modifications à une loi, afin de permettre l'application plus large de ses dispositions, ces modifications seront faites par loi du Parlement, non sous le régime de la *Loi des mesures de guerre*. Si vous répondez "oui", vous n'engagerez pas le gouvernement à la conscription pour le service outre-mer. »

Par ailleurs, de passage à Montréal, quelques jours avant la consultation populaire, Mackenzie King rendit hommage au rôle « splendide » joué par le Québec dans l'effort de guerre :

« On parle beaucoup de ce que la province de Québec ne fait pas pour gagner la guerre, mais pas assez de tout ce que la province de Québec a fait et fait encore depuis deux ans et demi que nous sommes en guerre. Il n'existe peut-être pas une seule partie du Canada qui ait joué un rôle aussi important dans notre effort national de guerre que la province de Québec. Son rôle a été splendide. »

Un des principaux lieutenants de Mackenzie King au Québec depuis la mort d'Ernest Lapointe, le ministre des Travaux publics et des Transports, P.-J.-A. Cardin, dans un discours radiodiffusé dans tout le pays quelques jours avant le plébiscite, insista lui aussi sur la distinction à faire entre la conscription et la question que posait le plébiscite du 27 avril.

« Le plébiscite ne vous demande pas d'approuver ou de désapprouver la conscription. Vous ne voterez pas pour ou contre la conscription. Vous voterez pour donner ou refuser à M. King ou à ses ministres, dans les heures tragiques que nous traversons, une autorité, une liberté semblable à celle que possèdent déjà les autres chefs d'État pour l'organisation méthodique et libre de l'effort de guerre commun. »

Cardin voulut rassurer la population sur le sentiment de son chef à ce sujet :

« M. King a, en effet, plusieurs fois déclaré à la Chambre et ailleurs, que pour le présent la conscription n'est pas nécessaire ; il a même dit qu'il croyait fermement qu'on n'aurait pas à l'imposer, parce que l'enrôlement volontaire suffit et que, peut-être, les circonstances présentes pourraient changer. »

Le danger de la conscription serait plus grand s'il fallait refuser de faire confiance à Mackenzie King tenta d'expliquer Cardin : « Certains adversaires de M. King lui reprochent de ne pas imposer tout de suite la conscription pour service outre-mer. Les circonstances l'exigent, disent-ils. Voilà le langage de ceux qui le remplaceraient si un jour, il sentait qu'il n'a plus la confiance de la grande majorité du peuple canadien.

« Personnellement, souligna Cardin, je n'abdique point la liberté d'exercer en temps et lieu mon jugement. Je reste et je veux rester libre de juger les faits et les recommandations qui pourraient plus tard être soumis par les aviseurs du gouvernement en matière militaire. Si, plus tard, un projet d'enrôlement forcé pour service outre-mer est soumis, les députés pourraient s'y opposer, s'ils le désirent et même offrir leur démission si cela leur plaît. »

Ce à quoi Maxime Raymond, qui militait pour le *non* répondit que l'expérience de 1917 avait démontré que la conscription avait été une faillite et n'avait été qu'une cause de désunion, alors que le volontariat en 1942 suffisait complètement au recrutement.

S'en prenant particulièrement à la déclaration de Mackenzie King selon laquelle répondre *oui* ne voulait pas dire l'imposition de la conscription, Raymond répliqua : « Ça ne veut pas dire nécessairement que vous l'aurez demain, mais ça veut dire que le dernier obstacle qui vous en séparait disparaît, que la porte est ouverte. Ça veut dire qu'elle ne tardera pas à venir et que comme vous aurez libéré de son engagement non seulement le gouvernement et le Parlement, mais aussi votre député, ce dernier sera autorisé à voter la conscription et vous ne pourrez pas vous en plaindre. »

Le Québec vote *non*
Que le fait de voter *oui* à la question posée par le plébiscite

du 27 avril 1942 ait été ou non un vote en faveur de la conscription ne change rien au fait que l'immense majorité des électeurs québécois a refusé de faire confiance au gouvernement Mackenzie King sur cette question et de lui signer, somme toute, un chèque en blanc comme il le désirait.

Le résultat ne peut être plus clair : 71 % des électeurs québécois ont voté *non*. Le fossé avec le reste du pays ne pouvait être plus clair non plus : 63 % des Canadiens avaient, eux, voté en faveur du *oui*, moyenne nationale qui aurait été plus élevée, n'eut été le vote massif du Québec en faveur de l'option contraire.

En effet, dans le reste du Canada, le *non* avait été majoritaire dans seulement trois circonscriptions du Nouveau-Brunswick, deux de l'Ontario, une du Manitoba et une de l'Alberta.

Il ne faisait aucun doute que le vote du Québec était anticonscriptionniste.

Mais comme devait le démontrer la suite des événements, si le Québec était opposé à la conscription, il n'était pas opposé à l'appui volontaire aux forces armées. Par la suite, l'appui participants du raid de Dieppe du 19 août 1942, à la campagne d'Italie de 1943 ou à celle de la libération de l'Europe à compter du 6 juin 1944 ne s'est pas démenti.

Comme l'écrivait *La Presse* le lendemain du plébiscite, la province de Québec « ne cesse d'être favorable à la participation du Canada au conflit, du côté des Alliés. Seulement, elle ne veut pas de la conscription pour service outre-mer ».

Le problème, c'est que l'institution de la conscription pour service outre-mer relevait, à compter du 28 avril 1942, du domaine militaire ; le gouvernement se trouvait délié de tous les engagements restreignant sa liberté et celle du Parlement quant aux méthodes de recrutement tant pour l'étranger que pour le territoire national.

« Certains semblaient craindre du chahut à l'occasion du plébiscite. Tout s'est passé dans l'ordre le plus parfait et c'est à l'honneur de nos populations. Souhaitons maintenant que cette consultation n'ait aucunement affaibli l'union des esprits et des volontés à travers le pays ! » écrivait l'éditorialiste de *La Presse*.

L'APRÈS-PLÉBISCITE

A ussitôt les résultats du plébiscite connus, « l'agitation pour la conscription grandit à Ottawa », comme le titrait *La Presse* à la une de son édition du 8 mai 1942. Un sous-titre précisait que le cabinet fédéral était en désaccord sur la question.

Selon le journaliste Norman MacLeod, de la British United Press, le ministre de la Défense national, J.L. Ralston, et le ministre de la Marine, Angus L. Macdonald, insistaient pour l'adoption immédiate de la conscription totale, tandis que d'autres ministres et le premier ministre du Canada William Lyon Mackenzie King lui-même, soutenaient que la question devait être préalablement soumise au Parlement.

Pour parer à la situation, l'Assemblée législative du Québec à la quasi-unanimité — 61 voix contre 7 — , l'opposition votant officiellement avec le gouvernement, adopta une résolution où ils se prononçaient contre la conscription pour service outre-mer et priaient le gouvernement fédéral de s'en tenir au volontariat tel qu'il était pratiqué jusque-là.

Plus précisément, le texte de la résolution adoptée par le Parlement québécois se lisait ainsi :

« Attendu que la province de Québec, par la voix de sa Législature, entend réaffirmer sa ferme détermination de continuer, à l'égard des autres provinces du pays, jusqu'à la victoire finale, l'effort de guerre fait depuis le début des hostilités ;

« Attendu que la *Loi sur la mobilisation* et le système de volontariat tel qu'établi depuis le début de la guerre ont tout deux donné des résultats dont l'efficacité a été reconnue encore récemment par les chefs politiques et militaires des divers pays alliés ;

« Attendu que, particulièrement, le système de volontariat garantit mieux l'étendue et l'efficacité de la production canadienne :

« Cette Chambre réitère l'indéfectible volonté de tous les membres de soutenir le meilleur effort de guerre possible, mais elle exprime le vœu que le gouvernement fédéral s'en tienne à sa politique de volontariat et n'impose pas la conscription pour outre-mer. »

La démission de P.-J.-A. Cardin

Trois jours plus tard, la tension politique était à son comble à Ottawa, lorsque Mackenzie King annonça au début de la séance de la Chambre des communes, la démission P.-J.-A. Cardin de son poste de ministre des Travaux publics et des Transports. Puis le premier ministre présenta en première lecture le projet de loi qui éliminait l'article 3 de la *Loi sur la mobilisation*, lequel empêchait le gouvernement de recourir à la conscription pour service outre-mer.

Les deux événements étaient liés parce que Cardin affirmait catégoriquement dans sa lettre de démission qu'il ne pouvait accepter « la nouvelle politique » adoptée par le gouvernement au sujet de la levée des recrues pour l'armée.

Mackenzie King, en acceptant la démission de Cardin, niait cependant que le gouvernement avait adopté une nouvelle politique.

Quoi qu'il en soit, aussitôt la nouvelle de la démission de Cardin annoncée, l'abrogation de l'article 3 de la *Loi de mobilisation* qui limitait au Canada le service militaire obligatoire fut proposée à la Chambre des communes par MacKenzie King lui-même.

Selon le correspondant parlementaire de *La Presse* à Ottawa, « la démission de l'honorable P.J.A. Cardin comme membre du cabinet fédéral menace d'avoir des répercussions considérables. Ainsi, hier après-midi, une quarantaine de députés libéraux de la province de Québec ont rencontré l'ancien ministre des Travaux publics et des Transports pour étudier la situation ».

À l'issue de la réunion, un communiqué fut remis aux journalistes disant que « la grande majorité des députés de la province de Québec qui ont appuyé le gouvernement jusqu'à date approuvent entièrement l'attitude énergique prise par l'honorable Cardin au sujet de la modification proposée par le gouvernement à la *Loi sur la mobilisation*, et que plusieurs députés venant des autres provinces sont aussi du même avis ».

Quant au ministre de la Justice, Louis Saint-Laurent, il écrivit la lettre qui suit à l'Association libérale de sa conscription de Québec-Est : « Je note votre protestation contre l'imposition de la conscription pour service outre-mer, et cela me fait voir que vous vous méprenez sur la portée véritable du *bill* présenté par le premier ministre. Il n'est nullement question pour le moment d'imposer la conscription pour service outre-mer et je suis sûr que le présent gouvernement n'y consentirait qu'en présence d'une nécessité absolue pour notre propre salut. Or, il reste aussi vrai que cela l'était pendant la campagne électorale et pendant la campagne du plébiscite, que la conscription pour service outre-mer n'est pas nécessaire dans le moment et ne le sera peut-être jamais. »

Dollard des Ormeaux et les héros d'aujourd'hui

Par ailleurs, tout comme l'année précédente, diverses personnalités du monde politique et militaire se rassemblèrent le 24 mai 1942 devant le monument de Dollard des Ormeaux, au parc La Fontaine, en profitant pour rendre hommage à la fois aux héros du Long Sault et « à ceux d'aujourd'hui ».

Prenant la parole à cette occasion, le brigadier-général Édouard de Bellefeuille Panet s'écria alors : « Non ! Quoi qu'en disent les isolationnistes, le peuple canadien-français ne veut pas se défiler à son devoir ! C'est insulter nos héros, c'est déchirer les plus belles pages de notre histoire que de nous représenter comme des embusqués qui refusent de se joindre à l'effort gigantesque des Nations unies.

« Je lance ici un appel pressant à tous nos vrais chefs de file, à tous les dirigeants des organismes vraiment représentatifs de notre vie professionnelle, économique et religieuse. Qu'ils couvrent bien vite de leur voix autorisée la lâche clameur des quelques défaitistes qui prétendent exprimer les sentiments de notre peuple. Qu'ils nous évitent la honte que nous ne méritons pas, qu'ils disent à nos compatriotes de langue anglaise et à nos alliés de ne pas douter de nous ; qu'ils donnent à tout notre peuple le mot d'ordre qui lui fera garder son courage et sa fierté. »

Pour sa part, le premier ministre du Québec, Adélard Godbout, alla encore plus loin, demandant à ce que l'effort de guerre continue malgré le *non* au plébiscite et s'en prenant aux « têtes chaudes » :

« La province de Québec a voté "*non*" au plébiscite, mais, ajouta Godbout, cela ne veut pas dire que nous ne sommes pas prêts à faire un effort de guerre complet et que nous ne désirons pas la victoire totale autant que qui que ce soit des pays démocratiques. Je demeure convaincu, au contraire, que tous mes compatriotes veulent la défaite de Hitler.

« Vu la gravité extrême de la situation actuelle au Canada, il est criminel même de parler de la possibilité de trouble, de révolte ou de guerre civile. Ne permettez pas à des têtes chaudes de parler soi-disant en notre nom lorsque des Canadiens d'autres provinces ne comprennent pas notre point de vue. J'ai confiance en la cause que nous défendons. Il y a malheureusement trop de gens qui parlent à la légère de la guerre et la croient encore éloignée. Or, si nous ne faisons pas tous nos efforts pour arrêter Hitler dès maintenant, il sera peut-être trop tard pour nous soustraire ensuite au sort que connurent tous les pays d'Europe qui l'ont attendu pendant des mois. Nous ne devons pas attendre que l'ennemi soit dans notre capitale. C'est la guerre du Canada et de chacun de nos foyers que nous subissons. Quand on sait comment Hitler traite les pays conquis, comment pourrions-nous espérer être mieux traités ? Il ne respectera sûrement pas plus nos familles que celles des pays aujourd'hui sous sa domination. »

Pas nécessairement la conscription, mais la conscription si nécessaire

Le 10 juin, s'adressant à la Chambre des communes, Mackenzie King employait pour décrire ses ambitions concernant la conscription la phrase ambiguë qui est passée à l'histoire depuis : « pas nécessairement la conscription, mais la conscription si nécessaire. »

Fort des résultats du référendum du 27 avril, MacKenzie King déclara que le cabinet déciderait du moment opportun d'appliquer la conscription pour service outre-mer, si la chose devait s'avérer nécessaire.

À un moment donné, Mackenzie King s'écria même : « Le gouvernement estime que la conscription n'est pas nécessaire à l'heure actuelle et qu'elle ne le sera peut-être jamais. » La guerre, affirma-t-il, n'avait pas encore atteint la phase où il était devenu urgent de dépêcher des conscrits outre-mer. Mais il précisa que la conscription « continentale » s'imposait immédiatement, devant la tournure des événements dans le Pacifique.

« Le gouvernement estime que la conscription pour service outre-mer n'est pas nécessaire à l'heure actuelle, et qu'elle ne le sera peut-être jamais. Mais, au cas où elle le deviendrait, le parti le plus sage est bien d'accorder au gouvernement le pouvoir de prendre les mesures voulues dès que le besoin s'en fera sentir.

« Le gouvernement estime que, à cette époque la plus critique de l'histoire du monde, il devrait, sous la seule réserve de sa responsabilité envers le Parlement et sans égard pour tout engagement antérieur, jouir d'une complète liberté d'agir selon qu'il le jugera utile d'après les nécessités du moment. »

À la suite de ce discours, *La Presse* décida quand même d'appuyer Mackenzie King au nom de la politique du moindre mal :

« Dans la province de Québec, nous ne cessons pas d'être contre la conscription ; nous n'en voulons pas. À nous dès lors d'appuyer fermement celui qui nous donnera le plus l'assurance qu'il l'éloignera.

« Il eût mieux valu que M. King se déclarât absolument contre la conscription. Cela eût été de nature à soulager la conscience de la province de Québec. Il n'a pas jugé à propos de le faire. Il demeure cependant l'homme en qui nos intérêts nous commandent d'avoir pleine confiance, qui offre la meilleure garantie de protection contre le service obligatoire. »

Pour sa part, le ministre des Services nationaux de guerre, J.T. Thorson, déclara à la mi-juin que « l'imposition de la conscription pour outre-mer en ce moment nuirait définitivement à notre effort de guerre ».

Thorson ajouta que le gouvernement avait décidé qu'il n'était pas dans les meilleurs intérêts de l'effort de guerre canadien d'imposer en ce moment la conscription pour service outre-mer. Selon lui, il n'y avait aucun signe indiquant que le volontariat avait failli.

Thorson avait précisé que la conscription ne saurait aider à produire des navires, des avions, des chars d'assaut et les autres machines ou munitions de guerre essentielles à l'usage de nos armes et des armées alliées. Au contraire, expliqua-t-il, comme elle aurait surtout pour objet de recruter des soldats destinés au service outre-mer, la conscription diminuerait probablement le rendement de nos usines.

« Le seul fait d'augmenter nos effectifs de l'armée expéditionnaire aux dépens d'autres exigences essentielles de la guerre n'aidera pas le Canada à accomplir un effort de guerre total. Les réserves humaines du pays doivent servir au mieux à atteindre les buts que nous nous proposons dans le présent conflit. Il n'y a pas de relations entre la conscription et un effort de guerre complet conclut Thorson. »

Le cardinal Rodrigue Villeneuve et la guerre sainte

Pour sa part, le cardinal Rodrigue Villeneuve et les autres évêques catholiques du Canada, dans une lettre pastorale conjointe, après avoir écrit que les Canadiens et leurs alliés étaient engagés dans une « juste guerre », rendirent hommage à ceux qui s'enrôlaient, se réjouissant qu'on réponde si généreusement à l'appel des armes.

« C'est sans étonnement mais avec une joie sincère et profonde, écrivent les évêques catholiques du Canada tout entier, le cardinal Villeneuve en tête, que Nous vous avons vus, Nos très chers frères, dès les premières heures du conflit, répondre si généreusement à l'attente de votre pays. Et ce sera, en vérité, une page glorieuse de notre histoire, que cet effort de dévouement, de vaillance et d'héroïsme que la présente guerre aura suscité chez notre peuple.

« Cet esprit de sacrifice et de dévouement trouve sa plus haute expression, il faut le reconnaître, chez ceux qui vaillamment s'enrôlent dans les armées, sur terre, sur mer et dans les airs. Une dette de gratitude nous oblige envers nos compatriotes dont le courage et la bravoure auront si admirablement servi le pays et l'humanité. Leur triomphe sur eux-mêmes est un gage de notre victoire finale ; leur loyauté honore notre nation ; leur fidélité au devoir est le boulevard de notre liberté. De jour en jour, on a lieu de s'enorgueillir davantage de leur constance, de leur courage devant les obstacles et dans les combats. Ils se montrent dignes du passé de notre jeune et valeureux pays. Dans leur volonté de vaincre ou de mourir, la force des héros fait battre leur cœur. Et les liens sacrés qui les attachent à tout ce qui leur est cher leur sont autant de motifs d'accomplir dignement leur rôle de défenseurs de notre liberté. Qu'en face du danger, ils se redisent avec Judas Maccabée : "Si notre heure est venue, mourons bravement pour nos frères, et ne laissons pas se ternir notre gloire : Qu'ils se souviennent que quiconque, soldat, marin, aviateur, civil, donne sa vie pour ses frères, s'il le faut, dans des dispositions de foi et par le zèle de la justice, atteint le plus haut degré de la charité."

« Et, puisque ce ne sont pas seulement les combattants eux-mêmes qui dans la guerre moderne assurent la protection et procurent le triomphe d'un pays, puisque, contre la guerre que préconisent nos ennemis, c'est aussi l'effort commun de tout le peuple qui doit se dresser, sachons aussi soutenir matériellement nos guerriers, soit par notre travail dans l'industrie ou l'agriculture, soit par notre dévouement aux services auxiliaires. Bien plus, notre participation aux emprunts de guerre, notre fidélité à accepter les diverses mesures d'épargnement et de rationnement, notre soumission aux mille contraintes qu'exigent la production, la défense civile et les nécessaires rétablissements d'après-guerre, seront tout autant de moyens efficaces de vous dévouer au salut public. D'ailleurs vous l'avez compris et pratiqué de grand cœur. »

Qu'on ne se laisse pas berner

Mais P.-J.-A. Cardin, ancien bras droit d'Ernest Lapointe au Québec, qui venait de démissionner de son poste de ministre pour protester contre ce qu'il considérait comme une volte-face du gouvernement Mackenzie King, affirma à la Chambre des communes qu'en présentant un projet de loi qui modifiait la *Loi sur la mobilisation*, le gouvernement mettait de côté ses promesses faites non seulement à la province de Québec mais au pays tout entier, même si, selon lui, le gouvernement n'avait pas démontré que les événements nécessitaient une telle mesure.

Rappelant les efforts que Lapointe et lui avaient faits pour ranger le Québec en faveur de la guerre, Cardin dit qu'ils avaient agi ainsi parce qu'ils avaient tous deux reçu l'assurance qu'il n'y aura pas de conscription pour service outre-mer et que l'enrôlement se ferait toujours sur une base volontaire.

Selon lui, donc, le gouvernement Mackenzie King avait trahi la province de Québec. On a fait, des tentatives pour apaiser le Québec et le réduire au silence, en lui promettant qu'il n'y aurait pas de conscription.

« Que l'on ne se laisse pas berner par ce qui est dit », s'écria Cardin. On nous dit que la conscription n'est pas nécessaire à l'heure présente. On ajoute qu'on veut seulement le pouvoir d'appliquer la conscription.

« On tente d'apaiser l'opinion publique dans ma province en affirmant la chose au peuple. Les journaux leur ont dit la même chose, de même que les postes de radio depuis trois semaines. On n'a cessé de dire : "N'ayez pas peur, on ne vous conscrira pas. On n'appliquera pas la loi. Ce n'est qu'un geste pour calmer certaines autres parties du pays."

« Le premier ministre avait dit que le plébiscite n'était pas un vote pour ou contre la conscription. Mais son premier geste à l'issue du plébiscite qui libérait le gouvernement de ses promesses anticonscriptionnistes a été de présenter un bill de conscription illimitée.

« Que personne ne se méprenne sur la situation. Lorsque l'article 3 du *bill* aura été abrogé, la loi du Canada comportera le service militaire obligatoire sur n'importe quel point du globe, sur n'importe quel théâtre de guerre, et cela peut s'accomplir en secret, puisque l'application du principe se fera par le décret du conseil des ministres. Il peut fort bien arriver que le décret du conseil forçant les jeunes gens du Canada à aller se battre n'importe où dans le monde soit tenu secret. C'est prévu dans la loi actuellement dans les statuts du pays, à l'article 5 de la *Loi sur la mobilisation*.

« Qu'aucun député ne se méprenne sur les conséquences du vote qu'il exercera sur cette mesure. Qu'il ne se laisse pas dérouter par ce qu'on lui a dit. Oh ! on nous dit bien que la conscription n'est pas nécessaire maintenant ; que nous n'avons pas besoin de conscription à l'heure actuelle ; qu'on ne sollicite que le pouvoir d'appliquer la conscription.

« On prétend que tel est le résultat du plébiscite, et cependant on nous a dit que la réponse au plébiscite ne constituait pas un vote pour ou contre la conscription. On a dit et répété sur tous les tons que le plébiscite ne signifiait pas la conscription. Comment se fait-il qu'à peine le résultat connu, à peine le scrutin dépouillé, on nous présente en cette Chambre un projet de loi comportant le principe de la conscription pour le service outre-mer ?

« Pourquoi donc, au cours de la campagne sur le plébiscite, alors que nous demandions au peuple canadien de relever le gouvernement d'une obligation morale, prétendant qu'il n'existait aucune restriction légale, que le gouvernement avait tous les pouvoirs d'imposer la conscription s'il le désirait, et qu'il s'agissait purement et simplement de le relever d'une restriction morale, pourquoi n'avons-nous pas dit aux électeurs du pays que le plébiscite signifiait la conscription ?

« Si nous étions animés de tels sentiments, pourquoi n'avoir pas eu la franchise de les faire connaître au public ? Pourquoi n'avons-nous pas demandé aux Canadiens de dire s'ils étaient en faveur, ou non, de la conscription ?

« Si nous avions confiance dans la population comme nous le devrions, nous n'aurions pas dû avoir peur de lui poser franchement la question sans chercher de faux-fuyants. C'était nos opinions. Nous devrions faire face au problème franchement. S'il était question de libérer le gouvernement d'une obligation légale qui n'existait pas apparemment au moment de la tenue du plébiscite, pourquoi ne pas avoir déclaré que le gouvernement désirait savoir si le peuple canadien était prêt à rayer l'article 3 de la *Loi sur la mobilisation* ?

« Non, la question était trop claire. Il nous a fallu recourir à un autre moyen et, après avoir soutenu qu'il ne s'agissait pas de conscription, on veut maintenant interpréter la réponse comme une approbation de la conscription.

« Nous avons affirmé pendant toute la campagne sur le plébiscite que le Parlement serait consulté, que toutes les décisions que le gouvernement prendrait le seraient à la lumière de sa responsabilité envers le Parlement, que le gouvernement adopterait un programme conforme aux besoins de l'heure et qu'il le soumettrait bien clairement aux Chambres, qu'il fournirait l'occasion aux représentants du pays de se prononcer sur les mérites de la conscription. Et maintenant que faisons-nous ? Nous ne procédons pas ainsi.

« Nous jouons maintenant sur les mots.

« Nous avons dit aux Canadiens : "Selon les besoins de l'heure, nous adopterons un programme plus tard."

« Voici ce qu'a dit le premier ministre, le 25 février dernier : "Plus tard, quand le besoin sera évident, quand tout le monde en verra la nécessité, à la lumière des renseignements fournis par les autorités militaires, le gouvernement prendra une attitude et viendra exposer au Parlement les raisons qui justifient l'attitude que prendra le gouvernement plus tard."

«Mais ce "plus tard" est aujourd'hui arrivé. Et quand on me dit que j'ai employé une mauvaise expression dans ma lettre de démission en disant qu'on avait adopté une nouvelle ligne de conduite, j'ai raison, dis-je, d'affirmer qu'il s'agit bien d'une nouvelle ligne de conduite, parce que nous n'avons pas respecté la parole donnée aux votants durant la campagne qui a précédé le plébiscite. Nous leur avons dit que nous donnions à "plus tard" le sens de "quand la nécessité s'en fera sentir". Voici que nous lui donnons maintenant le sens "d'aujourd'hui" et nous présentons une mesure législative tendant à faire disparaître tous les obstacles que comporte la loi existante. »

Ottawa pourra procéder quand bon lui semblera
Finalement, le 7 juillet 1942, c'est à une majorité de 104, en deuxième lecture, que la Chambre des communes adopta le projet de loi de Mackenzie King modifiant la *Loi sur la mobilisation des ressources nationales*, qui contenait le principe de la conscription pour service militaire outre-mer. Ce projet de loi devait prendre effet au plébiscite du 27 avril précédent.

Le gouvernement canadien devenait alors libre d'agir comme il l'entendait pour répondre aux besoins de la conscription.

Avant le vote, MacKenzie King laissa clairement entendre que les députés seraient appelés à enregistrer un vote de confiance au gouvernement, si jamais ce dernier imposait la conscription pour service outre-mer.

Fait digne de mention, trois députés canadiens-français, revêtus de leur uniforme, avaient voté contre la mesure, pour bien démontrer qu'on pouvait être militaire et officier de l'armée canadienne, sur une base volontaire, donc participer à l'effort de guerre, et s'opposer en même temps à la conscription. Il s'agit du capitaine Hugues Lapointe (fils d'Ernest Lapointe), député libéral de la circonscription de Lotbinière, du capitaine L.-D. Tremblay, député libéral de la circonscription de Dorchester, et du capitaine Armand Sylvestre, député libéral de la circonscription de lac Saint-Jean-Roberval.

À la suite de l'adoption de ce projet de loi, tous les célibataires jusqu'à l'âge de 40 ans devenaient mobilisables pour le service militaire obligatoire. Les veufs sans enfants de 40 ans et moins étaient également susceptibles d'être appelés sous les drapeaux.

Par ailleurs, les jeunes de 20 ans devenaient mobilisables. Jusque-là, seuls les hommes âgés de 21 à 35 ans pouvaient être conscrits. On se trouvait donc à étendre de six ans les classes mobilisables, puisqu'on pouvait conscrire les jeunes une année plus tôt et les plus âgés cinq années plus tard.

En troisième lecture, quelques jours plus tard, le gouvernement Mackenzie King faisait approuver finalement son projet de loi par la Chambre des communes à une majorité de 96 voix. Enfin, le 29 juillet 1942, le projet de loi était adopté au Sénat à une majorité de 36 voix, de façon à recevoir la sanction royale dès le début d'août.

Désormais, plus rien n'empêchait le gouvernement canadien de recourir à la conscription s'il le jugeait à propos.

DIEPPE : LA PAGE LA PLUS SANGLANTE ET LA PLUS CONTROVERSÉE DE NOTRE HISTOIRE MILITAIRE

L e massacre de Dieppe, le 19 août 1942, n'a pas fini de faire parler de lui. Je n'ai pas l'intention de reproduire ici l'ouvrage que j'ai déjà écrit sur le sujet. Mais sans reprendre la polémique que ce raid suicide a engendré, il convient de revenir ici sur le rôle joué par les Fusiliers Mont-Royal, seule unité francophone engagée dans cette bataille.

Un petit rappel toutefois. Le 19 août 1942 s'écrivait en lettres rouges la page la plus sanglante et la plus controversée de l'histoire de l'armée canadienne.

À tel point que le volume de la collection « *Ce jour-là* » des Éditions Robert Laffont consacré à cette date, a pour titre *Le sacrifice des Canadiens*.

Des 4 963 militaires canadiens de tous grades qui s'étaient embarqués moins de vingt-quatre heures plus tôt sur une plage anglaise, de l'autre côté de la Manche, pour participer à ce qui ne devait être qu'une simple opération de commandos, simple prélude au grand débarquement qui eut lieu deux années plus tard, seulement 2 211 revinrent en Angleterre. De ce nombre, 607 étaient blessés et 28 succombèrent par la suite à leurs blessures.

Par ailleurs, les forces alliées ont perdu plus d'avions le 19 août 1942 que n'importe quel autre jour de la Deuxième Guerre mondiale, y compris lors de la bataille d'Angleterre de 1940.

Lors du raid de Dieppe, 13 aviateurs canadiens trouvèrent la mort. Par ailleurs, pas moins de 62 aviateurs, membres de la Royal Air Force (RAF), perdirent la vie.

Enfin, aux pertes canadiennes et à celles de l'aviation britannique il faut ajouter les pertes nombreuses chez les marins britanniques et celles qu'ont pu connaître les commandos britanniques, américains et français libres, qui ont également participé à l'opération aux côtés des Canadiens.

Si la marine canadienne, à peu près absente, n'a eu qu'un seul homme tué à Dieppe, la marine britannique a vu 75 de ses hommes tués ou mort des blessures reçues à Dieppe et 269 autres sont disparus, présumément noyés ou faits prisonniers.

Les 1 075 commandos britanniques ont laissé 52 morts sur le terrain, les Américains, un seul. Il semble qu'aucun des 20 commandos de la France libre n'ait perdu la vie à Dieppe. Si l'on ajoute cependant les pertes subies par les Allemands, le 19 août 1942 constitue sûrement une des journées les plus cruelles de la Deuxième Guerre mondiale sur le front européen.

L'étendue du massacre crève les yeux si l'on considère que près de 2 000 des survivants n'ont pas débarqué sur le sol français. Ils ont donc été évacués sans avoir pu combattre. Seulement 500 hommes environ ont donc pu être tirés de l'enfer des plages principales, en face de la ville.

Pas moins de 1 994 officiers et soldats canadiens, dont 558 étaient blessés gravement, furent faits prisonniers. Ils doivent passer trois années dans les camps de concentration nazis.

En fait, au cours d'une opération qui dura à peine neuf heures, plus de soldats canadiens ont été faits prisonniers qu'au cours des onze mois de la campagne subséquente dans le sud-ouest de l'Europe ou que durant les vingt mois de combats en Italie. Jamais l'armée canadienne n'avait subi, ni n'a subi par la suite, pareil désastre.

Sur les 584 Québécois, membres des Fusiliers Mont-Royal à avoir participé au raid, 513 furent tués, blessés ou faits prisonniers. Des 7 principales unités engagées, seuls les Fusiliers Mont-Royal ramenèrent leur commandant en Angleterre. Et encore, celui-ci, le brigadier-général Dollard Ménard, alors lieutenant-colonel, était-il grièvement blessé.

On sait maintenant que le général Andrew G.L. McNaughton, à qui le général Bernard Montgomery fit part du plan de l'opération pour la première fois le 30 avril 1942, prit sur lui seul de permettre l'opération. C'est donc à lui que revient la responsabilité d'avoir permis le raid et d'avoir considéré qu'il avait assez de chances de succès pour y engager la 2ᵉ division canadienne.

La simple lecture de la correspondance envoyée à l'époque par les militaires canadiens à leur famille suffit cependant pour comprendre que ceux-ci, croupissant depuis des mois en Angleterre, auraient été très insultés si on ne les avait pas employés pour une opération de cette envergure.

En Angleterre depuis un an ou plus, les Canadiens en avaient assez de cette vie de garnison et voulaient participer à un raid qui, croyaient-ils, aiderait à hâter la fin du conflit.

Ce que bien peu de gens savent, c'est que le raid du 19 août 1942 avait été précédé d'un raid avorté le 8 juillet et que le secret de l'opération avait, par conséquent été éventé.

Par ailleurs, les 11 et 12 juin, sur une étendue de la côte britannique ressemblant à la plage de Dieppe, on avait exécuté un exercice d'envergure qui n'était en fait qu'une avant-première du raid. Les résultats étant loin d'être satisfaisants, on en organisa un deuxième au même endroit du 22 au 24 juin et, cette fois-ci, les résultats furent plus convaincants.

Originellement, le raid devait avoir lieu le 4 juillet ou l'un des jours suivants. Mais le mauvais temps força l'annulation du raid à ces dates, bien que des milliers de gens aient été dans le coup. Le maréchal Bernard Law Montgomery estima donc qu'il était impossible de garder le secret et recommanda de contremander le raid définitivement, mais le haut commandement passa outre à ses réserves.

On connaît la suite : le 19 août, les soldats canadiens débarquèrent à Dieppe et coururent à l'abattoir.

Dollard Ménard se raconte
Dans un texte publié dans *The Yale Review* en mars 1943, le lieutenant-colonel Dollard Ménard raconte ce qui suit :

« Je suppose que vous avez une idée d'en quoi consistait le raid de Dieppe. En fait, il ne s'agissait que d'un simple raid de commandos, mais à une échelle plus large que tout ce qui avait été tenté auparavant. Chaque unité avait son propre programme pour débarquer, accomplir la tâche qu'on lui avait assignée puis réembarquer à l'heure fixée, avec le moins de pertes possibles.

« Officiellement, mon unité, les Fusiliers Mont-Royal, un bataillon d'environ 600 hommes, s'était vu confier la tâche de débarquer sur la plage de Dieppe, aider à couper les barbelés et débarrasser la plage des nids de mitrailleuses et des parapets qui s'y trouvaient et ramener le plus de prisonniers possibles afin que l'on puisse recueillir le plus de données possibles sur les forces ennemies en présence.

« Vous savez ce que Dieppe a l'air. Des rochers escarpés — comme à Douvres — à droite et à gauche de la ville, avec une plage de galets au centre. Nous avions pour mission de débarquer sur cette plage du centre.

« Nous savions au départ que cela ne serait pas facile. Les photos aériennes prises par nos avions de reconnaissance nous avaient clairement indiqué que la plage était recouverte de nombreux barbelés, de parapets et de nids de mitrailleuses de gauche à droite de la plage, ce qui voulait dire qu'on aurait à faire face à un feu nourri. Les photos de reconnaissance qu'on nous avaient montrées faisaient également état de nombreuses pièces d'artillerie et de canons anti aériens, sur les falaises surmontant la ville. »

Interrogé en 1982, à l'occasion du quarantième anniversaire du raid de Dieppe, le brigadier-général Ménard, alors retraité parla de la situation curieuse vécue en débarquant :

« Nous avons dû débarquer dans l'eau à plusieurs verges du bord, la vague refusant de nous pousser plus loin. Et tâcher de faire le mort. On faisait de notre mieux pour se protéger la tête contre les éclats de mortier qui nous tombaient dessus et on savait pertinemment qu'au moment où on débarquerait, il y aurait déjà des milliers de nos camarades qui seraient soit morts, soit blessés. D'ailleurs, l'eau de la mer autour de nous, à quelques pieds de la rive, était rouge et il ne faisait aucun doute qu'il s'agissait du sang des Canadiens descendus avant nous. C'est un souvenir macabre qui restera présent à ma mémoire tant que je vivrai.

« En mettant le pied sur la plage, j'ai aperçu une poignée de soldats, étendus sur le sol, la tête tournée vers les parapets, comme s'ils attendaient l'ordre de bouger. Effectivement, je voulais qu'ils passent à l'action, mais ils ne bougeaient pas. Alors, j'ai rampé jusqu'à l'un d'eux, je l'ai secoué, lui ai parlé, mais il ne répondait pas. Il était mort. J'ai recommencé avec quelques autres, en vain. Ils étaient tous morts.

« Nous n'avions aucun couvert pour nous protéger du feu ennemi. On ne pouvait pas creuser de trous dans les galets. Il n'y avait vraiment aucun moyen de nous protéger. Nous étions soumis au feu croisé des soldats ennemis qui nous canardaient des falaises des deux côtés de la plage et des maisons faisant face à la plage. De quelque côté que nous nous tournions, l'ennemi faisait feu sur nous. On ne pouvait même pas décider de faire demi-tour et de retourner à la mer. Nous étions vraiment condamnés. En fait, c'est comme si nous étions déjà morts avant que le feu ennemi nous ait tués. »

L'expérience du lieutenant-colonel Ménard fut la même vécue par des milliers d'autres d'un bout à l'autre de la plage, sauf que nombreux sont ceux qui, contrairement à lui, ne revinrent même pas pour la raconter.

Malgré tout, quelques hommes des Fusiliers Mont-Royal, dont celui qui devint plus tard le capitaine Lucien Dumais, alors sergent-major, ainsi que quelques éléments du Royal Hamilton Light Infantry, réussirent à pénétrer dans le casino et les rues avoisinantes. Mais ils ne pouvaient rien y faire sans l'appui des chars ou de l'artillerie et ils durent, eux aussi, retraiter sur la plage.

Même ceux qui avaient survécu à l'enfer n'auraient pas pu s'échapper. Ils étaient trop nombreux pour les quelques barges de débarquement en bon état qui restaient encore. Plusieurs barges coulèrent d'ailleurs à cause de la charge trop lourde. Plusieurs hommes furent abattus en tentant de s'accrocher aux barges, d'autres se noyèrent, cela fut horrible. Plusieurs corps flottèrent longtemps sur l'eau.

Sur la plage, ceux qui restaient durent se résigner à se rendre.

Le 15 octobre 1942, près de deux mois après le raid, le lieutenant-colonel Ménard, participant à une grande cérémonie militaire au parc La Fontaine de Montréal, déclara : « On me posait aujourd'hui la question : Quelles étaient vos pensées au moment où vous traversiez la Manche pour vous rendre à Dieppe ? Cette question, qui peut paraître étrange, est parfaitement humaine. Nos dispositions prises, nous avons eu le temps de réfléchir en cette nuit du 18 août.

« Nous songions à la France, courbée sous le joug allemand. Nous songions aux femmes, aux mères désespérées, aux enfants à qui les nazis arrachent le pain de la bouche ; nous songions aux Français, devenus esclaves ; nous songions que le prix d'une capitulation est infiniment plus grand que le prix de la victoire. Nous songions à nos mères, à nos femmes, à nos enfants. Nous savions que certains d'entre nous ne reviendraient pas. Mais nous étions convaincus que la cause sacrée que nous défendions vaut bien le sacrifice de notre vie. Ces pensées vers les nôtres, la conviction que nous allions nous battre pour eux, pour notre pays, pour la liberté, le plus cher de tous les biens affermissaient notre détermination. Sous le couvert d'une blague, on pouvait déceler chez quelques-uns une partie de nostalgie qui devait, quelques minutes plus tard, inspirer les plus hauts faits d'armes. »

Parlant de ses hommes, le lieutenant-colonel Ménard ajouta : « Ils avaient la tête dure. Normalement, j'en aurais eu peur. Mais sous le feu de l'ennemi, ils sont admirables. Le fusil d'une main et souvent une mitraillette dans l'autre, ils foncent dans le tas. Ils voyaient tomber leurs amis, mais ils ne s'arrêtaient pas. Comme on dit chez nous, du cœur au ventre, ils en avaient. »

Enfin, en fouillant dans ses papiers personnels, le brigadier-général Ménard m'a personnellement prêté, il y a quelques années, un compte-rendu de sa main publié le 1er janvier 1944. Voici la traduction approximative de ce témoignage, qui avait d'abord été publié en anglais :

« Les 50 dernières verges avant le rivage furent les pires. Nos barges de débarquement étaient assez proches de la rive pour tomber directement sous le feu des canons nazis. Je sentais ma gorge se serrer. Je voulais faire quelque chose, me battre, et j'étais condamné à être immobile dans cette maudite barge.

« Dès que la barge eût accosté, j'ai sauté à terre et je me suis mis à suivre les sapeurs à travers les barbelés. Mon premier objectif était de me rendre à un parapet à quelque 100 verges du début de la plage.

« Je pense que je n'avais fait que trois pas lorsque je fus atteint par une balle pour la première fois. On dit toujours qu'on est atteint par une balle. C'est faux. C'est une erreur. Une balle vous frappe en plein fouet, comme un coup de marteau. En premier, vous ne sentez pas la douleur. Ça vous ébranle tellement que vous ne savez plus trop quoi vous a frappé, ni où vous êtes atteint.

« La première balle qui m'a touché m'a atteint à l'épaule droite et précipité par terre. Un de mes hommes a voulu se porter à mon secours, mais je lui ai crié : "Continue, je suis indemne." Je ne sais pas pourquoi j'ai dit ça, j'ignorais moi-même si j'étais touché ou non et où.

« Je me suis mis à chercher ma trousse de premiers soins avec ma main gauche, puis je me suis dit : "comment diable vais-je m'y prendre pour faire un bandage ?" Pendant tout ce temps, j'étais étendu sur la plage, exposé au feu de l'ennemi. C'est alors que je fus atteint une deuxième fois et là j'ai eu l'impression d'éclater de partout et je me suis demandé si j'étais encore tout d'un morceau. Mais le geste inutile de chercher à me servir de ma trousse de premiers soins m'a fait reprendre mes esprits.

« C'est là que mon entraînement et mon sens de la discipline ont repris le dessus. N'importe quel homme non entraîné qui se serait retrouvé sur cette plage aurait tout de suite pensé à creuser un trou pour s'abriter. Mais les blockhaus ennemis continuaient à tirer et j'ai vite compris qu'on se devait de les neutraliser si on ne voulait pas se faire tous massacrer. J'ai donc décidé d'essayer de les contourner avec mes hommes.

« La deuxième balle m'a atteint à la joue droite, déchirant ma joue pas mal. Avec ma main, j'y ai touché. C'est l'une des choses curieuses que l'on fait quand l'on est atteint par une balle. Il faut toujours que l'on touche la blessure.

« On continua donc d'avancer vers le blockhaus tout près. Un de mes bons amis, un major, a alors été atteint d'une balle dans l'estomac. Je me suis arrêté à son chevet et je lui ai donné une tablette de morphine pour tuer la douleur, puis j'ai continué mon chemin.

« Ma tâche consistait à diriger les opérations de mon unité. Jusque-là, je n'avais pas eu le temps de céder à la rage, mais en voyant mon ami étendu sur la plage avec un projectile dans le ventre, je devins aveugle de colère. Tout ce que je voulais, c'était alors de tuer de mes mains le plus d'ennemis possible. J'eus à me contrôler pour continuer à diriger mes troupes plutôt qu'à me mettre à tirer partout dans le tas.

« C'est en gagnant le parapet que j'ai été atteint pour la troisième fois, cette fois-ci au poignet droit. Normalement, une balle de puissant calibre éclatant dans votre poignet est censée vous renverser complètement, mais pour une raison inexplicable, je réussis à continuer d'avancer.

« En une heure, nous avons pris le contrôle de la plage. Mais il y avait encore quelques francs-tireurs allemands dissimulés ici et là et l'un d'eux m'a atteint alors que je tentais de quitter la plage et me rendre aux abords de la ville. Cette fois-ci, il m'atteignit à la jambe droite, au-dessus du genou. Malgré tout, j'étais encore désireux de gagner les rues de la ville que certains de mes hommes commençaient à infiltrer.

« La dernière balle m'atteignit juste au-dessous de la cheville droite, me clouant au sol définitivement. Là, je ne ressentais plus vraiment la douleur et je priais de plus en plus fort.

« Plus tard, quelques-uns de mes hommes m'ont ramassé et traîné jusqu'à une barge revenant en Angleterre. Mais à bord de la barge, une couple de bombardiers essayèrent de nous couler et je m'aperçus qu'on m'avait étendu sur des caisses de munitions. Mais je me dis quand même : "que le diable les emporte." Ils n'ont pas encore réussi à m'avoir et ils ne m'auront pas.

« Le plus amusant, quand on y pense, c'est quand un marin qui m'avait donné une ration de rhum revint à moi tout inquiet pour me demander si j'avais été blessé à l'estomac. Parce que, dit-il, si tel avait été le cas, le rhum qu'il m'avait donné pouvait être fatal et d'avance, il s'en excusait. J'ai alors éclaté d'un fou rire, jusqu'à ce que la douleur reprenne le dessus.

« Voyez-vous, je savais que malgré mes cinq blessures, j'avais réussi à m'en tirer, et j'en tirais une grande satisfaction.

« Je suppose que, maintenant que j'ai été décoré de l'Ordre du Service distingué (DSO) pour bravoure, je suis maintenant ce qu'on appelle un héros ou un brave. Mais je me demande encore ce qui a pu faire de moi un héros et même en quoi consiste exactement la bravoure ou l'héroïsme.

« Je crois néanmoins que ma bravoure ou mon héroïsme si bravoure ou héroïsme il y a repose sur quatre éléments.

« Le premier, c'est ma nature optimiste ou mon enthousiasme.

« Le deuxième, c'est mon sens de la discipline et l'entraînement rigoureux que j'ai suivi dans l'armée.

« Le troisième, surtout après avoir été blessé et avoir vu certains de mes camarades tomber, c'est le goût de la revanche, l'esprit de vengeance.

« Quant au dernier, c'est le refus de la fatalité, que je ne peux exprimer autrement que par ces mots en pensant à l'ennemi : "Qu'ils aillent au diable !" »

La citation accompagnant la décoration accordée au lieutenant-colonel Ménard est on ne peut plus claire : « Cet officier a fait preuve des plus hautes qualités de courage et de leadership. Il servit dans la meilleure tradition de l'armée et constitua un objet d'inspiration pour tous les hommes de son bataillon. »

L'héroïsme du sergent Pierre Dubuc

Le lieutenant-colonel Dollard Ménard ne fut évidemment pas le seul héros des Fusiliers Mont-Royal ce jour-là. Beaucoup y perdirent la vie, comme mon père, le lieutenant André Vennat. D'autres, comme le sergent Pierre Dubuc, s'illustrèrent par leur bravoure.

Dubuc a raconté à la British United Press qu'il avait été fait prisonnier avec une douzaine d'autres Québécois et que les Allemands les avaient déshabillés ne leur laissant que leurs caleçons, puis adossés à un mur où un sous-officier les tenait en joue avec un fusil mitrailleur.

C'est alors que Dubuc et ses camarades furent laissés à la garde unique d'un jeune soldat allemand, pendant que les autres militaires ennemis s'éloignaient. Dubuc en profita pour demander à l'Allemand s'il parlait français. Et lorsque celui-ci lui dit : « un peu », il lui demanda à boire.

Le soldat allemand se retournant pour voir où il pourrait trouver de l'eau, les 13 Québécois lui tombèrent dessus, le désarmèrent et prirent la fuite sur la plage.

Selon Dubuc, c'est là qu'il vit le lieutenant-colonel Ménard gisant sur la plage et qu'il l'a ramené jusqu'au bâtiment de rembarquement sur son dos. Les 13 hommes, pieds nus, étaient tellement désireux de s'enfuir, qu'ils n'ont même pas eu mal aux pieds en marchant sur les galets de la plage.

Auteur de *One Soldier's Story*, Dubuc devint pendant un certain temps une vedette de la presse britannique. Selon ce que Dubuc raconte, c'est en se sauvant avec ses camarades qu'il aperçut le lieutenant-colonel Ménard, blessé, mais encore conscient. Ménard lui aurait alors même dit : « je reste ici tant que le dernier homme n'aura pas quitté la plage. » Et ce malgré le fait qu'un capitaine eût donné l'ordre à tout homme valide d'évacuer les lieux.

Dubuc répliqua à Ménard : « C'est impossible, monsieur. Vous devez venir avec nous. » Dubuc souligna qu'âgé de 29 ans, Ménard était très costaud et que cela ne fut pas facile pour le caporal Robert Bérubé et lui de le porter, ce qu'ils firent néanmoins, le blessé étant alors inconscient.

Le terrible dilemme du sergent-major Lucien Dumais

Un autre héros de Dieppe, Lucien Dumais, que j'ai rencontré à quelques reprises, et qui était sergent-major dans les Fusiliers

Mont-Royal lors du raid, a publié ses mémoires en 1968, aux Éditions France-Empire, à Paris, sous le titre d'*Un Canadien français à Dieppe*.

Vingt-cinq ans après Dieppe, Dumais écrit donc : « Beaucoup d'entre nous sont restés sur le sol de Dieppe et y dorment maintenant à jamais, entourés de la sollicitude des Dieppois qui les fleurissent comme des êtres chers. Mais pas un seul n'est mort sans avoir fait payer lourdement le prix de sa vie à l'ennemi, car ses pertes furent considérables, et les Allemands qui se sont battus à Dieppe ont dû reconnaître que les nôtres n'avaient qu'une idée : les approcher d'assez près pour les exterminer. »

Un peu plus loin dans son récit, Dumais démontre bien que pour les Fusiliers Mont-Royal, le combat ne fut pas une partie de plaisir. « Nous apercevons les blessés et morts qui jonchent la grève. Quelques blessés essaient de nager pour rejoindre les embarcations. Beaucoup perdent leur sang en abondance, rougissant l'eau environnante. Plusieurs d'entre eux, après des efforts désespérés, perdent connaissance et se laissent couler. Nous assistons, impuissants, les dents serrées de rage à ce spectacle ! Nous garderons longtemps le souvenir atroce de nos camarades mourants, se noyant sans secours, et de ces visages défigurés par la douleur et le désespoir, disparaissant à jamais dans les flots ! Il n'est pas possible de leur porter secours, nous ne sommes pas là pour ramasser les blessés, mais pour nous battre. »

Mais, ajoute Dumais « chacun, j'imagine, s'habitue à se faire tirer dessus, les officiers et sous-officiers doivent reprendre les hommes en mains et organiser le tir. Chose affreuse, personne ne peut s'occuper des blessés. Ils sont laissés là où ils tombent. Beaucoup meurent sans soins ».

Dumais, quant à lui, fait partie des hommes qui ont réussi à fuir la plage et s'emparer du Casino puis à pénétrer dans les premières rues de la ville de Dieppe. Mais tout cela ne sert pas à grand chose.

Après avoir été un des meneurs de la capture du Casino et des combats dans le secteur avoisinant, Dumais tenta, comme les autres, de regagner l'Angleterre à bord des barges de débarquement. Malheureusement pour lui, au moment même où il tente de se hisser à bord, le bateau commence à reculer.

« J'ai toujours pensé par la suite que je me devais d'avoir la vie sauve qu'au magnifique entraînement que l'on m'a fait suivre. Peut-être, tout simplement aussi, la mort ne voulait-elle pas de moi à cette heure ? Épuisé par les combats, ayant perdu connaissance dans l'eau, en ayant avalé une certaine quantité, mon équipement attirant et me retenant au fond de l'eau, il est incroyable que j'aie pu sortir d'une pareille situation ! Je dois mon salut aux réflexes qui me font continuer inconsciemment les mouvements de natation et aussi au courant qui me porta vers la grève. »

Tous les soldats des Fusiliers Mont-Royal ne connurent pas les aventures de Dumais qui, une fois revenu à la plage, puis capturé, s'évada et réussit à regagner l'Angleterre, exploit quasi incroyable qui lui valut d'être promu capitaine et versé à l'Intelligence Service. Mais même si peu de ses camarades survivants ont eu la verve et le talent de raconter comme lui leurs aventures, les remarques que Dumais fait sur l'entraînement subi, sur les réactions des hommes face au danger et leur désir de se battre sont valables pour tous et, de ce fait, fort éclairantes.

Par exemple, Dumais raconte le dilemme des hommes abandonnés sur la plage de Dieppe, face à leur devoir, lorsque vint le moment de décider s'ils se rendraient ou non, une fois qu'ils eurent pris conscience que les navires avaient regagné le large, et qu'ils n'avaient donc plus aucun espoir de revenir en Angleterre.

Dumais avait en effet pris sur lui d'organiser la position défensive sur la plage. C'est pourquoi c'est à lui qu'un capitaine du corps médical s'adressa pour lui dire qu'il fallait se rendre pour éviter que les blessés ne soient noyés par la marée montante. L'officier-médecin, bien sûr, ne lui donna pas l'ordre de capituler, mais un simple conseil dont l'implication était évidente.

« C'est une décision terrible à prendre ! », écrit Dumais. « Nous devions combattre jusqu'au dernier homme et au dernier souffle de vie. Nous sommes venus nous battre de bien loin et toutes nos pensées ont porté vers ce but depuis trois ans. Maintenant, voilà qu'en ma présence, on parle de reddition, et je n'abats pas celui qui ose proférer ces paroles !

« Nous avons des armes et des munitions en quantité suffisante pour empêcher l'ennemi de nous approcher et nous avons réussi jusqu'à présent à le tenir éloigné ! Il est vrai qu'il n'a pas fait d'efforts particuliers pour nous attaquer.

« Maintenant que l'ennemi va avoir le temps d'analyser la situation, nous pouvons nous attendre à une attaque en règle ! Lorsqu'il découvrira les points morts de notre tir, il pourra progresser facilement et ce sera la bataille à coups de grenades et de mitraillettes !

« Nous pourrions tenir ainsi un certain temps, mais la marée va monter inexorablement, noyer nos blessés et nous, ensuite.

« A quoi cela nous servirait-il d'ailleurs ? Tenir quelques heures de plus ? Pour la gloire ? Personne n'en saura même rien ! Pour l'honneur ? Mais où est l'honneur ? Est-ce que l'honneur exige la vie de nos blessés ? Ou est-ce ma fierté de soldat qui penserait devoir l'exiger ?

« Pour ma part, je suis prêt à mourir les armes à la main. Mais mon devoir me dit également que je suis responsable de la vie de mes hommes et que je ne dois donc pas la sacrifier inutilement.

« Le médecin-capitaine m'a laissé un peu de temps pour réfléchir, mais, comme s'il connaissait d'avance ma décision, il a déjà préparé un grand bandage blanc fixé à un bâton.

« Il me presse maintenant :

— Sergent-major, nous n'avons plus beaucoup de temps ! Si nous ne prenons pas une décision rapide, ce sera trop tard pour nos blessés !

« Je lâche alors les mots fatidiques presque malgré moi :

— Oui, monsieur, nous nous rendons !

« Les mots terribles ont été prononcés. Je n'aurais jamais pensé qu'un jour viendrait où je les formulerais ! Je n'ai jamais soupçonné au cours de ma vie que je devrais un jour me rendre ainsi. Je m'interroge alors. Est-ce mon devoir qui me fait agir ainsi, ou bien la peur ? Oui, j'ai peur certes ! Mais j'ai peur de tomber aux mains de l'ennemi, et non pas peur pour ma peau ! J'ai peur d'avoir à vivre avec ma conscience après m'être rendu au premier engagement !

« Enfin, puisque c'est mon devoir de me rendre, je le ferai jusqu'au bout. Ce serait trop facile de laisser l'officier médical montrer le drapeau et de dire ensuite que c'est lui qui a capitulé. Je ramasse alors un fusil avec sa baïonnette montée, et j'y fixe mon mouchoir plutôt jaune que blanc, en pensant que je n'ai même pas la possibilité de me rendre sous un drapeau blanc, mais sous un chiffon jaune, couleur de la lâcheté ! »

Le cauchemar des prisonniers

Ceux qui furent faits prisonniers et ne purent s'évader comme Dumais vécurent trois années d'enfer. En 1982, à l'occasion du quarantième anniversaire du raid de Dieppe, j'avais rencontré deux de ceux qui avaient été faits prisonniers à Dieppe, Georges Giguère et Raymond Geoffrion, alors respectivement président et secrétaire de l'Association des prisonniers et anciens combattants de Dieppe.

Giguère et Geoffrion ont été prisonniers des Allemands pendant trente-quatre mois. Les histoires d'horreur qu'ils avaient à raconter faisaient dresser les cheveux sur la tête. Et pourtant, déploraient-ils, leurs souffrances sont oubliées de la population en général, quand elles ne sont pas ridiculisées.

« Cela ne s'oublie pas » m'avait confié Geoffrion. « Après 40 ans, j'en fais encore des cauchemars. » En fait, comme me l'a expliqué Giguère, tous ceux qui ont vécu cette expérience, il y en a eu 1 500 à Dieppe, n'oublieront jamais et font tous des cauchemars.

Pendant des mois, les prisonniers n'ont eu pour seule nourriture qu'une tasse de thé à la menthe le matin, un bol de soupe nauséabonde le midi, du pain noir et quelques pommes de terre le soir. Plus quelques paquets de la Croix-Rouge.

Pendant cinquante-quatre jours, les prisonniers ont été attachés de telle façon qu'ils devaient se rendre à la toilette par groupes de 10, tous attachés ensemble, un camarade devant leur baisser le pantalon pour qu'ils puissent faire leurs besoins élémentaires. Ils avaient été amenés par train jusqu'en Allemagne, par groupes de 50, entassés dans des wagons de chemin de fer, parmi lesquels se trouvaient des blessés. Presque rien à manger. Un bassin au milieu du wagon de fret servait à amasser leurs excréments. Comment oublier une telle horreur ?

Après les cordes, ce furent les chaînes pendant quatorze mois, avec heureusement une plus grande liberté de mouvement. Puis les camps de travail dans le nord de l'Allemagne. « Nous évader, pour aller où ? Nous étions en Allemagne, amaigris, avec tout un peuple pour nous surveiller. Encore aujourd'hui, on ne veut pas frayer avec les Allemands. Ce qu'ils nous ont fait, ça ne s'oublie pas. »

Giguère rappelle qu'au début les prisonniers ont été enfermés dans un camp où s'entassaient des milliers d'hommes de toutes les nationalités. Ce n'est qu'en avril 1945 que certains, comme lui, réussirent à gagner les lignes américaines. D'autres furent libérés peu après. Ils ne revinrent au pays qu'à l'été 1945, malades et souvent traumatisés.

Une fois libérés, les anciens prisonniers ont réappris à vivre. Le grand père de Giguère avait participé à la guerre des Bœrs. Son père avait participé à la guerre de 1914-1918. Il apparaissait donc normal à Giguère de prendre part à celle de 1939-1945. Ces anciens combattants trouvaient d'ailleurs honteux, lorsque je les ai rencontrés en 1982, qu'on revalorise aujourd'hui au Québec ceux qui « se sont cachés dans les bois » ou ceux qui ont fait plus d'argent qu'eux dans les manufactures, sans risque, en plus de leur voler souvent leur « blondes », pendant qu'eux croupissaient dans les camps de prisonniers en Allemagne.

D'après ce que l'on a su par la suite, les sévices endurés par les prisonniers canadiens de Dieppe sont attribuables à la capture, sur le champ de bataille, d'un des seuls exemplaires du plan détaillé de l'opération alliée. Or, dans ce plan, il est clairement indiqué que vu la brièveté de l'opération, on recommandait aux commandos, s'ils faisaient des prisonniers allemands, de leur lier les mains, ce qui est contraire à la convention de Genève.

Que les intentions des Canadiens aient été malicieuses ou non et que la mesure n'ait été que temporaire et que les commandos aient eu l'intention de détacher les mains de leurs prisonniers dès qu'ils auraient quitté la plage pour l'Angleterre n'y change rien. C'est en guise de représailles contre cet ordre malencontreux du haut commandement canadien, que l'état-major allemand sévit contre les centaines de prisonniers canadiens.

Un héros obscur que je ne suis pas prêt d'oublier

Pour terminer ce chapitre sur le raid de Dieppe, on me permettra de citer des extraits d'un texte paru en août 1949 dans *La Presse*, à l'occasion du septième anniversaire de la bataille de Dieppe, sous la signature du capitaine Maurice-G. Allard, autrefois des Fusiliers Mont-Royal :

« Je profite de l'occasion pour dire un mot sur un héros obscur de cette guerre. Un de mes grands amis, il était marié à une très charmante Montréalaise et père de deux bambins. Propriétaire d'un commerce prospère en 1939, il s'enrôla dès le début des hostilités afin de défendre ses principes. Cet homme détestait l'armée et ses règlements, cet homme ne vivait que pour sa famille et ne cessait de nous en parler. Cet homme avait un commerce des plus florissants qui lui assurait un avenir très brillant ; toutefois, par devoir, il s'enrôla et fut tué lors du raid de Dieppe. Malgré tout ce qui le retenait ici, malgré son dégoût pour le militarisme, il donna bravement sa vie pour son pays, voici un vrai héros !

« Lieutenant André Vennat, vous êtes pour moi le plus grand héros que j'aie rencontré. »

Ce héros obscur, à qui le capitaine Maurice-G. Allard rendait ainsi hommage, c'était mon père !

LA NATION TOUT ENTIÈRE PLEURE
SES ENFANTS DISPARUS

Encore plus que la chute de Hong Kong, qui entraîna pourtant dans la captivité ou la mort en décembre 1941 plusieurs centaines de Québécois, membres du Royal Rifles of Canada, c'est le raid de Dieppe qui plongea le Québec, et plus particulièrement Montréal, dans le feu de la guerre.

Était-ce parce que cette fois-ci tout un régiment canadien-français avait été envoyé dans le feu de l'action et en était revenu au bout de quelques heures seulement, décimé, avec des dizaines de morts, des centaines de blessés et de prisonniers ? Était-ce parce qu'il s'agissait d'officiers et d'hommes de chez nous, dont beaucoup faisaient partie de familles « avantageusement connues », comme on avait alors l'habitude de dire ?

Ou encore était-ce parce qu'au lendemain du *non* retentissant du Québec au plébiscite sur la conscription, un grand nombre de Québécois se sentaient culpabilisés par le sort affreux des membres des Fusiliers Mont-Royal, tous volontaires ?

Ou encore est-ce parce que la population se rendait compte instinctivement après trois années d'une guerre qui faisait rage ailleurs dans le monde et qu'elle avait suivie le plus ou moins distraitement parce que peu concernée que le conflit la toucherait dès lors plus directement et qu'il ferait de nombreuses victimes dans des familles de chez nous, parmi des gens qu'elle connaissait ?

Désormais, de gré ou de force la guerre faisait partie de la vie quotidienne des Québécois.

Mais en même temps, l'héroïsme des Fusiliers Mont-Royal suscitait un regain de fierté. Le Canada français disait non à la « guerre forcée » (la conscription), mais nombreux étaient ses fils qui, non seulement revêtaient volontairement l'uniforme, mais se battaient, se couvraient de gloire, voire même donnaient leur vie sur les champs de bataille.

Le Canada français avait ses héros, les Fusiliers Mont-Royal venaient de lui en fournir.

Il faut dire aussi que les Fusiliers Mont-Royal formaient une unité de « commandos », donc faisaient partie, aux yeux de la population, de troupes d'élite dont il y avait tout lieu d'être fiers.

Dès le 19 août 1942, d'ailleurs, jour du raid, avant même que les lourdes pertes subies furent connues, *La Presse* notait déjà en éditorial que « le raid accroîtra le prestige qui entoure ces troupes d'élite, qu'on nous représente comme des combattants d'une audace extrême, toujours prêts pour les missions les plus périlleuses, entreprises même aux lieux les mieux défendus de la côte occupée par les Allemands ».

Le même jour, la manchette de *La Presse*, rédigée à même une dépêche de l'agence Presse Canadienne, acheminée de Londres, soulignait, en gros caractères que « toutes les escadrilles de chasse canadiennes sont entrées dans la bataille pour appuyer les soldats de leur pays pour la première fois de la présente guerre ».

Les deux bataillons engagés dans la bataille de Hong Kong avaient beau avoir tenu tête aux Japonais pendant deux semaines de lutte féroce et leurs survivants avaient beau croupir dans les camps de concentration nippons depuis huit mois, c'est le raid de Dieppe qui aux yeux de la population québécoise plongea l'armée canadienne de plein fouet dans la guerre.

Comme pour démontrer que le Canada n'était qu'un pourvoyeur d'hommes et de matériel pour le Royaume-Uni, mais qu'il ne pesait pas lourd dans l'élaboration de la stratégie alliée, une autre dépêche, parue le même jour, affirmait qu'à Ottawa, ni le gouvernement de William Lyon Mackenzie King ni l'état-major canadien ne savaient que leurs troupes étaient entrées en action à Dieppe au moment du déclenchement du raid, supposément pour des raisons de « sécurité ». Londres le savait, mais Ottawa, pas. Cela en dit long sur le degré d'autonomie de nos troupes au sein du haut commandement britannique dont elles dépendaient.

Or, s'il faut en croire le récit des survivants et des dépêches parues dès le 21 août, les Allemands, eux, prévenus soit par leurs espions, soit par des indiscrétions ou des imprudences des Alliés, attendaient de pied ferme nos troupes, comme quoi les espions nazis avaient été mieux informés sur les mouvements des troupes canadiennes que le gouvernement d'Ottawa.

« Les Fusiliers Mont-Royal se battent toujours et refusent de se rendre. »

Dès le 21 août, deux jours à peine après le raid de Dieppe, tout le Québec savait que les Fusiliers Mont-Royal avaient participé à cette opération militaire et y avaient perdu plusieurs hommes, tués, blessés ou faits prisonniers. Mais surtout, tout le monde savait que le régiment canadien-français s'était admirablement conduit sous les tirs intenses de l'ennemi et qu'il y avait lieu d'en être fiers. Bref, le Québec avait maintenant non plus seulement quelques héros individuels, mais tout un régiment couvert de gloire.

Les Fusiliers Mont-Royal se trouvaient à fournir les premiers combattants canadiens-français sur le sol français durant la Deuxième Guerre mondiale. Lors des quelques heures du raid, le régiment avait perdu pas moins de 29 officiers et 484 hommes. En fait, seulement 5 officiers et 120 hommes sont revenus au Royaume-Uni. Mais selon une analyse faite par les autorités militaires — analyse aussi complète et consciencieuse que possible dans les circonstances — les Fusiliers Mont-Royal n'auraient réussi qu'à évacuer 65 hommes des plages, les 60 autres n'ayant même pas réussi à débarquer et à prendre une part active à la bataille avant que les embarcations qui les transportaient ne rebroussent chemin.

Lorsque *La Presse* publia une photo de groupe des officiers des Fusiliers Mont-Royal, prise avant le raid et sur laquelle figurent plusieurs des victimes du raid, le journal la publia avec en guise de légende le message reçu directement de la plage de Dieppe par le major-général Roberts, commandant canadien de l'expédition : « Les Fusiliers Mont-Royal se battent toujours et refusent de se rendre. »

On parla donc pendant plusieurs jours à la une des journaux de la « belle conduite de nos Fusiliers ». On vanta également le « travail sublime » de l'aumônier du régiment, le capitaine-abbé J.-Armand Sabourin, revenu indemne de cet enfer et qui, dans les jours suivant le raid, devint un héros médiatique. L'aumônier, soulignait-on, était descendu sur la plage, même s'il n'y était pas tenu, et avait, sous la mitraille, administré les derniers sacrements à ceux de ses « gars» tombés sous les balles de l'ennemi.

« Le *padre*, ajoutaient les dépêches, n'était pas censé débarquer sur la plage où étaient débarqués les camarades de son unité, mais on ne pouvait l'empêcher d'aller remplir les fonctions de son ministère sacré. »

D'autres héros, en plus bien sûr du commandant des Fusiliers Mont-Royal, le lieutenant-colonel Dollard Ménard, eurent droit aux honneurs des médias pour leurs exploits.

Le sergent Pierre Dubuc, qui avait comme on le sait, trouvé le moyen de ramener sur ses épaules le commandant Ménard, grièvement blessé et presque inconscient.

« Nous avons vu nos hommes tués par le tir des mitrailleuses sur la grève, devait confier Dubuc. Mais nous avons eu notre revanche, nous avons pu faire taire leurs casemates. Si nous voulons y retourner ? Mais sûrement. C'est pourquoi nous sommes ici. »

Dubuc raconte également comment Ménard s'était adressé à son régiment à minuit, juste avant le départ pour l'expédition.

Ménard a dit simplement : « Ca y est les gars ! » Il y eut des hourras et des applaudissements. Puis, selon Dubuc, l'aumônier du régiment, l'abbé Sabourin, a déclaré : « Nous sommes tous heureux de partir, mais certains ne reviendront peut-être pas » Il donna ensuite l'absolution aux hommes.

William Stewart, correspondant de la Presse Canadienne, après avoir vanté le travail des Fusiliers Mont-Royal qui avaient, selon son expression, « bravé l'enfer », rendait hommage au sergent Wilfrid Gagné, de Montréal, alors âgé de 22 ans.

Parlant de Gagné, ses camarades, encore vêtus de leur uniforme déchiré par suite de l'expédition, avaient dit à Stewart : « En voilà un qui va vous en apprendre sur Dieppe. » Mais Gagné se contenta de raconter sans ornements le débarquement sur la plage de galets. Il avait survécu à la pluie de balles nazies et avait pu se rembarquer avec ses camarades. À la fin de son récit, il dit : « J'ai de grands amis qui sont restés là-bas, mais j'y retournerai, soyez sans crainte. »

Et Stewart conclut son texte en écrivant : « Ce que le sergent Gagné ne dit pas, c'est qu'il a servi de brancardier, qu'il a travaillé comme cinq hommes, qu'à plusieurs reprises il s'est risqué sous le tir des Allemands pour ramener des blessés qui lui doivent la vie. Jamais je n'aurais appris son existence sans l'officier qui l'a appelé à donner son histoire. Un camarade du sergent Gagné a témoigné qu'à chaque sortie de celui-ci, les tireurs allemands faisaient des efforts désespérés pour le tuer : "Gagné s'en souviendra. Gagné ne dit jamais grand chose, mais nous ne voudrions pas être l'Allemand qu'il choisira pour régler ses comptes". »

Quelques jours plus tard, à la radio, directement d'Angleterre, le capitaine abbé J.-Armand Sabourin, répondait aux questions de Placide Labelle, officier des relations extérieures de l'armée canadienne à Londres.

« Je présume que les parents et les amis des officiers et des soldats des Fusiliers Mont-Royal éprouvent actuellement de l'inquiétude par suite du manque d'informations précises sur le sort de ceux qui ont participé au raid de Dieppe.

« Avant même que vous ne connaissiez les renseignements que je suis en mesure de vous donner, je tiens à vous dire que, quelques heures avant notre départ pour cette expédition, j'ai eu le bonheur de donner à tous sans exception l'absolution générale et la Sainte communion. Cette seule pensée, pour des Canadiens français catholiques, devrait atténuer les inquiétudes et les angoisses qui accompagnent fatalement les opérations militaires de cette nature.

« Je ne doute pas que vous avez sur les lèvres une question présente à laquelle vous voulez m'entendre répondre avec précision.

« Sans doute vous demandez-vous : "Où est mon mari, mon père, mon fils ? Où est mon fiancé ?" Parents du Canada, je suis navré de ne pas pouvoir vous donner cette réponse tant désirée. Pour le moment, les renseignements sont très vagues. Il m'est impossible d'obtenir quelque chose de bien précis.

« Je tiens toutefois à faire observer que nous avons pris part à un engagement extrêmement violent et que les pertes ont été lourdes. Les journaux vous ont d'ailleurs décrit les détails de l'attaque. Notre régiment a essuyé des pertes comme tous les autres, et en a infligé à l'ennemi.

« Selon les rapports qui nous parviennent et selon nos propres consultations, je suis sûr que les Fusiliers Mont-Royal ont infligé aux Allemands des pertes considérables. Mais nos hommes ne sont pas tous revenus. Nombre d'entre eux ont été légèrement blessés et n'ont pas pu se rendre aux bateaux qui les attendaient après le raid de Dieppe. D'autres, en nombre considérable je crois, ont tout simplement été faits prisonniers sans avoir été blessés. Hélas, et cela me peine d'avoir à l'annoncer, on a aussi laissé des morts sur le sol de France. Cette nouvelle, vous l'attendiez sans doute.

« Le nombre exact de nos morts n'est pas encore connu et ne le sera pas encore avant quelques semaines, car la statistique vitale de la guerre s'établit toujours lentement. Chose certaine, c'est que ceux qui sont morts sont tombés comme des braves après s'être lancés sans hésitation à l'attaque.

« Vous ne serez cependant pas surpris de voir arriver de nos officiers et soldats plus tard, car les gars de nos régiments sont débrouillards. Ils trouvent bien le moyen de s'évader et de nous revenir sains et saufs. Vous n'ignorez pas que, depuis trois ans que je suis avec les Fusiliers Mont-Royal, j'ai enseigné à mes compagnons d'armes la gaieté et le sourire. Aussi étais-je réconforté au départ pour Dieppe de les entendre chanter, rire et badiner, tout en manifestant leur hâte de prendre contact avec l'ennemi.

« Sur la grève de Dieppe, j'ai vu à l'œuvre les Fusiliers Mont-Royal. J'ai assisté à des actes d'héroïsme, comme on en raconte dans les livres d'histoire. Malgré le feu de barrage intense, aucun n'a hésité à sortir de la grève et, en quelque sorte, à passer au travers de cet écran de feu et de fer. C'est à ce moment-là que j'ai vu nos hommes à l'œuvre.

« Il me serait impossible de décrire la scène qui est apparue à mes yeux. Ce sont des souvenirs d'ailleurs que je préfère garder pour plus tard, quand les souffrances seront amoindries. Il s'est passé des choses étonnantes.

«Ainsi, j'ai vu le sergent Gagné transporter pendant des heures, au risque de sa propre vie, un bon nombre de ses camarades blessés, leur permettant ainsi de s'échapper de la fournaise. Un autre soldat vit sa mitrailleuse brisée en deux par une balle ennemie sans cependant être touché lui-même, et continuer sa course vers l'objectif. On se précipitait à l'avant afin de recueillir ses camarades qui étaient grièvement blessés et si on constatait l'incapacité de transporter un camarade, on ne le quittait pas sans lui dire : "Bonne chance mon vieux, on se reverra plus tard".

« Sans aller plus loin dans ces détails, je ne voudrais tout de même pas terminer sans vous assurer que les survivants, loin d'être démoralisés et vaincus, n'ont pas d'autre désir que celui d'aller au plus tôt venger leurs compagnons et aider à la victoire finale. »

D'autres exploits de la conduite héroïque des Fusiliers Mont-Royal furent rendus publics par certains soldats des bataillons de retour en Angleterre.

Léo Bellaire, de Nominingue, raconta comment, bien installé sous une véranda, il a tué plusieurs Allemands.

« Lorsque je débarquai sur la plage de Dieppe, dit-il, malgré les balles, je réussis à atteindre la ville en suivant un de nos tanks. À un certain moment, je me glissai sous une véranda où se trouvaient déjà deux de mes camarades. De ce poste d'observation, tous trois nous avons tiré sur les Allemands qui passaient devant nous sans nous voir. Plusieurs d'entre eux étaient en civil, mais nous avons tiré quand même. Quand nous sommes retournés à nos embarcations, nos vêtements étaient tout déchirés et j'avais perdu mon casque d'acier, mais j'étais chanceux, car je n'ai pas été blessé. »

Léo Bellaire, dont le frère Raymond fut aussi du combat et ne fut pas blessé lui non plus, dit également que les Allemands pour la plupart paraissaient être très jeunes et, dit-il, « ça nous a fait de la peine de les abattre, mais il fallait que cela se fasse ».

Le caporal Jean-Paul Lefebvre avait pour mission de coller des affiches sur les murs de Dieppe tout en demandant aux Français de rester calmes. Il portait sur lui un porte-bonheur qu'il avait reçu de son amie de Montréal, Suzanne Vachon. Lefebvre est sorti indemne de la fournaise.

Le soldat Fernand Labrecque, de Montréal, du corps des ingénieurs, faisait partie de l'équipe qui devait s'emparer du casino de Dieppe. Il dit avoir entendu tellement de fortes explosions qu'il croyait que la fin du monde était arrivée.

Pour sa part, Jean-Baptiste Bock, de Saint-Jérôme, n'avait pas franchi 500 pieds sur la grève de Dieppe lorsqu'une explosion brisa sa mitrailleuse Bren en morceaux. Heureusement, il ne fut que légèrement blessé par l'explosion.

Le capitaine Bob Lajoie et le lieutenant Pierre Benoît, qui accompagnaient tous deux le corps des ingénieurs, étaient à bord d'un char qui ne put servir, tant le feu des Allemands dirigé contre lui était nourri. Lajoie et Benoît assistèrent donc, bien malgré eux, à l'engagement meurtrier en « spectateurs ». Voici leur version.

« La grève où les tanks s'engagèrent était complètement minée et plusieurs des tanks qui nous précédaient sautèrent. Nous avons essayé de nous frayer un chemin mais sans aucun succès. Nous étions criblés de balles et, d'un entrepôt que nous pouvions très bien apercevoir, les Allemands ne cessaient de nous arroser de toutes sortes de projectiles. »

Enfin, le capitaine-abbé Sabourin y alla, auprès d'autres journalistes, d'une autre anecdote : « Deux jours après mon retour en Angleterre, j'ai rencontré un jeune soldat qui me demanda si je me souvenais de lui : Oui, lui dis-je sans grande conviction. Le soldat me rappela qu'il était près de moi sur le bateau qui nous ramenait de Dieppe et qu'il m'avait alors demandé à manger. Je lui donnai le dernier sandwich qu'il me restait, car il était complètement exténué... en lui disant que nous, prêtres catholiques, avions l'habitude de jeûner. »

La fierté, malgré le deuil
Bref, malgré le deuil national, c'était surtout la fierté qu'on exploitait.

Revenant sur le raid en éditorial le 21 août, *La Presse* écrivait : « Nous savons maintenant que les hommes des Fusiliers Mont-Royal, un régiment recruté ici, ont participé au grand raid sur Dieppe, et c'est avec fierté que la population lit les récits qui lui font connaître la bravoure et le cran de nous concitoyens au cours de cette expédition. Les Canadiens français avaient, comme leurs compagnons d'attaque, une dure tâche à accomplir. Ils y ont trouvé l'occasion de se signaler de bien des manières.

« L'endroit où ils devraient aborder était bien défendu par l'ennemi ; il est connu même que tout le secteur de Dieppe avait été renforcé dernièrement. Mais sous le feu nourri pour empêcher leur débarquement, ils ont réussi malgré tout à passer et à venir en contact avec l'adversaire. On rapporte plusieurs traits de leur sang-froid, de leur initiative, de leur héroïsme, incidents divers qui seront retenus avidement et largement commentés par les Montréalais. On ne peut qu'admirer le courage de leur aumônier, l'abbé Sabourin, qui a voulu les accompagner sur la côte et assister ainsi durant la bataille, les blessés, les mourants.

« Le Canada est fier de ses combattants. C'était la première fois que leur était affectée l'occasion de faire honneur à leur pays dans une opération d'assez forte envergure. Leurs qualités, leur vaillance, leurs ressources d'initiative, l'excellence de leur entraînement se sont manifestées de manière non équivoque. Le premier ministre du Canada, Mackenzie King, a transmis au commandant en chef de l'armée canadienne outre-mer les félicitations de toute la population du Dominion. Ainsi qu'il le dit, tout le Canada a été ému par le récit du raid de Dieppe ; nous sommes fiers d'apprendre que les troupes canadiennes aient reçu un rôle de toute première importance dans cet assaut et qu'elles ont si brillamment accompli leur devoir. »

Pendant plusieurs jours, on continua ainsi à vanter les mérites des Fusiliers Mont-Royal, tout en pleurant leurs morts. Et on parla abondamment bien sûr du lieutenant-colonel Dollard Ménard, leur commandant, cinq fois blessé, décoré de l'Ordre du Service distingué (DSO) puis de la Légion d'Honneur française.

Le major-général H.F.C. Letson, adjudant général de l'armée canadienne, et qui était allé rencontrer le lieutenant-colonel Ménard sur son lit d'hôpital avant de revenir d'une tournée en Angleterre, déclara à son retour au Canada, que « tous nos soldats qui ont pris part au raid contre Dieppe, tout particulièrement les Fusiliers Mont-Royal, sont revenus avec un moral splendide. Ils n'espèrent qu'une chose : rencontrer de nouveau les Allemands et venger ceux qui sont tombés ».

Pendant ce temps, à Brookwood, en Angleterre, une brochette de généraux, parmi lesquels le major-général J.H. Roberts, le lieutenant-général Andrew G.L. McNaughton, le major-général G.R. Turner, le lieutenant-général H.D.G. Crerar et le major-général C.B. Price assistèrent à la cérémonie en hommage à 11 militaires canadiens tués à Dieppe et ramenés en Angleterre par leurs camarades pour y être inhumés au cimetière militaire. Parmi les Canadiens ainsi honorés et inhumés à Brookwood se trouvait mon père, le lieutenant André Vennat, des Fusiliers Mont-Royal.

L'élite de notre jeunesse

Le 2 septembre 1942, trois ans presque jour pour jour après le début de la Deuxième guerre mondiale, l'Église et l'État rendaient à l'église Notre-Dame de Montréal un dernier hommage aux héros de Dieppe tombés au champ d'honneur. Le premier ministre du Québec, Adélard Godbout, le ministre fédéral de la Justice, Louis Saint-Laurent, le ministre de la Défense nationale, J.L. Ralston, ainsi que le maire de Montréal, Adhémar Raynault, une brochette d'officiers et de généraux et le commandant du service de convoyage britannique (Ferry Command), le maréchal de l'air Sir Frederick Bowhill, étaient présents.

Dans le sermon qu'il prononça, le curé de l'église Notre-Dame, l'abbé A. Dubeau, déclara : « on peut le dire, en toute vérité, c'est l'élite de notre jeunesse qui a marché si vaillamment à cette aventure périlleuse. Dociles à la voix de leur conscience, ils avaient tout de suite compris ces jeunes héros, que le devoir les appelait à la défense de leur patrie menacée, et sans aucune hésitation, spontanément, ils se sont consacrés tout entiers à son service. Pour défendre sa cause sacrée, ils ont renoncé à tout ce que la vie civile et familiale pouvait leur offrir de plus attrayant et ils ont marché sans défaillance dans le chemin du devoir jusqu'au lieu de l'immolation.

« Aujourd'hui, ils sont tombés au champ d'honneur ; un grand nombre hélas, pour ne plus se relever. La tenure funèbre de cette église est à l'unisson des sentiments qui nous animent en ce moment ; la nation tout entière pleure ses enfants disparus. Par ses représentants religieux, civils et militaires, elle a voulu en honorant la mémoire de ses héroïques défenseurs, offrir à leurs familles endeuillées un témoignage officiel et public de sa profonde sympathie et unir ses prières aux leurs pour le salut de ces grandes âmes que Dieu a rappelées à Lui. »

Trois jours plus tard, au moment où le Canada entrait de plain pied dans la quatrième année de la guerre, 8 000 personnes rassemblées au Forum de Montréal, haut lieu des exploits sportifs du Canadien de Montréal, rendaient un hommage officiel aux héros de Dieppe, qui entraient dans l'Histoire de notre pays par la grande porte.

Le clou de la soirée fut la lecture d'un message adressé à l'auditoire de son lit d'hôpital, quelque part en Angleterre, par le lieutenant-colonel Dollard Ménard, l'héroïque commandant des Fusiliers Mont-Royal, blessé cinq fois sur la plage de Dieppe : « Mes hommes furent braves, héroïques. Ils se surpassèrent et furent les meilleurs au monde. »

TABLE DES MATIÈRES